MAGIE

D0713631

Guten Buchhandlungen kann man kaum widerstehen...

Hinweise

Pages
& Co.

Pages & Co.:

Matilda und das Geheimnis der Buchwandler
Matilda und das Verschwinden der Buchmagie
Matilda und das Rätsel der magischen Karte

Anna James

Pages & Co.

Band 3
Matilda und das Rätsel der magischen Karte

Aus dem Englischen
von Birgit Salzmann

Mit Illustrationen
von Paola Escobar

Pages & Co.
Matilda und das Rätsel der magischen Karte
ISBN: 978-3-96129-154-0

Edel Kids Books – Ein Verlag der Edel Verlagsgruppe
Copyright © Edel Germany GmbH, Neumühlen 17, 22763 Hamburg
www.edel.com
1. Auflage 2021

Originally published in English by
HarperCollins Children's Books under the title:
PAGES AND CO. (3) – TILLY AND THE MAP OF STORIES
Text © Anna James 2020
Translation © Edel 2021 translated
under licence from HarperCollins Publishers Ltd

Anna James and Paola Escobar assert the moral right to be identified
as the author and illustrator respectively of the work.

Text: Anna James
Illustrationen: Paola Escobar
Übersetzung: Birgit Salzmann
Lektorat: Claudia Müller
Projektkoordination: Dagmar Hoppe
Umschlaggestaltung: Kreativbunker, Herne
Layout und Satz: Uhl + Massopust, Aalen
Herstellung: Frank Jansen
Druck und Bindung: GGP Media GmbH, Pößneck

Die in diesem Buch verwendeten Fremdtexte wurden mit
freundlicher Genehmigung folgender Verlage verwendet:

Lewis Carroll, Alice im Wunderland. Aus dem Englischen von Christian Enzensberger.
© der deutschsprachigen Ausgabe Insel Verlag Frankfurt am Main 1963. Alle Rechte
bei und vorbehalten durch Insel Verlag Berlin.

Printed in Germany

Für Adam.

*Es ist schön, unsere gemeinsame Geschichte
zu schreiben.*

Bisher in Pages & Co.

In *Matilda und die Buchwandler* erfährt Matilda Pages, dass sie eine Buchwandlerin ist und sich in alle ihre Lieblingsbücher lesen kann. Als sie sich mit ihrem besten Freund Oskar auf die Suche nach ihrer verschollenen Mutter macht, findet sie heraus, dass ihr Vater eine fiktionale Figur war und dass auch sie dadurch halb erfunden ist.

In *Matilda und das Verschwinden der Buchmagie* bekommen Oskar und Tilly es mit den Underwood-Geschwistern zu tun. Melville Underwood hat es geschafft, die Leitung der British Underlibrary zu übernehmen, und will das Buchwandeln einschränken. Derweil experimentiert seine Schwester Decima mit Buchmagie, um die in den Geschichten vorkommende Unsterblichkeit zu stehlen. Sie hofft, Tilly könnte durch ihre halb fiktionale Herkunft der Schlüssel dazu sein.

Tilly und ihr Freund Oskar sind beim Buchwandeln in den Besitz einiger Gegenstände gelangt, die darauf hindeuten, dass irgendwo so etwas wie eine Karte existiert, mit deren Hilfe man die mysteriösen Archivare finden kann.

Die sollen eigentlich für den Schutz des Buchwandelns Sorge tragen und den Buchwandlern mit Rat und Tat zur Seite stehen, sind aber seit vielen, vielen Jahren verschwunden.

1

Ein wohlbedachter Plan

Ich suche ein Buch.«

Als Matilda Pages und ihr Großvater, die gerade Buch-
empfehlungskarten schrieben, aufblickten, stand ein Mann
vor ihnen am Verkaufstresen. In der Buchhandlung Pages &
Co. war es ruhig, und das goldene Sonnenlicht des Spät-
nachmittags fiel sanft durch die hohen Fenster und ließ alles
verschlafen und friedlich erscheinen.

»Also, da können wir Ihnen definitiv weiterhelfen«,
sagte Grandad. »Um welches Buch handelt es sich?«

»An den Titel erinnere ich mich leider nicht mehr«, antwortete der Mann. »Und an den Autor auch nicht, wenn
ich so darüber nachdenke. Aber ich weiß noch, dass es
einen blauen Einband hatte. Glaube ich jedenfalls.«

»Können Sie sich vielleicht noch an *irgendetwas* vom
Inhalt erinnern?«, versuchte Grandad dem Gedächtnis des
Mannes auf die Sprünge zu helfen.

Tilly grinste. Sie beobachtete Grandad gerne dabei, wenn
er durch noch so kleine Hinweise herausfinden wollte, welches Buch jemand suchte.

»Nicht wirklich...«, antwortete der Mann unsicher. »Wie seltsam! Ich bin extra in den Laden gekommen, um dieses ganz bestimmte Buch zu kaufen – es war mein Lieblingsbuch, als ich noch ein Kind war. Oder das meiner Mutter? Es ist mir entfallen. Jetzt weiß ich nicht einmal mehr, ob ich es wirklich mochte. Vielleicht war es doch nicht so etwas Besonderes...«

»Klingt, als hätte es Ihnen einmal viel bedeutet«, sagte Grandad. »Ich kann bestimmt darauf kommen, wenn Sie sich an irgendetwas erinnern könnten, was in dem Buch passiert. Oder dürfen wir Ihnen vielleicht etwas anderes zum Lesen empfehlen?«

»Das ist sehr freundlich von Ihnen, aber ehrlich gesagt – entschuldigen Sie, wenn ich das hier so äußere –, habe ich das Gefühl, mich nicht mehr für Bücher zu interessieren.«

Grandad zog eine Augenbraue hoch.

»Tut mir leid, ich möchte nicht unhöflich sein«, fuhr der Mann fort. »Es ist bloß, je mehr ich darüber nachdenke, umso weniger weiß ich, weshalb ich überhaupt in den Laden gekommen bin.«

»Wegen eines Buches«, rief Grandad ihm in Erinnerung. »Mit einem blauen Einband.«

»Ich bin mir nicht einmal mehr sicher, ob er überhaupt blau war.« Der Mann zuckte mit den Schultern. »Nun ja, danke für Ihre Hilfe jedenfalls.« Und mit diesen Worten war er verschwunden.

»Sonderbar«, sagte Grandad.

»Es ist doch nicht ungewöhnlich, dass jemand vergisst, wonach er gesucht hat«, meinte Tilly.

»Ja, aber normalerweise geben die Leute nicht so schnell auf, wenn sie in den Buchladen kommen. Manchmal sind sie sogar ziemlich verärgert, wenn wir nicht sofort wissen, wonach sie suchen. Er dagegen scheint während unseres Gesprächs sogar vergessen zu haben, was er überhaupt hier wollte.«

»Da ist er nicht der Einzige«, fiel Tilly ein. »Kürzlich war eine Frau hier, die stand bloß zehn Minuten vor dem Regal und betrachtete es, ohne irgendein Buch herauszunehmen. Und als ich sie fragte, ob ich ihr behilflich sein könnte, antwortete sie, sie wisse es nicht genau, und ging davon.«

»Hm, sehr seltsam«, sagte Grandad, während er seine Aufmerksamkeit einer Zahlenreihe auf dem Computerbildschirm zuwandte, der auf dem Verkaufstresen stand. »Wollen wir hoffen, dass das nicht weiter Schule macht. Wir haben in den letzten Monaten zunehmend weniger Bücher verkauft. Vielleicht liegt es ja nur daran, dass es endlich wärmer wird und die Leute lieber draußen sind, anstatt zu lesen. Als hätten wir sonst keine Sorgen. Wie geht es dir ohne das Buchwandeln?«

11

»Es ist schlimm«, antwortete Tilly. »Es ist ganz schlimm, dass ich nicht mit Oskar in Bücher wandeln oder mit Anne reden kann. Und am schlimmsten finde ich es, dass die Underwoods uns das einfach so verbieten können.«

Als Melville Underwood Direktor der British Underlibrary geworden war, hatte er seine Schwester Decima zu seiner Beraterin ernannt und seine Drohung wahr gemacht, das Buchwandeln einzuschränken, indem er die Primärausgaben sicherte. In mehreren offiziellen Mitteilungen hatten die beiden angekündigt, dass es sich nur um eine zeitlich befristete Sicherheitsmaßnahme handele, bis sie sich in ihren neuen Aufgaben eingearbeitet hätten, aber die Familie Pages traute den Versprechungen der Geschwister nicht.

»Erklär mir doch noch mal, wie das mit dem Büchersichern funktioniert«, bat Tilly. »Wer hat sich das überhaupt ausgedacht?«

»Das waren die Buchwächter«, antwortete Grandad. »Diese Gruppe von Bibliothekaren hat schon vor vielen Jahren versucht zu kontrollieren, wer buchwandeln darf und wer nicht. Sie benutzen Buchmagie dazu, diese schwarze, klebrige Flüssigkeit, die du gesehen hast, als die Underwoods die Märchen zerstört haben. Es ist wirklich grauenhaft, wozu sie diese reine Magie einsetzen – ge-

12

nau für das Gegenteil von dem, wozu sie ursprünglich bestimmt war.«

»Aber wie funktioniert es? Hast du es schon einmal gemacht?«

»Bücher sollten nur im äußersten Notfall gesichert werden«, antwortete Grandad. »Manche sagen sogar niemals. Während ich die British Underlibrary geleitet habe, waren wir lediglich ein einziges Mal gezwungen, ein Buch zu sichern, und ich weiß immer noch nicht, ob es richtig war. Die Sache selbst ist jedenfalls ziemlich einfach. Man braucht nichts weiter zu tun, als mit Buchmagie ein X über das erste Wort der Primärausgabe zu ziehen; das ist dann, als würde man eine Tür abschließen.«

»Und das haben die Underwoods mit jeder einzelnen Primärausgabe gemacht?«

»Mit allen in der British Underlibrary offenbar. Obwohl sie es sicher von ein paar ihrer Handlanger haben erledigen lassen – bestimmt von denselben, die so überzeugt den Namen Buchwächter wieder aufleben ließen. Aber keine Sorge, Tilly, uns fällt bald etwas ein.«

»Ich verstehe nicht, wie du so ruhig bleiben kannst«, erwiderte Matilda, die ganz aufgebracht war, weil man ihr das Buchwandeln weggenommen hatte.

»Ich bin keineswegs ruhig«, antwortete Grandad. »Ich bin genauso wütend wie du, aber die Sache ist eine Nummer zu groß, um sie unüberlegt anzugehen. Das würde nur noch mehr Probleme schaffen. Wir müssen sicherstellen, dass die Primärquellen zu jeder Zeit geschützt sind, ebenso wie die Mitarbeiter der Underlibrary. Wir brauchen einen wohlbedachten Plan.«

»Ich hatte einen wohlbedachten Plan.« Tilly sah ihn trotzig an.

»Ja, ich weiß, du denkst… ich meine, ich verstehe, dass du…« Grandad geriet bei dem Versuch darzulegen, was er meinte, ohne es wirklich auszusprechen, ins Stocken.

»Schon klar, du glaubst weder, dass die Archivare existieren, noch, dass ich sie finden könnte«, sagte Tilly. »Du brauchst es mir nicht noch mal zu erklären. Du wirst mich sowieso nicht überzeugen. Oskar und ich haben von zwei verschiedenen Leuten gehört, dass sie Karten benutzen, um den Menschen mitzuteilen, wo sie sind – und eine davon habe ich bekommen.«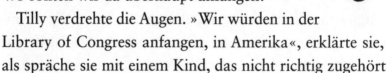

»Niemand hat dir eine Karte gegeben, Liebling«, antwortete Grandad sanft. »Du bist bloß auf ein paar Gegenstände gestoßen, von denen du dir einredest, dass sie etwas miteinander zu tun haben, weil du gerne helfen willst. Und dafür lieben wir dich sehr, aber es ist zu gefährlich, diesen Spuren zu folgen… Nun ja, wir könnten es auch gar nicht. Wo sollten wir da überhaupt anfangen?«

Tilly verdrehte die Augen. »Wir würden in der Library of Congress anfangen, in Amerika«, erklärte sie, als spräche sie mit einem Kind, das nicht richtig zugehört hat. »Dahin führt uns der erste Hinweis. Auf dem Zettel, den ich hatte, stand eine … wie hat Mama es genannt, amerikanische Postleitzahl?

»Ein ZIP-Code«, antwortete Grandad.

»Genau, ein ZIP-Code! Außerdem stand da noch eine Bibliothekssignatur – du hast selbst gesagt, dass Signaturen wie Koordinaten auf einer Landkarte sind – und so bin ich draufgekommen.«

»Wir können nicht bis nach Amerika fliegen, nur um ein Buch zu suchen, Tilly«, erwiderte Grandad. »Und jetzt lass mich einen Augenblick in Ruhe diese Verkaufszahlen überprüfen. Warum bist du nicht ein braves Mädchen und schaust mal nach, ob du deine Mum irgendwo findest?«

Wenn Tilly etwas an ihren Großeltern besonders mochte, dann war es die Tatsache, dass sie sie fast immer wie einen erwachsenen, vernünftigen Menschen behandelten, der gute Einfälle hatte. Umso mehr schmerzte es, wenn sie mit ihr wie mit einem kleinen Kind sprachen, das nicht verstand, was gerade Sache war.

Ohne ein weiteres Wort stand sie auf, um Bea zu suchen und mit *ihr* über die Karte zu sprechen, doch bevor sie die Treppe erreichte, klingelte das Telefon hinter der Theke.

»Pages & Co., guten Morgen«, meldete sich Grandad. »Archie am … Ach, hallo, Seb. gibt's was Neues? Oh … verstehe …«
Er hob den Blick, um festzustellen, ob Tilly noch da war, und gab ihr ein

Zeichen, stehen zu bleiben. »Sie ist hier bei mir«, sagte er, und Tilly überkam plötzlich ein mulmiges Gefühl. Im nächsten Moment knallte Grandad den Telefonhörer auf, packte sie am Arm und zog sie in Richtung der Tür, die die Buchhandlung mit der Wohnung der Familie Pages verband.

»Was machst du?«, rief Tilly und versuchte, sich aus seinem Griff zu winden. »Du tust mir weh, Grandad!«

»Tut mir leid, Tilly«, sagte ihr Großvater, »aber wir müssen dich verstecken. Sofort. Das war Seb. Die Underwoods sind auf dem Weg hierher – sie wollen dich holen.«

2

DER HAUCH EINES ZWEIFELS

Was wollen sie denn von mir?«, fragte Tilly, während sie durch die Küche und dann die Treppe hinaufrannten.

»Das will ich mir gar nicht erst ausmalen!«, antwortete Grandad. »In Anbetracht der Tatsache, dass sie es das letzte Mal auf dein Blut abgesehen hatten...«

»Aber hier in Pages & Co. können sie mir doch nichts anhaben«, erwiderte Tilly außer Atem, während sie hinter Grandad bis ins oberste Stockwerk hetzte, wo sich ihr Zimmer befand. »Und zu verhandeln gibt es schließlich auch nichts, nachdem sie uns schon das Buchwandeln verboten haben.«

»Das Risiko gehe ich nicht ein«, antwortete Grandad. »Wenn sie nachfragen, bist du bei einer Freundin zum Tee. Deine Großmutter und ich werden mit ihnen reden und herausfinden, was sie wollen. Ich schicke deine Mum rauf, damit sie hier mit dir wartet. Die Tür zum Laden schließe ich ab, und du musst mir versprechen, nicht herunterzukommen. Ja?«

»Versprochen.«

»Zum ersten Mal bin ich froh, dass du nicht buchwandeln kannst. So wirst du wenigstens nicht einfach irgendwohin verschwinden«, sagte er ernst, bevor er die Tür fest hinter ihr schloss.

Während seine Schritte auf dem Weg nach unten verhallten, bemerkte Tilly, dass sie ihr Handy im Buchladen hatte liegen lassen und noch nicht einmal ihrem besten Freund Oskar schreiben konnte, was los war. Immerhin hatte sie ihr Bücherregal. Sie war sich aber nicht sicher, ob sie sich aufs Lesen konzentrieren konnte, während Grandad unten mit den Underwoods redete. Dem Stapel angefangener Bücher auf ihrem Nachttisch nach zu urteilen, war es mit ihrer Konzentration ohnehin schon eine ganze Weile nicht weit her. Tilly hatte seit fast einer Woche kein Buch mehr beendet – eine ziemlich lange Zeit für eine begeisterte Leserin wie sie.

In der Hoffnung, wie so oft am Ende genau das richtige Buch zur richtigen Zeit zu finden, fuhr sie mit dem Finger an den Regalböden entlang. Vielleicht gab es ja etwas,

das sie ablenken könnte. Normalerweise war ihr Regal so voll, dass man ziemlich kräftig ziehen musste, um einen Band herauszunehmen, jetzt bemerkte Tilly aber ein paar Lücken. Was genau fehlte, wollte ihr im Moment nicht einfallen, wahrscheinlich hatte sie Oskar einiges ausgeliehen.

Auf einem der Regalböden lag eine Ansammlung seltsamer Gegenstände. Diese Gegenstände würden sie, da war Tilly sich sicher, zu den Archivaren führen.

Auch wenn Grandad und Grandma die Archivare bloß für ein Buchwandlermärchen hielten, es konnte einfach kein Zufall sein, dass genau diese Dinge alle bei ihr gelandet waren: ein schmales Büchlein und ein Knäuel rotes Garn, beides Geschenke einer Bibliothekarin der französischen Unterbibliothek; ein Schlüssel aus *Der geheime Garten* und ein Beutel Brotkrumen aus *Hänsel und Gretel*. All diese Dinge hatten innerhalb weniger Tage den Weg zu ihr gefunden. Sie mussten eine *Bedeutung* haben! Doch als Tilly sie so nebeneinanderaufgereiht ansah, überkam sie plötzlich der Anflug eines Zweifels. Eigentlich war es schwer, sie nicht als das zu betrachten, als was Grandad sie betrachtete: als ein paar einzelne Gegenstände, die sie beim Buchwandeln gesammelt hatte – von Wunschdenken umhüllt.

Tilly seufzte. Wieder einmal wünschte sie sich, sie könnte buchwandeln – sich auf die Suche nach weiteren Hinweisen machen, Shirley Annes Beurteilung der Lage hören oder sich einfach von dem, was unten im Buchladen gerade vor sich ging, ablenken. Natürlich hatten sie alle versucht, sich in Bücher zu lesen, nachdem Seb ihnen von Melvilles Maßnahme erzählt hatte, aber es funktionierte einfach nicht. Einen Moment lang spürte man zwar die vertraute Sogwirkung der Geschichte, das flaue Gefühl im Magen, ja sogar der entfernte Geruch nach gerösteten Marshmallows zog – einem in die Nase, doch dann hatte man plötzlich das Gefühl, ein unsichtbares Gummiband hielte einen zurück.

Tilly nahm ein zufällig ausgewähltes Buch aus dem Regal und starrte frustriert auf das Cover. Es war *Alice im Wunderland,* eine der Geschichten, in die sie am liebsten wandelte. Alice, die Hauptfigur, schaute auch öfter bei ihr im Laden vorbei.

Das, was Grandad ihr über das Büchersichern erzählt hatte, noch genau im Ohr, schlug Tilly das Buch auf und betrachtete das erste Wort. Es war mit einem blassen X durchgestrichen. Sie versuchte, es wegzureiben oder abzukratzen, aber nichts passierte. Die kaum sichtbare Markierung, der Abglanz der Buchmagie, mit der die Primärausgabe des Textes in der Underlibrary gesichert war, blieb, wo sie war. Tilly blätterte durch die Seiten bis zu der Stelle mit der Teeparty des verrückten Hutmachers. Dies war der allererste Ort, an den sie je buchgewandelt war.

Sie setzte sich auf ihr Bett, las die Zeilen laut vor und versuchte, das Gefühl der Ehrfurcht und Bewunderung wieder heraufzubeschwören, das sie überkommen hatte, als sie zum ersten Mal zwischen die Seiten eines Buches gezogen worden war.

»*Unter einem Baum vor dem Haus stand ein gedeckter Tisch, und der Hutmacher und der Schnapphase hatten sich schon daran niedergelassen und tranken Tee. Zwischen den beiden saß eine Haselmaus und schlief vor sich hin, während sich ihre zwei Nachbarn mit den Ellbogen auf sie stützten und sich über ihren Kopf hinweg unterhielten.*«[1]

Tilly las immer weiter und ließ sich von der Geschichte davontragen. Plötzlich musste sie niesen.

»Dummer Heuschnupfen«, sagte sie zu sich selbst und schob die Blumen vor ihrem Gesicht zur Seite – bevor sie realisierte, dass die kurz zuvor noch gar nicht da gewesen waren. »Wo kommt ihr denn her?«, fragte sie und bemerkte, als sie aufsah, dass es nicht nur diese Blüten waren, die plötzlich aufgetaucht waren. Statt ihres Holzfußbodens lag jetzt ein duftender Grasteppich in ihrem Zimmer, noch feucht vom Morgentau. In den Ecken des Raumes sprossen noch mehr bunte Blumen aus dem Boden, und in der Luft lag der unverwechselbare Klang von Vogelgezwitscher, obwohl ihr Dachfenster zum Schutz vor den Aprilschauern fest geschlossen war. Die hölzernen Beine eines Tisches schienen aus dem Gras emporzuwachsen; sie knarzten leise, während sie flimmernd Gestalt annahmen.

Tilly ließ erschrocken das Buch aufs Bett fallen. Es klappte zu, und ehe sie sich's versah, war alles wieder verschwunden.

»Was
geht
hier
vor?«,
flüsterte sie.

3

Schatzsuchen mochte ich schon immer

Tilly saß auf ihrem Bett und starrte auf die *Alice im Wunderland*-Ausgabe. Sie dachte daran, wie sie kurz vor Weihnachten versehentlich den geheimen Garten in ihr Zimmer gelesen hatte, und an den Märchenwald, der plötzlich im Zug nach Paris aufgetaucht war. Vorsichtig nahm sie das Buch wieder zur Hand und blätterte ein paar Seiten, bis zu der Stelle, wo Alice der schelmischen Raupe begegnet, die auf einem Pilz sitzt.

Um mehr darüber herauszufinden, was hier Merkwürdiges vor sich ging, versuchte sie, diese Szene aus dem Buch herauszulesen. Abgesehen davon, dass ihr Zimmer auf einmal nach Pilzen roch, passierte allerdings nichts. Tilly legte das Buch wieder zur Seite und griff nach dem großen verzierten Schlüssel, der bei ihr liegen geblieben war, nachdem der geheime Garten, der sich kurzzeitig in ihrem Zimmer breitgemacht hatte, wieder verschwunden war. Sie sah sich in ihrem Zimmer um, fragte sich, ob wohl auch diesmal etwas zurückgeblieben war – ein weiterer Gegenstand womöglich –, doch es lag nur ein zarter Frühlingsduft in der Luft, sonst nichts.

»Das wüssten die Underwoods sicher gerne«, sagte sie lächelnd zu sich selbst. »Sie können vielleicht verhindern, dass ich in die Bücher wandle, aber nicht, dass die Geschichten zu *mir* kommen.«

Ihre Freude darüber, dass sie die Vorschriften der Underwoods umgehen konnte, hielt jedoch nicht lange an. Schließlich waren Melville und Decima in diesem Moment in Pages & Co. Äußerlich wirkten die Geschwister wie Zwillinge – schlank, blond und unnahbar. Ihre Persönlichkeiten unterschieden sich allerdings. Melville bekleidete zwar die mächtigste Position der Underlibrary, doch seine Schwester war der kluge Kopf hinter allem. Während er sich mit Charme und listigen Worten nach oben geredet hatte, war Decima diejenige, die etwas von Buchmagie verstand. Sie hatte begriffen, dass ein Teil der Unvergänglichkeit, die den Geschichten innewohnte, in Tillys halb fiktionalem Blut enthalten sein könnte.

Obwohl sie sich vier Etagen höher befand und durch mehrere Türen von den Underwoods getrennt war, mindestens eine davon verschlossen, hatte Tilly das Gefühl, ihre Gegenwart spüren zu können. Es gelang ihr kaum, die Knie still zu halten, so sehr drängte es sie, hinunterzugehen und ihnen die Meinung zu sagen. Die Entscheidung, sich Grandads Anweisung zu widersetzen oder nicht, wurde ihr jedoch durch ein leises Klopfen an der Tür abgenommen.

»Ich bin's, Bea«, kam es von ihrer Mutter. »Mum, meine ich.«

Nachdem Bea elf Jahre lang in *Sara, die kleine Prinzessin* gefangen gewesen war, hatten sie noch nicht ganz geklärt, wie Tilly sie nennen sollte. Manchmal schien einfach keine Bezeichnung richtig zu passen.

»Komm rein«, sagte Tilly, und ihre Mutter schlüpfte durch die Tür.

»Wie geht's dir?«, erkundigte sich Bea, schob die *Alice im Wunderland*-Ausgabe zur Seite und setzte sich neben ihre Tochter aufs Bett.

Tilly zuckte mit den Schultern und wusste nicht recht, was sie antworten sollte. »Irgendwie bin ich verzweifelt, verwirrt und frustriert zugleich.«

»Das kann ich verstehen«, sagte Bea.

»Weißt du, was die Underwoods wollen?«

»Noch nicht. Dein Großvater hat mich hinausbefördert, als die beiden eingetroffen sind.«

»Sie können doch nichts Schlimmes machen, oder?«, fragte Tilly. »Schließlich sind Kunden im Laden.«

»Ich hoffe nicht«, antwortete Bea. »Aber was immer sie wollen, es hat Seb so sehr beunruhigt, dass er uns vorgewarnt hat. Wir werden es erfahren. Sobald deine Großeltern raufkommen und uns holen, wissen wir mehr…«

Beas Blick wanderte zu den geheimnisvollen Gegenständen auf Tillys Regal. »Erzähl mir, was du dir überlegt hast.«

»Du glaubst mir?«, fragte Tilly.

»Ich glaube dir immer«, antwortete Bea. »Und ich möchte gern wissen, was du über die Archivare denkst. Ich für meinen Teil will nämlich nicht nur hier rumsitzen und abwarten, was diese schrecklichen Geschwister als Nächstes tun, vor allem nicht, wenn sie dabei so auf *dich* fixiert sind.«

»Also, wir haben diese Ziffern- und Buchstabenfolge, die wir in dem schmalen Buch entdeckt haben«, begann Tilly und vergaß ihre Angst ein bisschen, weil sie ihre Theorie endlich jemandem erklären konnte, der sie ernst nahm. »Von der Grandad gesagt hat, dass es eine Signatur ist, mit der man ein Buch in einer Bibliothek finden kann.«

»Gut«, sagte Bea. »Und weil die Postleitzahl und die Adresse, die wir gefunden haben, zur Library of Congress gehören, schließt du daraus, wir sollten dort nach etwas suchen?«

»Ja, genau«, antwortete Tilly. »Ist doch ganz einfach, oder?«

»Aber was ist mit den anderen Sachen?«, fragte Bea und zeigte auf die Gegenstände auf Tillys Regal. »Wie passen die alle dazu?«

»Weiß ich nicht«, musste Tilly zugeben. »Aber es war bestimmt kein Zufall, dass sie alle bei mir gelandet sind?

Und Oskars Großmutter hat bei unserem Besuch in Paris gesagt, dass es eine Karte gibt, die zu dem Archiv führt.«

»Wie willst du einen Schlüssel, ein Knäuel Garn und ein paar Brotkrumen in eine Karte verwandeln?«

»Vielleicht ist *Karte* das falsche Wort«, antwortete Tilly und sah ihre Mutter an. »Vermutlich ist es eher eine Art Schatzsuche oder Schnitzeljagd.«

»Schatzsuchen mochte ich schon immer.« Bea lächelte. »Wobei die geheimste Gruppe von Buchwandlern der Welt aufzuspüren wahrscheinlich etwas mehr Anstrengung erfordern wird, als bloß ein paar Papierschnipseln zu folgen.«

»Stimmt«, sagte Tilly. »Aber wie lösen wir das Problem, dass wir hier festsitzen?«

»Es gibt immer Mittel und Wege«, antwortete Bea. »Außerdem...« In dem Moment wurde sie von einem Klopfen unterbrochen.

Die Zimmertür ging auf, und Grandma sah mit besorgtem Blick herein. »Sie sind weg«, sagte sie.

»Was wollten sie denn?«, fragte Tilly ängstlich.

»Kommt runter. Wir reden bei einer Tasse Tee und einem Stück Kuchen darüber«, antwortete Grandma. »Den Buchladen haben wir für heute geschlossen.«

Zehn Minuten später versammelten sich die Mitglieder der Familie Pages rund um den alten Küchentisch.

Seit die Primärausgaben gesichert worden waren, hatte Grandma sich die Zeit mit Stressbacken vertrieben, und nun stocherten sie jeder in einem dicken Stück Karottenkuchen mit Frischkäseguss, das sie vor lauter Sorge gar nicht richtig genießen konnten.

»Also?«, fragte Bea leicht ungeduldig.

»Die Underwoods wollen unbedingt mehr über deine Herkunft erfahren, Tilly«, begann Grandad. »Sie haben sich schwer Mühe gegeben, uns auf ihre Seite zu ziehen.«

»Alle Buchwandler sollen an einem Strang ziehen«, erklärte Grandma. »Sie hätten gern, dass wir ihnen freiwillig helfen und du auch.«

»Warum sollten wir das tun?«, fragte Tilly verdutzt.

»Ganz genau«, sagte Grandad. »Aber sie versuchen, sich als die rechtmäßigen Wächter des Buchwandelns zu präsentieren, und da macht es sich nicht so gut, wenn ein ehemaliger Bibliotheksdirektor und seine Familie sich so öffentlich gegen sie stellen.«

»Wenn sie einen ehrbaren Eindruck machen wollen, dann hätten sie nicht versuchen sollen, das Blut eines Kindes zu stehlen!«, rief Bea wütend.

»Auch da sind wir alle einer Meinung«, sagte Grandma, doch Tilly spürte, dass die Lage ernst war.

»Sie haben darum gebeten, dass Tilly ihnen freiwillig bei ihren Erkundungen über Buchmagie hilft«, erklärte Grandad. »Sie betrachten ihre Arbeit als wichtigen Beitrag zur Erforschung des Buchwandelns und der Magie der Bücher und vertreten die Ansicht, dass jeder, der sich gegen sie stellt, den Fortschritt ablehnt.«

»Das ist doch nichts Neues, oder?«, fragte Tilly. »Warum sind sie denn hergekommen? Was genau wollen sie von *mir*?«

»Nun ja«, antwortete Grandma, »sie wollten, dass du sie in die Underlibrary begleitest und dir ansiehst, woran sie arbeiten. Zusammen mit einem von uns. Was natürlich nicht infrage kommt.«

»Also lehnen wir ab«, sagte Tilly. »Das ist kein großes Ding. Was können sie denn tun, wenn ich nicht komme?«

»Uns am Buchwandeln hindern«, sagte Grandad.

»Aber das haben sie doch schon.«

»Vorübergehend«, antwortete Grandad. »Und wenn das alles wäre, würden wir es in Kauf nehmen und uns überlegen, was wir dagegen unternehmen können. Leider drohen sie noch mit etwas anderem.«

»Wenn wir nicht kooperieren«, erklärte Grandma mit zornigem Gesicht, »sorgen sie dafür, dass kein einziges Kind mehr buchwandeln kann – *nie wieder*.«

4

EIN AUSSICHTSLOSES UNTERFANGEN

Kein einziges Kind?«, rief Tilly.

»Ja«, antwortete Grandad. »Da haben sie sich deutlich ausgedrückt.«

»Dann muss ich zu ihnen«, sagte Tilly und versuchte, mutig zu klingen, obwohl ihr plötzlich ganz anders war. Doch sie nahm sich zusammen. Genau das würden auch ihre Lieblingsheldinnen tun: sich für das Allgemeinwohl opfern. Sie würde sich genauso verhalten wie... genau wie... Tilly wollte gerade der Name nicht einfallen, aber es wäre ganz bestimmt in ihrem Sinn. Da war sie sich sicher.

»Nein«, sagte Bea entschieden. »Auf keinen Fall.«

»Kommt nicht infrage, Tilly«, stimmte Grandad ihr zu, und Tilly musste zugeben, dass sie erleichtert war. »Erstens weil wir dich lieben und es unsere Aufgabe ist, dich zu beschützen, zweitens aus Prinzip. Vor solchen Leuten geben wir nicht klein bei.«

»Wie wollen sie es überhaupt hinbekommen, nur *Kinder* am Buchwandeln zu hindern?«, fragte Bea. »Wenn man eine Primärausgabe sichert, dann ist sie gesichert. Für alle.«

30

»Offenbar versammeln sie die Leute um sich, die ihnen Loyalität versprechen, um sie dann irgendwie in die gesicherten Bücher zu schleusen – oder zumindest locken sie sie mit dieser Aussicht, genau wie sie es mit uns versucht haben. Als könnten sie uns mit so etwas umstimmen. Ich weiß nicht, ob sie tatsächlich schon einen Weg gefunden haben, die Sicherung zu umgehen. Vermutlich halten sie die Leute nur hin, während sie ihren nächsten Schritt planen.«

»Aber was genau wollen sie denn von mir?«, fragte Tilly.

»Das wissen wir nicht«, antwortete Grandma. »Was immer es ist, es kann nichts Gutes sein.« Sie und Grandad wechselten einen Blick.

»Wir müssen die Archivare suchen«, sagte Tilly entschlossen. »Wir haben gar keine andere Wahl – das seht ihr doch jetzt sicher auch ein?«

»Nein«, schimpfte Grandad. »Hör auf, dauernd von ihnen zu reden, Tilly. Bleib realistisch.«

»Warum glaubst du mir bloß nicht?«, fragte Tilly, während sie Mühe hatte, die Tränen zurückzuhalten.

»Weil es keinen Beweis dafür gibt, dass die Archivare existieren, und weil ich nicht zulasse, dass wir nur aufgrund einer hingekritzelten Notiz zu einem aussichtslosen Unterfangen rund um die Welt aufbrechen.«

»Dad…«, begann Bea.

»Nicht du auch noch«, fiel Grandad ihr ins Wort und legte den Kopf in die Hände. »Ihr müsst mir in dieser Sache einfach vertrauen.«

»Ich verstehe nur nicht, wieso du ans Buchwandeln glaubst – also an echte Magie –, aber nicht an die Existenz der Archivare«, bohrte Tilly weiter und ignorierte Grandmas warnenden Blick.

»Weil ich *selber* buchwandle«, sagte Grandad. »Weil ich den Beweis mit eigenen Augen gesehen und erlebt habe. Im Gegensatz zu der Sache mit den Archivaren ist Buchwandeln nicht bloß irgendein Ammenmärchen oder wildes Gerücht. Ich hab dich sehr lieb, Tilly, trotzdem sind ein paar bunt zusammengewürfelte Gegenstände, die du aus irgendwelchen Büchern hast, noch kein Grund, an Märchen zu glauben.«

»Märchen *sind* real!«, rief Tilly wütend.

»Das ist nicht der Punkt«, sagte Grandad.

»Na schön, und was ist dann der Punkt?«

»Der Punkt ist, dass wir gerade ein bisschen in der Zwickmühle stecken«, antwortete Grandma und seufzte. »Aber diese Familie hält zusammen, und gemeinsam werden wir eine Lösung finden. Archie, warum rufst du nicht Amelia an und informierst sie über die neue Entwicklung?«

Grandad nickte. »Entschuldige, dass ich dich angeschnauzt habe, Tilly«, sagte er und erhob sich. »Ich… ich will nur nicht, dass dir etwas zustößt. Ich will nicht, dass irgendjemandem von euch etwas zustößt.«

»Wir passen alle aufeinander auf«, erklärte Grandma.

»Wenn wir bloß hier rumsitzen und aufeinander aufpassen, kommen sie so lange wieder, bis irgendetwas Schlimmes passiert«, erwiderte Tilly. »Es reicht nicht, sich zu Hause zu verstecken – wir müssen etwas unternehmen und nach Antworten suchen.«

Nachdem Grandad in den Buchladen hinübergegangen war, um Amelia Whisper anzurufen – die ehemalige Bibliotheksdirektorin, die Melville aus dem Amt vertrieben hatte –, stieß Grandma einen tiefen Seufzer aus. »So ein Theater. In was für Zeiten leben wir nur.«

»Wieso haben Bibliotheksdirektoren überhaupt so viel Macht?«, fragte Tilly. »Niemand sollte das Buchwandeln verbieten dürfen.«

»Da hast du recht«, stimmte Grandma ihr zu. »Aber irgendjemand muss das Sagen haben. Wir sehen jetzt nur, dass das System nicht gut darauf vorbereitet ist, dass jemand diese Position ausnutzt. Die Leute sind beunruhigt, also glauben sie die Lügen über Fortschritt und was die Underwoods sich sonst noch so ausdenken, um ihren Machtmissbrauch zu tarnen. Und außerdem gibt es natürlich noch diejenigen, die ihre Ansichten schon immer teilen und sich bisher bloß nicht getraut haben, es öffentlich zuzugeben.«

Bea war während der ganzen Unterhaltung, scheinbar in Gedanken versunken, stumm geblieben und hatte Tilly nur gelegentlich einen wortlosen Blick zugeworfen.

»Triffst du dich bald wieder mit Oskar?«, fragte sie jetzt.

»Er wollte morgen eigentlich vorbeikommen«, antwortete Tilly. »Warum?«

»Ach, nur so... es wäre nett, ihn zu sehen. Vielleicht rufe ich Mary kurz an... höre mal, was sie so vorhat«, antwortete sie und ging aus dem Zimmer.

Tilly blieb mit ihrer Großmutter allein zurück, die ihre Hände über den Tisch streckte und Tillys fest ergriff. »Das wird schon alles wieder. Ganz bestimmt. Hab keine Angst.«

»Habe ich nicht«, sagte Tilly, obwohl sie sich da nicht ganz sicher war. »Aber ich will nicht, dass die Kinder wegen mir *nie wieder* buchwandeln dürfen. Wenn ich das irgendwie verhindern könnte, dann muss ich es versuchen! Wir könnten wenigstens hingehen und sehen, was sie wollen.«

Grandma antwortete nicht, doch ein verunsicherter Blick huschte über ihr Gesicht.

»Haben sie etwa schon gesagt, was sie wollen?«, fragte Tilly leise.

Grandma zuckte hilflos mit den Schultern. »Dein Großvater will nicht, dass du dich ängstigst«, antwortete sie.

»Ich werd schon damit fertig«, sagte Tilly. »Und es ist ziemlich unfair, es vor mir zu verheimlichen.«

»Ich weiß, ich weiß«, gestand Grandma offensichtlich hin- und hergerissen ein. »Wahrscheinlich kannst du es dir sowieso schon denken. Du weißt ja, was sie wollten, als sie dich in das Märchenbuch gelockt haben. Sie glauben, dein Blut oder irgendetwas an deinem Wesen ist der Schlüssel zur Unsterblichkeit. Das Risiko ist einfach zu groß, wir wissen nicht, wozu sie fähig sind.«

»Und wir werden es auch nicht herausfinden«, sagte Bea in dem Moment an der Türschwelle. Tilly und ihre Großmutter blickten auf. Sie hatten sie gar nicht zurückkommen hören.

»Oskar besucht uns heute Abend und übernachtet hier« fuhr sie fort. »Mum, kann ich dich und Dad kurz im Laden sprechen?«

Tilly wollte protestieren, sah jedoch etwas im Blick ihrer Mutter, das sie innehalten ließ.

»Ich beziehe schon mal das Gästebett«, sagte sie also stattdessen, und Bea warf ihr ein kurzes Lächeln zu, während sie zurück in den Buchladen steuerte.

Tilly und ihre Mutter waren immer noch dabei, sich richtig kennenzulernen, doch eins wusste Tilly ganz sicher: Ihre Mum führte etwas im Schilde. Und Tilly wollte möglichst schnell wissen, was es war.

Ein paar Stunden nachdem Oskar angekommen war und sie Kartoffel-Spinat-Auflauf zu Abend gegessen hatten, saßen die beiden Freunde auf dem Sofa vor dem Kamin in Pages & Co. und unterhielten sich. Bald käme die Jahreszeit, in der Grandma die Feuerstelle reinigen und frische Blumen hineinstellen würde, aber momentan war es noch gemütlich warm davor.

Tilly hatte angefangen, den Schlüssel aus *Sara, die kleine Prinzessin* mit sich herumzutragen, als könnte er ihr plötzlich offenbaren, wie man ihn benutzen sollte. Sie drehte ihn zwischen den Fingern, während sie dem Spiel der Flammen zusahen.

»Hast du mittlerweile irgendeine Vorstellung, warum das Ding bei dir gelandet ist?«, fragte Oskar.

»Nein«, antwortete Tilly und seufzte. Als sie mit ihrer Mum gesprochen hatte, war ihr alles so klar und logisch erschienen, doch es war nicht leicht, weiter an ihre Theorie zu glauben, dass die Gegenstände sie zu den Archivaren führen würden, wenn ihre Großeltern dauernd daran zweifelten. Ganz zu schweigen von der neuen Drohung der Underwoods, die den Druck noch weiter erhöhte, die richtige Entscheidung zu treffen. »Über Weihnachten ist so viel passiert, und ich war überzeugt, dass alles etwas zu bedeuten hatte.«

»Du hast den Schlüssel bekommen, und das schmale Buch und noch etwas, stimmt's?«, fragte Oskar.

»Das Garn«, antwortete Tilly. »Das rote Garn. Ich werde das Gefühl einfach nicht los, dass die Sachen etwas Wichtiges aussagen. Als wären sie eine Art Schatzkarte, habe ich zu meiner Mum gesagt, und ich müsste nur herausfinden, wie die Gegenstände zusammengehören, dann käme sie zum Vorschein. Aber jetzt, wo wir noch nicht einmal buchwandeln dürfen und es verboten ist, die Underlibrary zu betreten, weiß ich nicht, was wir tun sollen. Und Grandma und Grandad sind die ganze Zeit genervt, unternehmen aber nicht wirklich etwas, um die Underwoods aufzuhalten.«

»Darf ich dir mal was Verrücktes erzählen?«, fragte Oskar.

»Klar, was denn?«

»Ich bin wütender darüber, dass ich nicht buchwandeln *darf*, als darüber, dass ich nicht buchwandle. Macht das irgendwie Sinn?«

»Irgendwie schon«, antwortete Tilly. »Ich frage mich, ob es genauso ist, wie wenn man eine Fremdsprache spricht oder ein Musikinstrument spielt. Ob man es wohl verlernt, wenn man es lange nicht macht? Und manchmal habe ich dieses komische Gefühl in der Magengegend, von dem ich nicht weiß, woher es kommt.«

»Die letzten Monate waren echt schräg«, sagte Oskar. »Zuerst Bea aufspüren, dann nach Paris fahren, dann in Märchen festhängen und dann noch dieser... wie war noch mal sein Name?«

»Wen meinst du?«, fragte Tilly. »Melville?«

»Nee«, antwortete Oskar. »Da war doch noch ein anderer Mann? War er nicht so was wie der Diener der Underwoods? Er hatte eine Art... Hut. Und hat es nicht gebrannt? Vielleicht verwechsele ich das aber auch mit etwas, das ich in einem Buch gelesen habe.«

»Keine Ahnung, wovon du sprichst«, sagte Tilly. »Was für ein Hut war es denn?«

»Ein… weißt du was, ich erinnere mich nicht«, sagte Oskar. »Ist auch egal, ich bringe das wohl mit einer anderen Geschichte durcheinander. Seltsam.«

Einen kurzen Moment dachte Tilly, sie wüsste, was Oskar meinte, aber der Gedanke verschwand genauso schnell wieder, wie er gekommen war, und sie zuckte mit den Schultern. Es gab Wichtigeres. Und so wechselten sie das Thema und unterhielten sich darüber, welche neuen Leckereien Jack sich wohl fürs Buchladencafé ausgedacht hatte, und verloren kein Wort mehr über den Mann mit dem Hut oder das Feuer.

5

Obschon so klein

Als Tilly mitten in der Nacht aufwachte, lag Beas Finger auf ihren Lippen. Es war dunkel, bis auf den blassen Lichtschein, der durch das Dachfenster fiel.

»Ist alles in Ordnung?«, flüsterte Tilly und warf einen Blick zu Oskar hinüber, der auf der Luftmatratze in der Ecke sanft vor sich hin schnarchte.

Bea nickte. »Vertraust du mir?«, fragte sie leise, worauf Tilly nicht lange überlegen musste. Sie nickte.

»Pack schnell ein paar Sachen zusammen, ich beantworte deine Fragen, sobald wir im Taxi sitzen.«

»Im *Taxi*?!«, fragte Tilly, während ihr das Adrenalin durch die Adern schoss und jede Spur Müdigkeit vertrieb. »Ich wusste, dass du etwas planst! Wohin fahren wir? Was machen wir mit Oskar?«

»Er kommt auch mit«, antwortete Bea. »Ich hab mit Mary telefoniert und alles abgesprochen.« Sie ging zu Oskar und rüttelte ihn vorsichtig wach. Er gab ein peinliches Grunzen von sich, das Tilly und Bea bewusst überhörten.

»Hä?«, fragte er schlaftrunken. Als er Bea sah, saß er plötzlich kerzengerade da. »Oooh, geht es los? Mum hat gesagt, du hättest gefragt, ob ich mit euch verreisen will, aber ich wusste nicht, dass wir mitten in der Nacht aufbrechen. Wohin fahren wir denn?«

Er sah Tilly an, die nur mit den Schultern zuckte.

»Zieht euch etwas Bequemes an«, sagte Bea. »Und packt Sachen für ein bisschen wärmeres Wetter ein als hier. Ach, und vergesst euren Reisepass nicht.«

»Unseren Reisepass?«, fragte Tilly erstaunt, doch Bea signalisierte ihr ein bisschen nervös, still zu sein. »Ich erkläre euch alles im Taxi, versprochen. Jetzt müssen wir los.«

»Wissen Grandma und Grandad, dass wir... verreisen?«, fragte Tilly, obwohl sie die Antwort schon kannte.

»Es wird Zeit, dass wir die Dinge selbst in die Hand nehmen.« Bea lächelte. »Ich hole eure Zahnbürsten und möchte, dass ihr in zehn Minuten abfahrbereit seid.«

Bea schlich sich wieder aus dem Zimmer, und Oskar und Tilly sahen sich an.

»Du hast gewusst, dass wir verreisen?«, fragte Tilly vorwurfsvoll. »Und hast den ganzen Abend nichts gesagt!«

»Ich dachte, du weißt es auch«, erwiderte Oskar. »Abgesehen davon klang es bei Mum, als würde die Familie einen Ausflug aufs Land machen oder so. Nichts, wofür man einen Reisepass braucht. Meinst du, ich sollte ihre eine Nachricht schicken?«

»Lass uns erst mal sehen, wohin wir fahren, bevor du sie beunruhigst«, antwortete Tilly. Sie war nervös, aber sie hatte irgendwie das Gefühl, dass dies ihre große Chance sein könnte, und die sollte ihnen niemand vermasseln. Sie zogen sich rasch an, und Tilly nahm noch ein paar Kleidungsstücke aus dem Schrank und steckte sie in den kleinen Rollkoffer, den ihre Mutter zurechtgestellt hatte.

»Seid ihr so weit?« Bea streckte den Kopf zur Tür herein und hielt Tilly ihren Waschbeutel hin.

Tilly und Oskar nickten. Ihnen war ganz kribbelig vor Aufregung, während sie zusammen nach unten und durch die nächtlich kühle Küche in den Buchladen schlichen, der stumm und dunkel dalag. Tilly musste an ihre Großeltern denken, und daran, wie die beiden am nächsten Morgen nach dem Aufwachen bemerken würden, dass sie fort waren. Hoffentlich hatte ihre Mum ihnen eine Nachricht hinterlassen.

Auf der Straße wartete ein Wagen im orangefarbenen Lichtkegel einer Straßenlaterne. Der Fahrer half Bea, ihre Koffer zu verstauen, bevor sie einstiegen und das Taxi losfuhr; Richtung Westen, stadtauswärts.

»Kannst du uns jetzt sagen, was das alles soll?«, fragte Tilly, der mit jedem Kilometer, den sie sich weiter von Pages & Co. entfernten, klarer wurde, was sie gerade taten.

»Ich glaube, es wird Zeit, dass wir auf unser Gefühl vertrauen, was die Archivare betrifft«, antwortete Bea. »Es muss einen Grund für die Fähigkeiten geben, die du besitzt, Tilly. Und es muss einen Grund dafür geben, dass all diese Gegenstände zu dir gelangt sind. Für die meisten Buchwandler sind die Archivare nur Hirngespinste, aber ich denke, es ergibt Sinn, dass da irgendwo jemand ist, der verhindern kann, dass in den Unterbibliotheken so schreckliche Dinge passieren, wie sie gerade passieren. Ich vertraue dir, Tilly. Genau wie Oskar.«

»Genau wie Oskar?«, fragte der erstaunt. Tilly und Bea sahen ihn an. »Ich meine, klar vertraue ich dir«, sagte er. »Also, meistens jedenfalls.«

»Schon klar.« Tilly grinste. »Ich vertraue dir auch … meistens jedenfalls.«

»Eins steht fest«, fuhr Bea fort. »Ich werde nicht bloß herumsitzen und abwarten, bis die Underwoods dem Buchwandeln noch mehr Schaden zufügen oder sich wer weiß was ausdenken. Denen ist es offensichtlich völlig egal, was sie mit ihren Maßnahmen anrichten. »Leider …«, sie hielt kurz inne, »… konnte ich deine Großeltern nicht überzeugen. Ich habe es gestern Abend ein letztes Mal versucht, aber sie sind weiter stur der Meinung, etwas zu unternehmen, sei das Risiko nicht wert. Dabei ist jetzt nicht die Zeit, um herumzusitzen. Wir müssen uns gegen die Underwoods wehren! Habt ihr schon mal den Spruch *Wer, wenn nicht wir, und wann, wenn nicht jetzt?* gehört? Genau so fühle ich mich. Tilly, wenn du glaubst, der Ausgangspunkt der Karte – oder der Schatzsuche oder wie immer wir es nennen wollen – befindet sich in der Library of Congress, dann musst du genau dort mit der Suche beginnen.«

»Moment mal«, sagte Tilly, als sie begriff, was Bea gerade gesagt hatte. »Wir fliegen nach *Amerika*?«

»Wir fliegen *wohin*?«, fragte auch Oskar ungläubig. »Weiß meine Mum das?«

»Im Prinzip schon«, antwortete Bea ein bisschen verlegen. »Sie weiß zumindest, dass du ins Ausland verreist und dass jemand auf dich aufpasst. Orlando, ein alter Studienfreund von mir, wird sich um euch kümmern. Er führt eine Buchhandlung, und sein Partner ist Bibliothekar in der Library of Congress. Ich habe ihm erklärt, um was es geht. Die beiden sind natürlich Buchwandler. Die Gegenstände von deinem Regal hab ich dir in den Rucksack gesteckt, Tilly – sieh noch mal nach.«

Ein Blick in ihren Rucksack bestätigte Tilly, dass alles da war: das schmale Büchlein, der Schlüssel, das Garnknäuel und der Beutel mit den Brotkrumen.

»Hab sie.«

»Gut«, sagte Bea. »Jetzt bringe ich euch in den Flughafen und zum Sicherheitscheck; Orlando holt euch nach eurer Ankunft ab.«

Tilly starrte ihre Mutter entsetzt an. »Kommst du denn *nicht mit*?«

»Das geht leider nicht. Aber ich schicke dir noch ein Foto von Orlando aufs Handy, damit ihr wisst, wie er aussieht. Außerdem habe ich ihm ein Codewort genannt. Geht nur mit ihm mit, wenn er *Hermia* zu euch sagt.

»Warum gerade *Hermia*?«, wollte Tilly wissen.

»Das ist eine Figur aus *Ein Sommernachtstraum* von William Shakespeare.« Bea lächelte. »Eine andere Figur in dem Stück sagt über sie: *und ist entsetzlich wild, obschon so klein.* Bei der Zeile muss ich immer an dich denken.«

»Das ist wirklich nett«, sagte Oskar, »aber könnten wir uns bitte mal darauf konzentrieren, dass du uns *alleine* nach Amerika schickst? Warum kannst du nicht mitkommen?«

»Ich habe hier etwas zu erledigen«, antwortete Bea, und die

Entschlossenheit

in ihrer Stimme

klang **felsenfest.**

6

Mindestens zu achtzig Prozent sicher

Genaueres über den Grund, warum sie nicht mitkommen konnte, wollte Bea nicht sagen, was Tilly noch mehr beunruhigte als die Reise selbst.

»Weiß meine Mum, dass du uns einfach in einen Flieger setzt und dann alleine lässt?«, fragte Oskar.

»Nicht direkt«, antwortete Bea. »Aber sie würde es bestimmt verstehen.«

An Oskars Gesichtsausdruck war abzulesen, dass er anderer Meinung war.

»Ich spreche mit deiner Mutter«, versprach Bea. »Und in Washington kann euch gar nichts passieren – Orlando holt euch ab. Er ist einer der besten Menschen, die ich kenne, und er weiß darüber Bescheid, was gerade los ist. Und wie ich schon sagte, sein Partner Jorge arbeitet in der Library of Congress. Die beiden werden euch dorthin begleiten.« Sie atmete tief durch.

»Wir müssen die Archivare finden«, sagte sie. »Diese Gegenstände sind zu dir gelangt, Tilly, und die Underwoods wissen, dass du der Schlüssel zu allem bist. Sie wollen nicht nur dein Blut. Sie wollen dich daran hindern, irgendetwas zu unternehmen, was ihnen in die Quere kommt. Dass ihr beide zusammenarbeitet, beunruhigt sie, weil sie wissen, dass ihr die größte Bedrohung für ihre Pläne seid. Deshalb müssen wir so verfahren.«

»Aber du könntest uns doch begleiten?«, antwortete Tilly, die sich ziemlich überfordert fühlte.

»Ich muss verhindern, dass sie euch folgen«, antwortete Bea, ohne das weiter auszuführen. »Kommt, wir sind da.«

Tilly war noch nie auf einem Flughafen gewesen, geschweige denn in einem Flugzeug. Bea vergewisserte sich noch einmal, dass sie alles hatten, was sie brauchten, und schickte beiden noch ein Foto von Orlando samt seiner Adresse aufs Handy. An der Sicherheitskontrolle zeigte sie dem Flughafenmitarbeiter ein ausgefülltes Formular, woraufhin Oskar und Tilly jeweils eine Karte mit der Aufschrift *unbegleiteter Minderjähriger* umgehängt bekamen und sie erfuhren, dass ihnen jemand helfen würde, das richtige Gate zu finden, und jemand anderes sie nach ihrer Landung in Amerika durch Zoll und Passkontrolle begleiten würde.

»Bleibt immer zusammen«, sagte Bea beim Abschied. »Passt aufeinander auf und vertraut einander. Wenn irgendwer die Archivare finden kann, dann ihr beide.«

Dann winkte sie ihnen nach, bis Tilly und Oskar um die Ecke biegen mussten und nicht mehr zu sehen waren.

Kurz darauf saßen die beiden leicht verstört nebeneinander auf unbequemen Plastikstühlen im riesigen Terminal des Heathrow Airport. Die Vorbeigehenden sahen sie an, aber keiner blieb stehen, um zu fragen, ob es ihnen gut gehe, und Tilly hätte auch nicht recht gewusst, was sie auf diese Frage antworten sollte.

»Oskar«, sagte sie leise. »Was, wenn das Ganze nur ein Hirngespinst ist? Was, wenn die Gegenstände nirgendwohin führen? Was, wenn Grandma und Grandad recht haben und das alles nichts weiter als ein Haufen Plunder ist und ich mir bloß einrede, dass er etwas bedeutet?«

»Also ehrlich, Tilly«, antwortete Oskar, »in einem Moment bist du dir todsicher und im nächsten genau das Gegenteil. Ich verstehe ja, dass du dir Sorgen machst, aber es wird höchste Zeit, dass du dich mal für eins entscheidest. Ich würde nämlich lieber nicht nach Amerika fliegen, wenn du dir nicht, sagen wir, mindestens zu achtzig Prozent sicher bist, dass du recht hast.«

»Verständlich.« Tilly nickte. »Ich glaube, ich bin mir zu achtzig Prozent sicher – gerade so. Und die restlichen zwanzig Prozent bedeuten, dass du hinterher nicht ›Ich hab's dir ja gesagt‹ sagen darfst, wenn ich mich irre.« Das sollte ein Witz sein, doch Oskar lachte nicht; es fiel ihm offenbar immer noch schwer zu glauben, dass die Mutter seiner besten Freundin ihn einfach ohne Vorwarnung am Flughafen abgesetzt hatte.

»Fändest du es komisch, wenn ich sage, dass ich mich fühle, als wäre ich gerade entführt worden?«

»Nein«, antwortete Tilly. »Mir geht's genauso. Und es war meine Mum. Tut mir leid, dass sie uns nicht vorher gesagt hat, was sie vorhat. Ich weiß, das ist... krass. Du musst nicht mitkommen. Wir können Grandma und Grandad anrufen, dann holen sie dich ab, und du bist wieder zu Hause, bevor deine Mum überhaupt mitkriegt, dass irgendwas nicht stimmt.«

»*Ich* bin wieder zu Hause, nicht *wir* sind wieder zu Hause?«, fragte Oskar. »Du fliegst also? Obwohl du dir nicht mal sicher bist, dass die Gegenstände irgendwas bedeuten? Obwohl du dann alles ganz alleine machen müsstest?«

»Ich muss es versuchen«, antwortete Tilly. Sie hatte Oskar von dem Besuch der Underwoods erzählt, als er angekommen war, und er wusste, was auf dem Spiel stand. »Ich muss irgendwas unternehmen, und etwas Besseres fällt mir nicht ein, deshalb werde ich es wohl machen. Mir ist klar geworden, dass es nicht nur die britischen Buchwandler betrifft, wenn die Underwoods die Primärausgaben in der British Underlibrary sichern. Niemand wird mehr in *irgendeine* Ausgabe dieser Bücher wandeln können, ganz egal, wo er lebt. Bücher wissen nicht, in welchem Land sie sich befinden.«

»Aber würden die anderen Unterbibliotheken dann nicht versuchen, die Underwoods aufzuhalten?«, fragte Oskar. »Ich kann mir nicht vorstellen, dass die Bibliothekare, die wir in der französischen Unterbibliothek kennengelernt haben, so etwas zulassen würden. Sollten wir es nicht lieber ihnen überlassen?«

»Vielleicht ist ihnen die Situation noch nicht klar geworden«, überlegte Tilly laut. »Aber nein, irgendwer muss es mitbekommen haben. Vielleicht kann Mums Freund uns ja sagen, wie die Lage in Amerika ist – dort können sie doch auch nicht ganz unwissend sein.«

»Tilly«, sagte Oskar, »wenn du glaubst, an der Sache mit der Karte, oder wie immer wir es nennen wollen, ist was dran, dann bin ich dabei. Ich will lieber sehen, was wir rausfinden können, als zu Hause rumzusitzen und zu warten, bis die beiden uns holen kommen. Und dass mir jemand das Buchwandeln verbieten will, finde ich gar nicht gut. Wo ich gerade langsam gut darin werde.«

Er hielt inne, und Tilly erwartete, dass er gleich einen nützlichen Vorschlag machen würde. »Wollen wir uns was zu essen kaufen?«, war jedoch alles, was er kurz darauf sagte. »Ich hoffe, deine Mum hat dir wenigstens genug Geld mitgegeben, als Entschädigung für die Entführung.«

Sie suchten sich ein Café mit einem freien Tisch und genossen es trotz aller widrigen Umstände, einmal keine Erwachsenen dabeizuhaben, die ihnen vorschrieben, was sie bestellen durften und was nicht.

»Wie viel hast du?«, fragte Oskar, als Tilly das Portemonnaie herausnahm, das Bea ihr gegeben hatte. »Ich möchte nämlich einen Schokoladen-Milchshake, und die kosten 7,50 Pfund.«

»Wir haben fünfzig Pfund«, antwortete Tilly, die sich nicht sicher war, ob sie jemals so viel Geld in der Hand gehabt hatte. »Und…« – sie zählte die anderen Geldscheine in der Geldbörse – »einhundert Dollar.« Den letzten Teil des Satzes sprach sie ganz andächtig aus, fast so, als würde sie den Hauptpreis in einer Fernsehshow verkünden.

»Nicht schlecht, Herr Specht«, freute sich Oskar. »Herr Ober, ich nehme von allem etwas!«

»Das soll wohl eher für Notfälle sein«, sagte Tilly.

»Schon klar«, antwortete Oskar. »Aber morgens nichts gegessen zu haben, ist ein Notfall. Ich nehme ein englisches Frühstück.«

»Während sie bestellten, setzte sich ein Paar an den Nachbartisch. Obwohl es noch so früh war, lächelten die beiden sich ununterbrochen an.«

»Wir sind auf Hochzeitsreise«, erklärte der Mann Tilly, ohne dass sie gefragt hätte.

»Oh, gratuliere«, antwortete Tilly etwas verlegen.

»Wir fliegen auf die Seychellen«, sagte die Frau und streckte die Hand aus, damit Tilly den funkelnden Brillanten an ihrem Ehering sehen konnte. »Wohin wollt ihr?«

»Und wo sind eure Eltern?«, fragte der Mann. »Ihr seid noch ziemlich jung, um ganz alleine mit dem Flugzeug unterwegs zu sein.«

»Wir werden bei unserer Ankunft abgeholt«, erklärte Oskar. »Guck mal! Kommt da nicht unser Essen?«, wandte er sich dann an Tilly, und die beiden sahen angestrengt zur Küche und hofften, das Paar würde nicht weiter versuchen, sich mit ihnen zu unterhalten.

»Wäre interessant zu wissen, was Mum meinen Großeltern erzählen will«, sagte Tilly über ihr Schinken-Käse-Omelett hinweg. »Die werden nicht begeistert sein. Zwei Zwölfjähre mit einem Haufen Geld und dem Foto eines Fremden, den sie in Amerika treffen sollen, am Flughafen abzusetzen, fällt bestimmt nicht unter vorbildhafte Erziehungskompetenz.«

»Das Ganze klingt, als wären wir in einem Agentenfilm«, sagte Oskar und strahlte. »Ein Kontaktmann auf der anderen Seite der Welt. Ein Umschlag voller Geldscheine. Eine geheimnisvolle Karte. Ich komme mir vor wie Nicolas Cage in *Das Vermächtnis der Tempelritter*. Dieses Schatzsuche-Ding macht mir langsam richtig Spaß.«

Nach dem Frühstück bezahlten sie bei einer müde aussehenden Kellnerin, nahmen ihr Gepäck und wollten sich auf den Weg machen, um auf die Person zu warten, die sie zum Gate bringen sollte. Als Tilly sich noch einmal versicherte, ob sie auch ihr Geld und ihre Pässe hatten, ertönte plötzlich lautes Geschrei vom Nebentisch, wo sie den frischgebackenen Ehemann nun in Tränen aufgelöst sitzen sahen.

»Ich glaube … wir haben einen schrecklichen Fehler gemacht«, sagte die Frau und stand auf. »Tut mir so leid. Es ist bloß … Du erscheinst mir plötzlich wie ein Fremder … und ich weiß gar nicht, wieso wir überhaupt geheiratet haben oder …« Sie verstummte und wirkte peinlich berührt, dann nahm sie ihren Koffer und stürmte aus dem Café.

Der Mann trocknete mit einer Serviette seine Tränen und schien sich ein wenig zu fassen. »Wisst ihr«, wandte er sich an Tilly und Oskar, »ich glaube, eigentlich hat sie recht. Ich weiß nicht einmal mehr, warum wir überhaupt zusammen waren, wenn ich so darüber nachdenke. Ach, ja.« Er legte etwas Geld auf den Tisch und folgte der Frau aus dem Café.

»Das war … merkwürdig«, sagte Oskar, als sie sich auf den Weg zum Auskunftsschalter machten.

»Allerdings«, stimmte Tilly ihm zu. »Wie kann man einfach so vergessen, warum man jemanden liebt?«

Es blieb ihnen jedoch nicht viel Zeit, weiter über diese

Frage nachzudenken, denn kurz darauf wurden sie schon von einer Mitarbeiterin der Fluglinie abgeholt und zum Gate gebracht. Nach langem Herumsitzen und ewigem Warten, bis sie zum Boarding aufgerufen wurden, und anschließendem Schlangestehen, saßen sie schließlich auf ihren Plätzen.

Die Aufregung über ihre erste Flugreise legte sich schnell, und Tilly versuchte, sich mit der unglaublichen Tatsache anzufreunden, dass sie in einem Flieger saß. Die folgenden acht Stunden vergingen schneller als gedacht mit einem Wechsel aus Schlafen, Filmeschauen und Mahlzeiten-zu-sich-Nehmen, die in scheinbar zufälligen Zeitabständen serviert wurden.

Erst als sie landeten, bemerkte Tilly, dass sie nicht einmal in das Buch geschaut hatte, das sie mitgenommen hatte.

7

KLINGT NACH EINEM ZIEMLICHEN SCHLAMASSEL

Wegen der Zeitverschiebung waren sie dem Tag entgegengeflogen, sodass es noch sehr früh war, als sie in Washington landeten. Eine weitere Mitarbeiterin der Fluggesellschaft begleitete sie durch den Zoll, den sie bis auf eine unglaublich lange Schlange und eine kurze Pause, als der Sicherheitsbeamte sie fragte, warum sie in die Vereinigten Staaten gekommen waren, problemlos passierten. Sie zeigten ihm Orlandos Adresse, verzichteten aber darauf, anzugeben, dass sie auf einer magischen Schatzsuche waren, um das Buchwandeln zu retten. Sie sagten einfach, sie würden Freunde besuchen.

»Schönen Aufenthalt«, wünschte der Mann, drückte einen Stempel in ihre Pässe und winkte sie durch.

»So weit, so gut«, sagte Tilly, als sie in die Ankunftshalle traten, und hielt Oskar noch einmal das Foto von Orlando auf ihrem Handy hin. Das Bild zeigte einen lächelnden Mann mit Bart und blonden Haaren, die zu einem lockeren Dutt hochgesteckt waren. Tilly und Oskar sahen sich nervös in der geschäftigen Ankunftshalle um, da hörten sie eine laute Stimme in der Menschenmenge.

»Beatrice Pages' Tochter!«, rief jemand in amerikanischem Englisch. »Dass ich den Tag mal erlebe!«

Orlando sah genauso aus wie auf dem Foto, einschließlich des breiten Lächelns. Er trug Doc Martens, eine ausgewaschene Jeans und ein Jeanshemd über einem T-Shirt und zog sie beide in eine feste Umarmung. Dann hielt er plötzlich inne. »Ach, sorry! Hermia! Hermia! Ich hab ja das Codewort ganz vergessen. Willkommen in Washington.«

»Ähm, danke«, sagte Tilly. »Also ich bin Tilly.«

Orlando trat einen Schritt zurück und strahlte sie an. »Und du bist Oskar, richtig?«

»Richtig«, antwortete Oskar.

»Also, alles klar, ihr beiden?«, fragte Orlando freundlich und versuchte offensichtlich, seinen natürlichen Überschwang etwas zu bremsen. Ohne dass sie es wollte, brach Tilly plötzlich in Tränen aus, was ihr total peinlich war. Und Oskar erging es, als er sie weinen sah, genauso.

»Nicht doch«, sagte Orlando und wirkte ein bisschen nervös. »Ist unterwegs irgendwas passiert?«

»Nein«, schniefte Tilly. »Schon gut ... Es ist bloß ... von der eigenen Mutter einfach so in ein Flugzeug nach Amerika gesetzt zu werden, um das Buchwandeln zu retten, ist schon ein ziemliches Ding.«

»Das muss man erst mal verarbeiten«, sagte Oskar und wischte sich eine Träne aus dem Gesicht.

»Aber hallo!« Orlando nickte verständnisvoll. »Also ich finde, das habt ihr bis jetzt ganz prima gemacht. Und ich kenne jemanden, der der gleichen Meinung sein wird. Kommt, wir gehen zu Jorge – der wird bestimmt schon unruhig, weil er so lange im Halteverbot steht.« Er legte ihnen beruhigend die Hand auf die Schulter und führte sie aus dem Flughafen zu einem verbeulten hellblauen Kombi, in dem ein schlanker, nervös wirkender Mann auf sie wartete.

»Beeilt euch, Orlando!«, rief er aus dem offenen Wagenfenster. »Der Wachmann hat mich schon, seit ich hier stehe, auf dem Kieker.«

Orlando warf grinsend ihr Gepäck in den Wagen und half den beiden auf den Rücksitz. »Darf ich vorstellen: Jorge«, sagte er und deutete auf den Mann hinter dem Lenkrad, während der leicht schwitzend das Auto auf die Fahrspur einfädelte. Er hatte hellbraune Haut, dunkles, lockiges Haar und trug ein adrettes Button-down-Hemd.

»Hi«, sagte Jorge auf dem Fahrersitz mit einem leichten Akzent, den Tilly nicht ganz einordnen konnte. »Sobald wir aus diesem gottverdammten Flughafen raus sind, bin ich gastfreundlicher, versprochen.« Er gestikulierte in Richtung eines anderen Autofahrers und fluchte aus dem Fenster, worauf Orlando leicht verlegen lächelte. Doch tatsächlich, kaum hatten sie das Straßengewirr rund um den Flughafen hinter sich gelassen, drehte Jorge sich kurz um und schenkte ihnen ein herzliches Lächeln. »Willkommen«, sagte er. »Tut mir leid, dass ihr das miterleben musstet. Ich hasse es, dieses Ungetüm von Auto im dichten Verkehr zu fahren, aber Orlando wollte es unbedingt kaufen. Wie war der Flug? Konntet ihr im Flieger schlafen?«

»Ein bisschen«, antwortete Oskar, und Tilly nickte, obwohl das Adrenalin in ihren Adern sie praktisch bis zur Landung wach gehalten hatte.

»Du kennst meine Mum also von der Uni?«, fragte sie Orlando. »Viel hat sie uns vor unserem Abflug nicht erzählt.«

»Jep«, antwortete Orlando gut gelaunt und drehte sich auf seinem Sitz um, damit er sie ansehen konnte. »Außerdem haben wir beide nebenher in einer New Yorker Buchhandlung gearbeitet. So haben wir gemerkt, dass der jeweils andere ein Buchwandler ist.«

»Dann kanntet ihr Mum schon, als ...« Tilly verstummte, denn sie war sich nicht sicher, ob die beiden wussten, wer ihr Vater war.«

»Ja, wir kannten sie schon, als sie in *Sara, die kleine Prinzessin* gewandelt ist und sich in deinen Vater verliebt hat«, erklärte Orlando direkt, aber freundlich, um Tilly zu zeigen, dass er wusste, dass sie halb fiktional war, ohne eine große Sache daraus zu machen. »Als Bea wieder nach London gezogen ist, hatten wir keine Ahnung davon, dass sie schwanger war, aber wir sind noch eine Weile in

Kontakt geblieben, bis wir irgendwann nichts mehr von ihr gehört haben. Wir dachten, sie hätte in London neue Freunde gefunden; dass sie in einem Buch gefangen sein könnte, ist uns natürlich im Traum nicht eingefallen. »Davon kann ich euch später noch mehr erzählen, wenn ihr wollt«, sagte Orlando. »Ich muss gestehen, dass Bea mich ein bisschen im Dunkeln darüber gelassen hat, was ihr vorhabt – es klang ganz schön dringend.«

»Ja«, sagte Tilly, die langsam Mühe hatte, die Augen offen zu halten. »Wir müssen direkt in die Library of Congress. Von dem Büchersichern hat sie dir doch erzählt, oder …?«

»Das hat sie«, sagte Orlando. »Klingt nach einem ziem-

lichen Schlamassel. Kein Wunder, dass es in der Welt der Bücher drunter und drüber geht. Aber ich bin sicher, ihr habt einen Plan, um da Abhilfe zu schaffen.«

»So was in der Art«, sagte Oskar müde. Orlando betrachtete die beiden schläfrigen Kinder auf der Rückbank.

»Na schön, warum schlaft ihr auf dem Weg in die Stadt nicht erst mal eine Runde? Dann stellen wir euer Gepäck im Buchladen ab, der ist ganz in der Nähe der Library of Congress, und starten von dort.«

»Klingt gut«, sagte Tilly und ließ sich vom Brummen des Motors in den Schlaf lullen.

»Können wir … auch etwas … zu essen besorgen?«,

fragte Oskar noch, und es dauerte nicht lange, bis sie beide fest eingeschlummert waren und, die Köpfe an die Wagenfenster gelehnt, durch Washington, D.C. fuhren.

8

GUTEN BUCHHANDLUNGEN KANN MAN SCHWER WIDERSTEHEN

Eine Dreiviertelstunde später rüttelte Orlando die beiden sanft wach. »Hallo, ihr Schlafmützen«, sagte er. »Wir haben ein paar Frühstücksburritos für euch besorgt. Ich dachte, ihr wollt vielleicht einige der Sehenswürdigkeiten anschauen, während wir in die Innenstadt fahren. Außerdem habt ihr dann einen Moment zum richtig Wachwerden, bevor wir zum Laden kommen.«

Er reichte zwei heiße in Folie verpackte Burritos, die mit würzigem Rührei, Avocados und schwarzen Bohnen gefüllt waren, und zwei Flaschen frischen Orangensaft nach hinten.

Tilly und Oskar ließen es sich zufrieden schmecken und blickten dabei aus dem Fenster auf die blühenden Kirschbäume, die die Straße säumten.

»Wenn dieser ganze Buchwandelkram mal in Ordnung gebracht ist, müsst ihr mit euren Familien zurückkommen und die Stadt einmal richtig erkunden«, sagte Orlando

und machte sie auf einige berühmte Sehenswürdigkeiten
aufmerksam.

Sie bewunderten das gigantische Lincoln Memorial – ein
riesiges Steingebäude, das aussah, als stammte es aus der
griechischen Mythologie; das hohe,
marmorweiße Washington
Monument, das in den Him-
mel ragte, als wollte es die
Wolken durchstechen; und sie
erkannten, als sie den Blick weiter bergauf wandern ließen, gerade so die Umrisse des White
House selbst, in dem der Präsi-
dent residierte.

Kurz darauf bog Jorge mit
dem Wagen in ein Labyrinth
aus Straßen ein, die mit Chi-
narestaurants und Cafés gesäumt waren.
Sie fuhren an einem mitten in der Stadt gelegenen Stadion
und an einem großen Theater mit gläserner Front vorbei,
dann hielt Jorge hinter einem hohen Backsteinhaus. Sie
stiegen aus, und er und Orlando halfen ihnen, ihr Gepäck
aus dem Kofferraum zu holen.

»Genug Historisches für heute.« Orlando grinste. »Zeit
für die wichtigen Dinge – Bücher.« Sie gingen zur Vorderseite des Hauses. »Damit es auch richtig wirkt«, erklärte
Orlando stolz, als sie vor dem hohen Backsteingebäude

mit großen Fenstern standen, durch die sie eine belebte Buchhandlung erkennen konnten. *Shakespeare's Sisters* war auf einem mit einer Feder als Logo verzierten Schild über der Tür zu lesen.

»Warum heißt der Laden denn *Shakespeare's Sisters?*«, wollte Oskar wissen. »Wie viele Schwestern hatte Shakespeare überhaupt?«

»Na ja, er besaß eine Schwester, die bis ins Erwachsenenalter gelebt hat«, antwortete Orlando. »Aber das ist nur einer der Gründe für den Namen. Wenn wir reingehen, werdet ihr sehen, dass dies ein ganz besonderes Gebäude ist. Früher war es einmal ein Theater, und wir haben versucht, so viel wie möglich von seinem ursprünglichen Aussehen zu bewahren. Sogar die Bühne steht noch. Natürlich haben wir eine Menge Bücherregale eingebaut. Die Leute kommen aus der ganzen Welt, um unsere Shakespeare-Sammlung zu bewundern.«

»Und… warum ist die Buchhandlung dann nach seinen Schwestern benannt?«, fragte Tilly.

»Dazu komme ich jetzt.« Orlando lächelte. »Ich erzähle euch das alles nur, weil ihr zum ersten Mal hier seid. Es geht dabei nicht um Shakespeares wirkliche Schwestern; es geht um eine erfundene namens Judith.«

»Kennt ihr die britische Schriftstellerin Virginia Woolf?«, schaltete Jorge sich ein, der die Geschichte offenbar schon öfter gehört hatte und die Sache etwas beschleunigen wollte.

Der Name kam Tilly zwar bekannt vor, aber sie konnte ihn nicht richtig einordnen und schüttelte den Kopf. Sie hatte sich vorgenommen, niemals so zu tun, als hätte sie ein Buch gelesen, wenn das nicht stimmte, und daran hielt sie sich; egal wie verlockend es manchmal war, diese Regel zu brechen.

»Sie ist schon eine Weile tot«, fuhr Orlando fort. »Einer der Gründe, warum ich sie so mag, ist, dass ich nach einer Figur aus einem ihrer Bücher benannt bin. Und in einem anderen behandelt sie das Thema Frauen und Schreiben und stellt sich vor, wie wohl das Leben für eine erfundene Schwester Shakespeares gewesen wäre. Es geht darum, wie es einer Frau ergangen wäre, die in der elisabethanischen Zeit Schriftstellerin hätte sein wollen. Und darum, was für Geschichten sie wohl geschrieben hätte, wenn sie die gleichen Bildungschancen gehabt hätte wie der gute alte Will Shakespeare. Deshalb habe ich die Buchhandlung so genannt – für all die Geschichten, die es, aus welchem Grund auch immer, nicht hinaus in die Welt geschafft haben.«

»Das gefällt mir.« Oskar nickte anerkennend. »Aber irgendwie ein bisschen kompliziert. Du musstest ganz schön viel erklären.«

»Also, wir glauben jedenfalls, es klingt gut, selbst für jemanden, der nur draußen vorbeiläuft«, sagte Orlando. »Und manchmal lohnt es sich, die ganze Geschichte zu kennen, findet ihr nicht?« Sein Blick wanderte an der Ladenfront hinauf. »Irgendwie sind Buchhandlungen Gedenkstätten für Autorinnen und Autoren«, sagte er. »Lincoln und Washington haben ihre Statuen, und Shakespeare hat das hier. Es ist vielleicht nicht ganz so eindrucksvoll, aber ich glaube, es hätte ihm gefallen.«

»Du klingst wie Tillys Grandad«, sagte Oskar. »Der hält auch gerne Reden über die Bedeutung von Buchläden.«

Im Inneren der Buchhandlung war nicht zu übersehen, dass das Gebäude einmal ein Theater gewesen war. Zwar hatte man einige Wände entfernt, am gegenüberliegenden Ende befand sich jedoch eine riesige hölzerne Bühne mit schweren roten Vorhängen auf beiden Seiten. Doch statt Schauspielern, Scheinwerfern oder Requisiten standen dort überall Regale voller Bücher. Eine breite Treppe führte zu einer Galerie hinauf, eine zweite ins Untergeschoss. Ein kitschiger Kronleuchter, der noch an der hohen Decke hing, und einige samtbezogene Theatersitze in den Nischen zwischen den Regalen, auf denen die Kunden Platz nehmen und lesen konnten, hielten kunstvoll den Zauber der Vergangenheit am Leben.

»Willkommen im Shakespeare's Sisters!«, verkündete Orlando. »Dann wollen wir mal eure Sachen irgendwo unterstellen und rasch unseren Shakespeare-Balkon anschauen, bevor wir uns auf den Weg zur Bibliothek machen.«

Orlando wirkte so stolz auf seine Buchhandlung, dass Tilly es nicht übers Herz brachte, darauf zu bestehen, sofort zur Library of Congress aufzubrechen, um mit der Suche nach den Archivaren zu beginnen. Was machten schon ein paar zusätzliche Minuten, um Shakespeare's Sisters richtig anzuschauen, wenn sie sowieso schon einmal hier waren? Guten Buchhandlungen konnte man ohnehin schwer widerstehen.

9

ICH WEISS 'NEN ORT, WO WILDER THYMIAN STEHT

Sie ließen ihr Gepäck in Orlandos verschlossenem Büro, nur ihren kleinen Rucksack mit den Gegenständen behielt Tilly bei sich.

Dann folgten sie Orlando und Jorge die Treppe hinauf durch einen Mauerbogen in einen kleinen Raum voller Geschenkpapier in unzähligen Farben und Mustern, stapelweise Rollen mit buntem Geschenkband und jeder Menge farbigem Seidenpapier und anderen Verpackungsutensilien. An einem Tisch, auf dem sich Bücher stapelten, stand eine zierliche Frau. Sie hatte leuchtend bunte Bänder in mindestens fünf verschiedenen Schattierungen in ihre schwarzen Haare geflochten und war gerade damit beschäftigt, ein dickes Buch in braunes Papier einzuschlagen.

»Das sind Deepti und unser Verpackungsraum«, erklärte Orlando. »Wenn die Kunden ein Buch als Geschenk verpackt haben möchten, dann haben sie hier die freie Auswahl.«

Die Frau blickte auf und lächelte sie freundlich an.

»Freunde von dir?«, fragte sie.

»Beste Freunde«, antwortete Orlando. »Das ist Matilda, die Tochter einer meiner engsten Freundinnen an der Uni. Und das da ist Matildas bester Freund Oskar.«

»Macht ihr hier Urlaub?«, fragte Deepti, und Tilly antwortete zur selben Zeit mit Nein wie Jorge mit Ja, woraufhin Deepti eine Augenbraue hochzog. »Wie dem auch sei, falls ihr während eures Aufenthalts hier ein Buch kauft, kommt auf jeden Fall vorbei und lasst es schön verpacken. Das geht bestimmt auf Kosten des Hauses. Apropos, Orlando, hast du mit Candy gesprochen? Sie war auf der Suche nach dir – in den letzten Tagen sind wieder einige Bücher abhandengekommen, und sie glaubt, es war vielleicht ein Ladendieb. Obwohl der eine seltsame Auswahl treffen würde, falls ihre Annahme stimmt. Du solltest dich auf jeden Fall mal mit ihr kurzschließen, sobald du kannst.«

»Danke, Deepti, mache ich«, versprach Orlando.

»Ist Deepti auch eine Buchwandlerin?«, fragte Tilly, als sie die Treppe zur Galerie hinaufstiegen.

»Ich glaube nicht.«

»Hast du sie denn nicht gefragt?«, erkundigte sich Oskar verwundert. »Ich dachte, in der Underlibrary gibt es eine Art Buchwandlerverzeichnis.«

»Das kann gut sein, aber ich kontrolliere meine Mitarbeiter nicht«, erklärte Orlando. »Falls sie eine ist, kriegen wir das schon irgendwann mit. Vielleicht hast du durch die Familie Pages einen falschen Eindruck davon bekommen, wie verbreitet das Buchwandeln ist. Aber wahrscheinlich haben wir mindestens noch einen weiteren Buchwandler hier – Buchhändler sind natürlich prädestiniert zu dieser Fähigkeit.«

Inzwischen hatten sie die Galerie erreicht, die sich rund um das ganze Geschäft erstreckte. Sämtliche Regale standen voll mit Shakespeares Werken in allen möglichen Ausgaben, von einfachen Taschenbüchern bis hin zu fest gebundenen, wundervoll verzierten Luxusausgaben. Daneben gab es Bücher über Shakespeare und seine Zeit und eine Menge Shakespeare-Fanartikel.

Tilly überlegte, ob sie wohl Zeit hätte, einen Kalender mit Shakespeares besten Flüchen zu kaufen, um ihn Grandad zu schenken, doch sie durfte sich nicht ablenken lassen. So müde sie auch war und so gerne sie auch noch Stunden in der Buchhandlung verbracht hätte, sie mussten jetzt zur Library of Congress.

»Das ist ein wunderschöner Laden, Orlando«, sagte sie, »aber wir ...«

»Danke!«, fiel Orlando ihr ins Wort. »Wir sind auch ziemlich stolz darauf. Und wir haben die besten Kunden der Welt. Wie wär's jetzt mit dem Shakespeare-Balkon? Balkon, ihr versteht schon?«

»Was bitte?«, fragte Tilly verwirrt.

»Balkon«, wiederholte Orlando, und fand sich selbst sehr witzig.

»›Oh Romeo, warum denn Romeo ...‹?«

»Ah.« Bei Tilly fiel der Groschen. »Ja, verstehe. Cool, aber wir müssen jetzt wirklich ...«

»Seht mal hier«, sagte Orlando und zog eine besonders prächtige Ausgabe von *Ein Sommernachtstraum* aus einem Regal. »Habt ihr das schon mal gelesen?« Er schlug das Buch auf und legte es Tilly in die Hand, sodass sie eine prächtige Illustration des Waldes vor sich hatte, in der das Stück spielte.

»Wir haben Teile daraus in der Schule gelesen«, antwortete sie. »Auf der Bühne habe ich es noch nicht gesehen. Aber unser Lehrer meinte, es würde im Globe Theatre gespielt, da kann ich es vielleicht bald bewundern. Also, wie weit, sagtest du, ist es bis zur ...«

»Es ist eins meiner absoluten Lieblingsbücher«, sagte Orlando verträumt. ›*Ich weiß 'nen Ort, wo wilder Thymian ...*‹« Er wirkte einen Moment verlegen. »Ich vergesse jedes Mal, ob es *steht* oder *weht* heißt – wie war das noch mal?«

»›*Ich weiß 'nen Ort, wo wilder Thymian steht ...*‹«, las Tilly laut vor, hielt jedoch inne, als sie plötzlich etwas am Arm spürte. In der Hoffnung, dass es in Washington nicht irgendwelche besonders ekligen Spinnen gab, schob sie es weg – doch statt eines Krabbeltiers berührten ihre Finger die Spitze einer grünen Blätterranke.

»Cool«, sagte Oskar und kam näher, um die Pflanzen zu bewundern, die sich mit einem Mal vor ihren Augen um die Bücherregale wanden. »Wie kriegt ihr sie dazu?«

»Ähm, kriegen wir nicht«, antwortete Orlando und starrte auf das weiterwachsende Blattwerk.

»Oh nein«, sagte Tilly, die eine dunkle Ahnung überkam, während die Ranken sich mit raschelndem Laub über die Bücher schlängelten. »Es passiert schon wieder, dabei hab ich kaum etwas gelesen!«

»Es passiert … schon wieder?«, wiederholte Orlando.

»Ja«, antwortete Tilly nervös. »Manchmal … ziehe ich anscheinend … Also, ein paar Mal, wenn ich ein Buch gelesen habe, ist die Umgebung von dort, na ja, zum Teil entwichen.

»Aha«, sagte Jorge erstaunt. »Und das… passiert einfach?«

»Es ist erst ganz selten vorgekommen«, versuchte Tilly die Sache ein bisschen herunterzuspielen. »Aber es ging niemals so schnell. Ich kann es nicht wirklich steuern.«

»Und das geht immer so weiter?«, fragte Orlando und wich, den Blick auf das sich ausbreitende Grün gerichtet, einen Schritt zurück. Er hoffte, die Kunden hatten es nicht bemerkt.

»Normalerweise nicht«, antwortete Tilly. »Aber normalerweise passiert es auch nicht so schnell und so heftig.«

»Und das da passiert normalerweise auch nicht, oder?«, fragte Oskar und zeigte auf Tillys Knöchel, wo eine Ranke gerade begann, an ihrem Bein hinaufzukriechen.

»Äh, nein!« Tilly versuchte panisch, die Pflanze abzuschütteln. »Normalerweise sind sie nicht so…«

»Lebendig?«, fragte Jorge, der ganz blass geworden war. »Tun sie dir weh?«

»Nein.«

»Ich glaube, das ist jetzt zweitrangig«, sagte Oskar und bückte sich, um Tillys Knöchel von dem kletternden Pflanzentrieb zu befreien. Sofort rankte jedoch der nächste aus einem Regal und schlang sich um sein Handgelenk.

»Warum will uns denn ein Baum verschlingen?«, fragte er mit zusammengebissenen Zähnen und kämpfte dabei einen aussichtslosen Kampf gegen immer stärker werdende Zweige.

»Ich glaube, es ist nicht der Baum«, antwortete Tilly. »Ich glaube, es ist das Buch.«

Orlando starrte erst sie und dann das Buch in ihrer Hand an. Dann entriss er es ihr und schüttelte es, als könnte das die Ranken stoppen.

»Leg es weg!«, rief Oskar.

Orlando geriet in Panik und schleuderte den Band stattdessen hinter ein Regal, was nichts dagegen half, dass die Triebe Tilly und Oskar immer fester umschlangen.

»Tut mir leid«, sagte Orlando verzweifelt und stürzte los, um das Buch zurückzuholen.

»Ähm, könntest du uns helfen?«, wandte Tilly sich an Jorge, der das Ganze nur mit offenem Mund erschrocken beobachtete.

»Ja, sorry, natürlich«, stammelte er. »Ich hole eine Schere.«

»Bring auch ein Messer mit!«, rief Orlando ihm nach, während er nach dem Buch fingerte.

Und plötzlich, bevor Orlando noch überlegen konnte, was er als Nächstes versuchen würde, spürte Tilly ein Ziehen um den Bauchnabel, und der unverkennbare Geruch nach gerösteten Marshmallows erfüllte

die

Luft.

10

KARAMELL UND LAGERFEUER

Shakespeare's Sisters' hohe Decke verschwand im Nichts,
und die Regale der Buchhandlung klappten eins nach
dem anderen in sich zusammen, bis Tilly und Oskar
sich, von sämtlichen Ranken befreit, auf einer Waldlich-
tung wiederfanden, die zu schön war, um real zu sein.
Sie klopften sich sauber und blickten sich nach irgendwelchen Figuren um.

»Das war merkwürdig«, sagte Tilly. »Und ich habe das
Gefühl, das sage ich zurzeit ziemlich oft.«

»Zu oft«, antwortete Oskar und rieb sich die Handgelenke, wo ihn kurz zuvor noch die grünen Triebe umklammert hatten. Aber hey! Wenigstens können wir buchwandeln!«

»Das ist… Also das ist auch merkwürdig, oder?«, fragte
Tilly. »Steht die Primärausgabe von *Ein Sommernachts-
traum* nicht durch Buchmagie gesichert in der British
Underlibrary?«

»Vielleicht haben sie die eine vergessen?« Oskar sah
Tilly hoffnungsvoll an. »Oder es liegt daran, dass das Buch

uns verschlungen hat. Vielleicht zählt das nicht als richtiges Buchwandeln?«

»Könntest du das bitte etwas anders ausdrücken? Mir gefällt die schreckliche Vorstellung nicht, dass Bücher uns *verschlingen*.«

»Klar«, antwortete Oskar. »Ich frage mich, warum das Buch uns gekidnappt hat. Ich frage mich, warum... Nee. Ich bleibe bei *verschlingen*.«

»Immerhin hat Orlando das Buch«, sagte Tilly. »Dann kann er wenigstens kommen und uns zurückholen. Falls der Band...«

»Falls das Buch nicht *doch* gesichert ist. Dann kann er nämlich nicht hineinwandeln, stimmt's?«, fragte Oskar. »Also, was machen wir jetzt?«

»Wir müssen irgendwie in die Nachsatzblätter kommen und hoffen, dass wir von dort in die Underlibrary befördert werden«, antwortete Tilly. »Wir müssen also zum Ende des Stücks gelangen. Vermutlich müssen wir es einfach ablaufen lassen und hoffen, dass in der realen Welt nicht allzu viel Zeit vergeht. Oder dass Orlando irgendwas einfällt.«

Sie blickten sich um und versuchten festzustellen, an welcher Stelle in dem Stück sie sich gerade befanden. Der Wald um sie herum war so dicht, dass er dem Ort eine geheimnisvolle Atmosphäre verlieh, aber nicht so undurchdringlich, dass er bedrohlich wirkte. Efeu rankte um die Baumstämme, und eine unglaubliche Fülle an zartbunten

Blüten überzog in Girlanden überall das Blattwerk. Fast sah es so aus, als hingen Lichterketten zwischen den Zweigen, doch als Tilly näher herantrat, sah sie, dass es nur das nachmittägliche Sonnenlicht war, das so schön durch das Blätterdach funkelte. Das Gras unter ihren Füßen war grün und weich, das laue Lüftchen, das sie umgab, war von Vogelgezwitscher erfüllt. Und irgendwie duftete es nach Karamell und Lagerfeuer.

Auch wenn die Art, wie sie hierherbefördert worden waren, sie eher beunruhigte, der Ort selbst war friedvoll und schön. Plötzlich stieß Oskar Tilly mit dem Ellbogen an und legte einen Finger auf die Lippen. Er zeigte auf etwas zwischen den Bäumen.

Dort erschienen zwei Gestalten, eine männliche und eine weibliche, zu beiden Seiten der Lichtung, liefen in die Mitte und trafen sich dort. Er war ganz in Brauntönen gekleidet und trug eine Krone aus Zweigen auf den dichten Locken. Sie hatte langes weißblondes Haar, das zart wie Zuckerwatte über ihre Schultern wallte, und ein Kleid, das sie wie Wolken aus Tüll umhüllte.

Beide waren wunderschön und elegant und bewegten sich leichtfüßig und scheinbar schwerelos, ohne die Trägheit menschlicher Wesen. Tilly fürchtete sich ein bisschen vor ihnen, konnte aber trotzdem den Blick nicht abwenden.

Die beiden umkreisten einander und sprachen zu leise, um sie aus Tillys und Oskars Entfernung verstehen zu können.

»Was läuft denn da?«, flüsterte Oskar.

»Ich glaube, das ist Droll«, antwortete Tilly und zeigte auf die Gestalt in Braun. »Wir haben das Stück in der Schule durchgenommen, erinnerst du dich?«

»Ich weiß, ehrlich gesagt, nur noch, dass da ein Mann in einen Esel verwandelt wurde«, antwortete Oskar. »Und auf keinen Fall hätte ich gedacht, dass die Feen so...«

»...so schön aussehen«, beendete Tilly seinen Satz.

»So merkwürdig«, korrigierte Oskar sie. »Schon wieder dieses Wort. Und sieh mal, da kommt noch jemand.«

Er deutete auf die gegenüberliegende Seite der Lichtung, wo in dem Moment ein großer, schlanker Mann in einem Blättergewand zwischen den Bäumen hervortrat. Auf seinem Kopf saß eine filigrane goldene Krone, und er wurde von einigen kleineren Elfen begleitet, die ungefähr so groß waren wie Droll und die Prinzessin mit den Zuckerwattehaaren. Von der anderen Seite der Lichtung näherte sich eine Frau, flankiert von ihren Begleiterinnen. Sie war genauso groß wie er, trug ein Kleid aus grüner Seide und schien mit ihrer Umgebung zu verschmelzen, sodass nicht zu erkennen war, wo sie endete und der Wald begann.

»*Schlimm, treffen wir bei Mondenlicht, du stolze Titania.*«, sagte der Mann, dessen Stimme gut zu verstehen war, obwohl Tilly und Oskar zurückgewichen waren und sich hinter den Bäumen versteckt hatten.

»*Wie, Oberon ist hier der Eifersüchtge?*«, erwiderte die

Frau und gab den Feen um sich herum ein Zeichen, sich zurückzuziehen.

»*Vermeßne, halt! Bin ich nicht dein Gemahl?*«, fragte der Mann und trat näher auf sie zu.

»*Dann muss ich wohl dein Weib sein*«, antwortete Titania mit einem angedeuteten Lächeln auf den Lippen.

»*Doch ich weiß die Zeit, daß du dich aus dem Feenland geschlichen.*«

»Haben die was gegeneinander?«, fragte Oskar verdutzt. »Ich dachte, sie wären verheiratet. So genau erinnere ich mich, wie gesagt, nicht mehr an die Einzelheiten.«

»Sind sie«, antwortete Tilly. »So was in der Art jedenfalls. Ich glaube, Feen machen sich nicht so viel aus der Ehe – aber sie sind definitiv irgendwie zusammen. Oberon ist allerdings ein Mistkerl. Er benutzt Droll, um Titania zu verzaubern, damit sie sich in Zettel verliebt.«

»In den Typ, der in einen Esel verwandelt wird«, erinnerte sich Oskar. »Langsam fällt mir alles wieder ein. Wenn ich in der Schule eine Geschichte geschrieben hätte, in der ein Kerl namens Zettel zu einem Esel wird, würde mich garantiert keiner als Genie betrachten, so wie diesen Shakespeare. Ganz schön unfair! Stell dir mal Mrs Webbers Gesicht vor, wenn ich jemanden Zettel nennen würde. Das Ding mit berühmten Schriftstellern ist…«

»Schscht, Oskar, still!«, flüsterte Tilly, während sie beobachtete, wie Titania und Oberon sich einander immer weiter näherten und in einen handfesten Streit gerieten.

Doch es war zu spät. Oskars Stimme war schon bis zu dem Elfenkönig und seiner Feenkönigin gedrungen, und als er verstummte, waren beide stehen geblieben und starrten Tilly und Oskar an.

11

MACHE DEN ANFANG MIT DEM ANFANG

Nur selten wagen Sterbliche sich an diesen Ort, aus Furcht, sie wollen nicht mehr fort«, sagte Titania in erstauntem Singsang.

»*Warum kommt ihr ohne Mondlicht her,*
denn im Licht sind Schatten düsterer?
Vielen Schutz darin zu suchen wohl gefällt,
doch ihr erscheint in Sonnenschein gehüllt.«

»*Wie lang gedenkt ihr hier zu weilen?*«, *fragte Oberon.*

»*Wir haben heute noch viel zu tun.*«

»Tut uns wirklich leid«, antwortete Tilly leicht nervös. »Wir wollten Sie nicht stören.«

»Aber wo Sie uns Ihre Zeit schon einmal opfern«, sagte Oskar, »kennen Sie vielleicht einen Mann namens Zettel?«

Titania sah Oskar verständnislos an, der Mühe hatte, ein Lachen zu unterdrücken.

Oberon schien nur genervt.

»Es scheint mir, ihr seid weit gereist,
und müsst noch weiterziehen?«, fragte er.
»So lass sie gehen, stolze Titania,
falls ihr nicht zu gebannt von ihnen seid.
Habt ihr es doch versäumt zu geben mir,
was mir zusteht, in der letzten Zeit.«

Titania wandte ihre Aufmerksamkeit widerwillig Oberon zu und flüsterte etwas, dass seine Wangen vor Wut rot anlaufen ließ. Trotz seiner eleganten Erscheinung fand Tilly ihn genauso unerträglich wie damals, als sie Teile des Stückes in der Schule gelesen hatten. Verärgert fiel ihr wieder ein, wie Oberon Droll ausgenutzt hatte, um Titania mit einem Zauber zu belegen, damit sie sich in den Mann mit dem Eselskopf verliebte. Da kam ihr ein Gedanke. Angenommen es stimmte, dass nach den Gesetzen des Buchwandelns automatisch alles in dem Stück wieder in seinen ursprünglichen Zustand zurückfallen würde, sobald sie es verließen, dann wäre es doch sicher nicht weiter schlimm, wenn sie die Geschichte ein klein wenig abänderte?

»Gnädigste«, sagte sie und sank in einen tiefen, wenn auch wackeligen Knicks.

Titania antwortete nicht, signalisierte Tilly aber mit einer grazilen Handbewegung, dass sie die Erlaubnis hatte zu sprechen. Oberon beachtete sie kaum.

»Ich dachte, Ihr wüsstet vielleicht gerne, dass Lord Oberon vorhat, Sie zu verzaubern«, sagte Tilly und versuchte dabei, die Elfen zu imitieren.

Oberon stieß ein höhnisches Schnauben aus. »Was sagst du da, du Wicht – was fällt dir ein? An mir zu zweifeln, kann nur von Nachteil für dich sein«, schimpfte er.

»Bitte sprich nur weiter, Kind. Ich will alles hören, ganz geschwind«, sagte Titania.

»Erzähl mir mehr von diesem bösen Plan.«

»Er will Droll auf die Suche nach einer Blume schicken, deren Blütennektar dafür sorgt, dass Sie sich in denjenigen verlieben, den Sie als Nächsten erblicken«, erklärte Tilly und wich langsam zurück, als sie sah, dass Oberon nicht mehr grinste, sondern langsam zornig wurde. »Und das wird ein Mann mit einem Eselskopf sein. Aber selbst wenn es der wunderbarste Mensch der Welt wäre, finde ich es nicht fair, wenn er Sie dazu zwingt, sich zu verlieben, ohne dass Sie ein Wörtchen mitzureden haben.«

»Du wagst es, solch schreckliche Lügen zu verbreiten?!«, rief Oberon und baute sich wütend vor ihnen auf.

»Ich schwöre, dass es stimmt«, sagte Tilly, die Titania ansah, dass sie Oberon offenbar alles zutraute.

»Ähm, war das gerade eine gute Idee, Tilly, wo wir nicht aus dem Buch herauskönnen?«, fragte Oskar und zog seine Freundin rückwärts zwischen die Bäume, fort von Oberon, der immer wütender wurde.

In dem Moment hörten sie ein Knistern in der Luft, und plötzlich stand Orlando schwer atmend und mit einer Ausgabe von *Ein Sommernachtstraum* in der Hand neben ihnen.

»Du hast uns gefunden!«, rief Tilly erleichtert. »Du kannst buchwandeln!«

»Gott sei Dank«, sagte Orlando. »Ich hätte nicht gewusst, wie ich Bea erklären sollte, dass ihre Tochter von einem Buch verschlungen wurde.«

»Da hörst du's«, sagte Oskar. »*Verschlungen!* Wir sind von einem Buch verschlungen worden. Warum hast du so lange gebraucht, Orlando?«

»Ich bin auf direktem Weg hierhergekommen«, antwortete Orlando. »Aber ihr wisst doch, wie das mit der Zeit in Büchern ist. Nachdem ich beobachtet habe, wohin ihr gewandelt seid, bin ich euch sofort in den Text gefolgt.«

»Okay, im Zweifel für den Angeklagten«, antwortete Oskar. »Es war jedenfalls allerhöchste Eisenbahn – Tilly legt sich gerade mit dem Elfenkönig an.«

Orlando hatte Titania und Oberon zwischen den Bäumen noch gar nicht bemerkt und wäre fast zu Tode erschrocken, als er sie sah.

»Lasst uns verschwinden«, sagte er und nahm Tilly und Oskar fest bei den Händen.

»Achte darauf, dass du dich nirgendwo schlafen legst, wo er dich finden kann!«, rief Tilly Titania noch zu. »Und hüte dich vor Elfen mit Blumen!«

»Diese Freundlichkeit werd ich nie vergessen dir!«, rief Titania zurück.

»Wenn deine Worte sich als wahr erweisen,
hast du etwas gut bei mir.

85

Und wenn du einmal Hilfe brauchst,
revanchier ich mich dafür.«

Sie verneigte würdevoll den Kopf vor Tilly und strafte Oberon mit einem eisigen Blick, dann zog sie sich wieder in den Wald zurück, und ihr grünes Seidenkleid

entschwand

zwischen

den

Blättern.

»Es ist definitiv Zeit für uns, zu gehen«, sagte Orlando, und bevor Tilly und Oskar noch widersprechen konnten, las er die letzten Zeilen des Stücks vor.

» Wenn wir bösem Schlangenzischen
unverdienter Weis' entwischen,
so verheißt auf Ehre Droll
bald euch unsres Dankes Zoll;
ist ein Schelm zu heißen willig,
wenn dies nicht geschieht, wie billig.
Nun gute Nacht! Das Spiel zu enden,
begrüßt uns mit gewognen Händen.«

Shakespeare's Sisters' hohe SÄULEN und Wände nahmen um sie herum wieder GESTALT an, und alle drei atmeten erleichtert auf.

»Was um alles in der Welt war das, Tilly?« Orlando war ganz blass. »So etwas habe ich noch nie gesehen.«

»Mein Buchwandeln ist manchmal ein bisschen… unberechenbar«, erklärte Tilly, der erst jetzt langsam klar wurde, was der Vorfall von eben bedeutete. »Vermutlich sollte ich mich mit dem Lesen besser etwas zurückhalten, bis wir die Archivare gefunden haben. Vielleicht wissen sie, wie dieses Buch... na ja, wie es...«

»...uns verschlungen hat«, half Oskar ihr weiter.

»Wie es uns verschlungen hat«, gestand Tilly nun ein.

»Wie bist du überhaupt hineingekommen, um uns zu holen?«, fragte Oskar Orlando. »Befindet sich die Primärausgabe nicht in der British Underlibrary?«

»Wir haben das Glück, ziemlich viel Shakespeare zu besitzen«, antwortete Orlando lächelnd. »Beziehungsweise wir als Leser haben das Glück – die British Underlibrary findet das eher nicht so toll. Ziemlich viele der Ausgaben, die als Primärwerke gelten, wurden vor vielen Jahren aus der British Library gestohlen und sind nie wieder aufgetaucht. Und man kann nicht einfach eine neue Ausgabe zur Primärausgabe erklären. Solange die alte also nicht zerstört wurde, kann jeder weiter in dem Werk buchwandeln.« Er reichte Tilly das Buch. »Für den Fall, dass die Archivare es brauchen, um herauszufinden, was da gerade passiert ist. Außerdem will ich lieber nicht riskieren, es noch länger hier im Laden zu haben... Auf jeden Fall müssen wir so schnell wie möglich zur Library of Congress, bevor noch etwas Seltsameres passiert. Kommt, wir schnappen uns Jorge und machen uns auf den Weg.«

In dem Moment kam Jorge die Treppe heraufgerannt.

»Ich hab eine Schere!«, rief er außer Atem. »Und ein Messer!« Er hielt eine Plastikschere und ein Buttermesser in die Höhe. »Oh«, sagte er schnaufend. »Ihr seid wieder da. Dann ist es ja gut.«

»Komm«, sagte Orlando. »Wir müssen zur Bibliothek. Tilly, du kannst uns den Plan unterwegs erklären.«

»Den Plan?«, fragte Tilly verunsichert.

»Den Plan, wie wir die Archivare finden«, antwortete Orlando. »Bea hat gesagt, du wüsstest einen Weg.«

»Eigentlich ist es weniger ein Plan als eine Art... Karte«, erklärte Tilly vage. Sie wollte Jorge und Orlando möglichst nicht damit beunruhigen, dass es im Prinzip keinen Plan gab.

»Alles klar, mit einer Karte können wir etwas anfangen«, sagte Jorge, der immer noch versuchte, wieder zu Atem zu kommen. »Wir wissen, dass der Ausgangspunkt in der Bibliothek ist?«

Tilly nickte.

»Zu wissen, wo der Anfang ist, ist immer ein guter... na ja, Anfang.«

»*Mache den Anfang mit dem Anfang*[2]«, sagte Orlando.

»*Und lies weiter, bis du ans Ende kommst*«, beendete Tilly das Zitat aus Alice im Wunderland.

Als die vier die Buchhandlung verließen, bemerkte keiner von ihnen den Buchhändler, der den Telefonhörer abnahm, kaum dass sich die Tür hinter ihnen geschlossen hatte.

»Ja«, sagte er in den Hörer. »Sie sind gerade aufgebrochen. Sie sind auf dem Weg zur Library of Congress. Und sie haben etwas von einer Karte gesagt.«

12

EIN FEHLER IM SYSTEM

Vor der Buchhandlung nahmen sie sich ein Taxi und fuhren durch den dichten Verkehr Richtung Kapitol.

Orlando hatte sich auf der Rückbank zwischen Tilly und Oskar gequetscht, während Jorge dafür sorgte, dass der Taxifahrer möglichst günstig für sie an der Bibliothek parkte, und zwar hinter dem schönen kuppelartigen Gebäude, in dem die amerikanischen Gesetze gemacht wurden.

»Also, was genau ist nun der Plan?«, fragte Orlando, während sie von der Straße aus, wo sie abgesetzt worden waren, den Hügel hinaufliefen. »Deine Mum hat uns zwar ein bisschen was darüber erzählt, was los ist, Tilly, aber es war gerade ziemlich hektisch, als sie anrief, und wir haben uns quasi spontan entschlossen zu helfen.«

»Was immer diese Leute in eurer Underlibrary da anstellen, hat auch auf uns Auswirkungen«, sagte Jorge. »Niemand hier kann mehr in die Bücher wandeln, deren Primärausgabe in London steht – und das sind eine Menge.«

»Das dachten wir uns.« Oskar nickte. »Aber wenn das

so ist, warum unternehmt ihr dann hier in eurer Unterbibliothek nichts dagegen?«

»Ich bin ein normaler Bibliothekar«, erklärte Jorge. »Ich arbeite nicht in der amerikanischen Unterbibliothek, sondern in der oberirdischen Library of Congress.«

»Aber soweit wir wissen, hat unsere Unterbibliothek schon immer damit zu kämpfen, dass die British Underlibrary die Kontrolle über so viele Primärausgaben hat«, sagte Orlando. »Die Buchwandler hier sind es gewohnt, mit den Auswirkungen der Entscheidungen zu leben, die in London getroffen werden.«

»Oje,« sagte Tilly unangenehm berührt. »Aber was jetzt passiert, ist deutlich schlimmer als sonst, stimmt's?«

»So ist es«, bestätigte Orlando. »Es ist zwar nichts Neues für uns, die Folgen irgendwelcher Beschlüsse in London zu tragen, aber das geht doch zu weit. Natürlich können wir noch in Bücher wandeln, deren Primäreditionen in Amerika aufbewahrt werden, aber es ist reines Glück, dass wir noch Zugang dazu haben, und zu den Werken einiger anderer, deren Primärausgaben verschollen oder vergessen sind. Davon darf es aber nicht abhängen, ob wir buchwandeln können; das ist ein Schlupfloch, aber keine Lösung.«

»Und man kann ganz sicher keine neuen Primärausgaben herstellen?«, fragte Tilly.

»Nein«, antwortete Jorge. »Das ist eindeutig ein Fehler im System. So richtig durchdacht war das Ganze nicht, wenn du mich fragst. Das Risiko ist enorm – stellt euch vor, jemand findet die Primärausgaben von Shakespeares Werken und zerstört sie, absichtlich oder aus Versehen. Sie würden einfach aus der Geschichte verschwinden. Ich will mir gar nicht ausmalen, was mit der Welt wäre, wenn Shakespeares Stücke nie existiert hätten.«

»Das passiert also, wenn eine Primärausgabe zerstört wird?«, fragte Oskar erstaunt. »Die Texte sind einfach futsch? Für immer? Wir haben mal ein Buch gesehen, das… das… mir fällt der Titel nicht mehr ein, aber wir haben gesehen, wie die Primärausgabe verbrannt wurde und… Wie hieß es noch mal, Tilly? Das war doch eine Primärausgabe, oder?«

»Ich hab's vergessen«, antwortete Tilly. »Es wird wohl nicht so wichtig gewesen sein.« Sie zuckte mit den Schultern. Dass ein Buch verbrannt worden war, wusste sie zwar noch, aber die Erinnerung war ganz verschwommen, als wäre es vor sehr langer Zeit passiert.

»Falls das Buch, von dem Oskar spricht, eine Primärausgabe war, würdet ihr natürlich nicht wissen, ob es wichtig war oder nicht«, sagte Jorge, während sie auf den Bibliothekseingang zuliefen. »Weg ist weg. Das Buch existiert nicht länger und hat niemals existiert. Ich weiß es nicht genau, aber vielleicht spürt man es irgendwie, wenn eine Primäredition, die einem viel bedeutet hat, zerstört wird. Hoffentlich werde ich das nie erleben.«

»Jorge und ich haben uns durch ein Buch kennengelernt«, sagte Orlando. »Jorge kam zu einer Romanlesung
in die Buchhandlung, bei der ich den Autor interviewte.
Wäre dieses Buch zerstört worden, wären wir uns wahrscheinlich nie begegnet. Was für eine schreckliche Vorstellung.« Er schauderte bei dem Gedanken.

»Ein Grund mehr, sich zu konzentrieren«, sagte Jorge
und drückte Orlando beruhigend die Hand. »Also, wo
fangen wir an, Tilly?«

Tilly machte ihren Rucksack auf und zog das schmale
Büchlein heraus, das die Bibliothekarin in der französischen Unterbibliothek ihr geschenkt hatte. Zwischen den
Seiten steckte ein kleiner, zerknitterter Papierschnipsel mit
einer Abfolge aus Ziffern und Buchstaben darauf. Das,
so hatte sie gelernt, war eine Signatur – eine Art Wegweiser, um ein bestimmtes Buch in einer Bibliothek zu finden.
Tilly reichte den Zettel ein wenig zögerlich weiter, als wäre
er der Schlüssel zu allem, doch Jorge nahm ihn entspre-
chend ehrfürchtig in die Hand und betrachtete die Zahlen-
Buchstaben-Kombination.

»Das müsste in einem der Regale im Hauptlesesaal
sein«, stellte er fest. »Die letzten Buchstaben sind unleser-
lich, aber damit kommen wir der Sache schon ziemlich
nah. Zumindest das passende Regal müssten wir finden,
und dann sticht uns das richtige Buch vielleicht ins Auge.
Normalerweise ist Kindern unter 16 der Zutritt verboten, also werde ich sagen, ich mache eine Führung mit

euch. Hoffen wir mal, dass die Aufsicht einen guten Tag hat.«

Die Library of Congress war Teil eines Ensembles weißer Gebäude, zu der auch das Kapitol gehörte. Sie war viel älter als die derzeitige British Library, und die vier mussten alle möglichen Sicherheitschecks passieren und ihre Rucksäcke durchsuchen lassen, um überhaupt hineinzukommen. Die Eingangshalle sah aus wie ein Escher-Gemälde. Treppen und Säulen aus Marmor erstreckten sich, so weit das Auge reichte, und der Boden war mit Fliesen in warmen Farben ausgelegt.

Jorge führte sie aus der reich verzierten Halle durch mehrere deutlich weniger beeindruckende gelb gestrichene Flure in den Hauptlesesaal. Das war einer der prachtvollsten Säle, den Tilly je gesehen hatte. Eine riesige, hohe Kuppel wölbte sich über den rotgoldenen Wänden, ringsherum standen auf zwei Stockwerken dunkle Holzregale an den Wänden, und Statuen blickten von hell erleuchteten Mauernischen herab. In der Mitte des Saales befand sich eine runde, erhöht stehende Ausleihtheke, ähnlich der in der British Underlibrary, und kreisförmig darum verteilt standen die Arbeitstische, an denen Menschen saßen und etwas auf ihren Laptops tippten oder Stapel von Büchern und Handschriften studierten.

Trotz der enormen Größe des Saales und der zahlreichen Menschen darin war es, abgesehen vom gelegentlichen Flüstern der Auskunft erteilenden Bibliothekare und dem Rascheln umgeblätterter Seiten, beinah still. Orlando und Jorge traten einen Schritt zurück, damit Oskar und Tilly alles genau betrachten konnten.

»Ist die amerikanische Unterbibliothek hier drunter?«, flüsterte Tilly Jorge zu.

»Teilweise«, antwortete er leise. »Unsere kleine Primärtextsammlung befindet sich hier, aber der größte Teil der Arbeit, was das Buchwandeln und das Nachverfolgen von Bibliotheken und Buchhandlungen betrifft, wird in unserer New Yorker Zweigstelle erledigt – unter der New York Public Library.«

»Bist du dort schon mal gewesen?«, fragte Oskar.

Jorge schüttelte den Kopf. »Ich bin zwar ein Buchwandler, als Lüfter literarischer Geheimnisse helfe ich allerdings nur aus. Dieser Mission hier kann ich durch meine Kenntnisse über Signaturen nützlich sein, nicht durch mein Wissen über Magie. Obwohl, ist das nicht fast das Gleiche? Sorry, bloß ein kleiner Bibliothekarswitz«, sagte er. »Normalerweise halte ich mich jedenfalls aus Fragen der Bibliothekspolitik raus – aber jetzt herrschen natürlich außergewöhnliche Umstände.«

Sie näherten sich einem Auskunftsschalter, hinter dem eine Bibliothekarin und ein Wachmann standen, denen Jorge seinen Bedienstetenausweis zeigte. Er sprach leise mit ihnen und deutete auf seine drei Begleiter. Der Wachmann signalisierte schulterzuckend seine Zustimmung, die Bibliothekarin lächelte, und Jorge drehte sich mit einem Daumen-hoch zu ihnen um.

»Sorry, auch wenn's etwas abgedroschen klingt«, sagte er, als sie hineingingen, »bitte seid möglichst leise. Dies ist eine Bibliothek.«

Orlando, Tilly und Oskar folgten Jorge durch die Reihen der Arbeitsplätze, vorbei an der erhöhten Ausleihtheke, von wo ein Bibliothekar streng auf sie herabblickte. Sie steuerten auf die gegenüberliegende Seite des Saales zu und traten unter einem der Mauerbögen hindurch, die die hohen Wände mit Bücherregalen durchbrachen. Sie gelangten in einen der Gänge, die rund um den riesigen Saal verliefen und mit kleineren Regalen gesäumt waren und von wo aus eiserne Treppen zur zweiten Etage hinaufführten. Tilly überkam dasselbe ehrfürchtige Gefühl wie damals, als sie die British Underlibrary zum ersten Mal gesehen hatte, und sie rief sich in Erinnerung, dass Bibliotheken weit mehr Zauber in sich bargen als bloßes Buchwandeln.

Während sie weiterliefen, überprüfte Jorge die Kennzeichnungen an Regalenden und auf Buchrücken.

»Aha«, flüsterte er. »Diese Signatur führt uns zur Literaturgeschichte der Antike, aber es kommen eine ganze Menge Bücher infrage, und da wir die letzten Buchstaben nicht kennen, die uns zum Autor führen würden, ist es schwer zu sagen, wo wir überhaupt anfangen...«

»Wie wär's mit dem hier?«, fragte Oskar in dem Moment und zeigte auf einen dunkelblauen Band, auf dessen Rücken ein goldenes Labyrinth geprägt war.

13

Die Bibliothek von Alexandria

Oskar zog das Buch aus dem Regal. Es hatte einen un-
beschrifteten Leineneinband. Lediglich auf der Vorderseite
war ein weiteres goldenes Labyrinth zu sehen. Die Seiten
waren gewellt, als wäre das Buch in die Badewanne gefallen und hinterher auf der Heizung getrocknet worden. Auf
der Titelseite stand **Die Bibliothek von Alexandria,** ein
Verfasser wurde nicht genannt.

»Ach«, sagte Jorge überrascht. »Das habe ich mir, ehrlich gesagt, schwieriger vorgestellt. Bist du sicher, dass es
das richtige ist? Tilly?«

»Na ja, die Abbildung eines Labyrinths ist bestimmt ein
gutes Zeichen, oder? Ich meine, das passt irgendwie zu
dieser ganzen Sache mit der Karte.«

»Darf ich mal sehen?«, fragte Jorge, und Oskar reichte
ihm das Buch.

Jorge schlug es vorsichtig auf und betrachtete die ersten
Seiten mit scharfem Bibliothekarsblick. Er runzelte die
Stirn. »Hier stehen weder bibliografische Informationen
noch ein Erscheinungsdatum noch ein Verlag, nichts, was

man normalerweise erwarten würde. Andererseits besitzen wir in der Bibliothek auch einiges, was erschienen ist, bevor diese Angaben üblich wurden. Was mich mehr beunruhigt, ist die Tatsache, dass es hier nicht hergehört.«

»Was meinst du damit?«, fragte Tilly. »Dass jemand es an den falschen Platz gestellt hat?«

»Nein, ich meine, es dürfte überhaupt nicht hier sein«, antwortete Jorge.

»Ich dachte, das ist eine Bibliothek«, sagte Oskar verwirrt.

»Stimmt«, bestätigte Jorge, »aber Bibliotheken sind nicht einfach zufällige Ansammlungen von Büchern. Es hat einen Grund, dass die Werke in einer Bibliothek *Bestände* heißen. Obwohl wir nach eurer British Library nur die zweitgrößte Büchersammlung der Welt haben, werden bei uns jedes einzelne Buch, jede Handschrift und jeder Brief sorgfältig katalogisiert und gekennzeichnet. Dieses Buch hat weder Signatur noch Stempel, die es als unseres ausweisen würden, und auch keinen Leihvermerk. *Nichts* daran deutet darauf hin, dass es offiziell hier ist. Entweder ist es durch einen Zufall hergelangt, oder es wurde absichtlich hier versteckt.«

»In Anbetracht der Tatsache, dass wir genau an diese Stelle geführt wurden, tippe ich auf Letzteres«, sagte Orlando zu laut, sodass seine Stimme zwischen den Regalen hervordrang, was ihm einen verärgerten Blick von jemandem einbrachte, der an einem der Tische ein paar Meter entfernt arbeitete.

»Tut mir leid«, flüsterte Orlando und hob entschuldigend die Hand.

»Es ist auf jeden Fall super, dass wir es gefunden haben«, raunte Oskar. »Aber was machen wir jetzt?«

Alle drei sahen Tilly an, die nervös schluckte. Sie streckte die Hand nach dem Buch aus und hoffte, die Antwort würde sich irgendwie von selbst präsentieren. Ein helles Leuchtzeichen, dass ihnen den Weg wies, hatte sie in der Bibliothek zwar nicht erwartet, aber sie hatte angenommen, wenn ihre erste Vermutung stimmte, würde sich der nächste Schritt schon ergeben.

»Müssen wir es vielleicht lesen? Können wir es mitnehmen?«, fragte sie.

»Ich denke schon«, antwortete Jorge. »Es gehört nicht zum offiziellen Bibliotheksbestand, also wird uns sicher niemand daran hindern.«

»Haben wir denn dazu Zeit?«, wandte Orlando ein.

»Wisst ihr, wo die Bibliothek von Alexandria ist?«, fragte Tilly.

»Die Frage ist nicht, wo, die Frage ist, wann?«, antwortete Jorge. »Das war eine antike Bibliothek im alten Ägypten, die abgebrannt ist, als Julius Cäsar ein paar Schiffe im nahe gelegenen Hafen in Brand setzte und das Feuer auf die Stadt übergriff.«

»Also sollen wir dorthin buchwandeln?«, fragte Tilly ängstlich. »Wenn es darum in dem Buch geht?«

»Etwa um das Feuer zu löschen?«, fragte Oskar.

»Das wäre nicht möglich«, antwortete Orlando. »Nicht in der Realität jedenfalls. Wenn man in ein Sachbuch wandelt, reist man nicht wirklich an den beschriebenen Ort zu der beschriebenen Zeit – man begibt sich immer noch in dieses eine Buch, in diese bestimmte Darstellung der Ereignisse, wie der Verfasser sie sieht. Wir können nicht tatsächlich in der Zeit reisen und den Ablauf der Geschichte verändern, und das ist sicher auch gut so. Also, was willst du tun, Tilly?«

Tilly war der nervöse Blick nicht entgangen, den Orlando und Jorge gewechselt hatten, als ihnen klar wurde, dass sie nicht wirklich einen Plan hatte und offenbar ebenso wenig wusste, was sie mit dem Buch anfangen sollte, wie sie. Nicht zum ersten Mal fragte sie sich, was ihre Mum ihnen wohl genau erzählt hatte und ob womöglich, was ihr Vorwissen betraf, ein klein wenig Übertreibung im Spiel gewesen war.

»Sollen wir … dann einfach hineinwandeln?«, antwortete sie und versuchte, möglichst zuversichtlich zu klingen. Denn etwas anderes fiel ihr auch nicht ein.

»Okay«, antwortete Orlando zögerlich. »Willst du am Anfang zu lesen anfangen?«

»Wir beginnen hier«, entschied Oskar und zeigte, während Tilly die Seiten durchblätterte, auf eine bestimmte Stelle.

»Wieso gerade da?«

»Weil da wieder so ein glänzendes Labyrinth zu sehen ist,« antwortete Oskar. »Was steht denn darunter?«

»*Viele Weitgereiste fanden in der bedeutenden Bibliothek von Alexandria, wonach sie suchten*«, las Jorge über Tillys Schulter hinweg vor. »*Sie war ein Ort, an dem Fragen gestellt und beantwortet, Geschichten begonnen und beendet wurden.*«

»Klingt ziemlich eindeutig«, stellte Oskar fest.

»Sollen wir?«, fragte Orlando und bot Tilly lächelnd den Arm an.

Die vier bildeten einen kleinen Kreis und hakten sich gegenseitig ein.

»Tilly, mach du das«, sagte Oskar. »Es kann bestimmt nicht schaden, wenn diejenige mit den magischen Kräften die Sache übernimmt.«

Tilly merkte, wie ihre Wangen vor Verlegenheit rot anliefen, aber sie konnte nichts gegen diese Aussage einwenden. Ihre halb fiktionale Veranlagung hatte ihnen schon öfter aus der Patsche geholfen. Einige Male hatte sie sie allerdings auch erst hineinbefördert.

»Dann lese ich also einfach ab hier?«, fragte sie leise. »Direkt ab der Zeile über die Geschichten, die beginnen und enden?«

»Ergibt Sinn«, antwortete Orlando. »Zumindest genauso viel Sinn wie jede andere Option. Wer nicht wagt, der nicht gewinnt!«

Oskar nickte ihr aufmunternd zu.

»Und sobald wir drin sind, bleiben wir alle zusammen«, sagte Jorge. Er schien sichtlich nervös angesichts dessen, was sie vielleicht vorfinden würden. »Damit wir schnell wieder von dort verschwinden können, falls nötig.«

Tilly nickte, dachte an ihre Familie zu Hause und fing an zu lesen:

»*Die Bibliothek von Alexandria wurde als Heimstätte für die großen Denker und Gelehrten der Antike errichtet. Sie konnten dort für die damalige Zeit in ungewöhnlicher Freiheit forschen und arbeiten...*«

14

WEGWEISER

Die schönen hölzernen Regale des Hauptlesesaals klappten in sich zusammen, und es roch nach gerösteten Marshmallows. Wie immer wurde Tilly ein wenig flau im Magen, was sie mittlerweile jedoch kaum noch registrierte.

»Es ist bloß ganz normales Buchwandeln«, stellte Oskar fest und klang zugleich erleichtert und enttäuscht.

»Bis jetzt«, sagte Jorge.

Sie standen in einem schönen Gebäude aus hellem Marmor. Die Luft war warm und trocken, und es roch nach Meer. Die Decke über ihnen wurde von hohen Säulen getragen, und durch die großen Fenster sah man einen breiten Streifen Himmel, der sich langsam rosa verfärbte, während die Sonne über einem weiten Hafen unterging, in dem majestätische Schiffe mit weißen Segeln vor Anker lagen. Es war niemand zu sehen, aber menschliche Stimmen, die auf geschäftiges Treiben hindeuteten, hallten durch den Raum.

Tilly spürte, wie das laue Lüftchen und die Geräusche im Hintergrund sie beruhigten, und ein wohliges Gefühl

verdrängte ihre Angst. Der Saal, in dem sie sich befanden, stand voller hölzerner Regale, deren Fächer über und über mit Schriftrollen gefüllt waren. Es ließ sich nicht leugnen, dass dies der perfekte Ort zu sein schien, den eine geheimnisvolle Gruppe Buchwandler als Versteck wählen würde.

Die Schriftrollen, die um hölzerne Stäbe gewickelt und an den Enden mit beschrifteten Anhängern versehen waren, hatten unterschiedliche Größen und waren so unordentlich aufgeschichtet, dass es Jorge wahrscheinlich in den Bibliothekarsfingern juckte.

»Aus was sind die?«, fragte Oskar und befühlte das Ende einer Rolle. »Das ist doch kein normales Papier.«

»Papier wurde gerade erst erfunden«, erklärte Jorge. »Das hier ist Papyrus – es wird aus einer Art Schilf hergestellt und galt, obwohl es ziemlich empfindlich war, so lange als der beste Beschreibstoff, bis das Papier weiter verbreitet war. Manchmal benutzte man auch Tontafeln. Und natürlich wurde alles mit der Hand geschrieben.«

»Also gehen wir davon aus, dass die Archivare hier irgendwo sind?«, fragte Oskar. »Ob sie wohl ein Büro oder so was haben?«

»Das wäre sicher etwas zu einfach«, antwortete Orlando. »Wenn man bedenkt, wie lange es her ist, dass irgendwer sie gesehen oder gesprochen haben will und dass die meisten Leute sie sowieso nur für eine Legende halten. Bis deine Mum mich angerufen hat, Tilly, kann ich mich nicht mal mehr entsinnen, wann überhaupt jemand die Archivare zuletzt erwähnt hat. Aber irgendetwas oder irgendjemand hat uns auf die Spur des Buches gebracht, das uns hergeführt hat. Bisher lagst du also richtig, was sagt dein Bauchgefühl dir jetzt?«

»Ich … ich weiß nicht«, antwortete Tilly deprimiert.

»Was ist mit den anderen Gegenständen?«, fragte Oskar. »Achtzig Prozent, weißt du noch?«

Tilly nickte und versuchte, die Zuversicht wiederzuerlangen, die sie besessen hatte, als ihr klar geworden war, dass sie zur Library of Congress mussten, um mit der Schatzsuche zu beginnen.

»Die anderen Sachen sind nicht so … eindeutig«, erklärte sie Orlando und Jorge. »Es sind alles Gegenstände, die unter ungewöhnlichen Umständen aufgetaucht sind, nicht so sehr direkte Hinweise.«

»Zeig mal her«, sagte Orlando, und Tilly öffnete ihren Rucksack.

Sie nahm alles aus dem Hauptfach heraus, bis auf die Ausgabe von *Ein Sommernachtstraum*, die Orlando ihr gegeben hatte. Auf den Steinfußboden aufgereiht, wirkten die Gegenstände nicht besonders ermutigend. »Na schön.« Tilly bemühte sich, ruhig zu bleiben. »Die Notiz auf dem Zettel hat uns zur Library of Congress geführt, nehmen wir also an, das war erst mal ihr einziger Zweck. Sie steckte in dieser Bibliotheksgeschichte, und da wir uns jetzt in einer sehr alten Bibliothek befinden, gehört das noch zum selben Hinweis.«

108

»Was bleibt dann noch übrig?«, fragte Orlando.

»Ein Schlüssel aus *Der geheime Garten*, ein Beutel mit Brotkrumen aus *Hänsel und Gretel* und ein Knäuel Garn von einer Bibliothekarin aus Paris«, sagte Oskar und deutete der Reihe nach auf jedes davon.

Tilly versuchte, die besorgten Blicke in Orlandos und Jorges Gesichtern nicht zu beachten.

»Gibt es eine Verbindung zwischen der Art und Weise, wie ihr jeweils daran gelangt seid?«, wollte Jorge wissen.

»Nicht wirklich«, antwortete Tilly. »Das Garn und das Buch habe ich beides von einer Bibliothekarin in der französischen Unterbibliothek bekommen; deshalb war ich mir auch so sicher, dass eine Verbindung zwischen ihnen besteht. Und der Schlüssel ist zu einem späteren Zeitpunkt bei mir liegen geblieben, als ich versehentlich den geheimen Garten in mein Zimmer gelesen habe ...«

»So wie du es vorhin in der Buchhandlung gemacht hast?«, fragte Orlando.

»Ja, nur dass der Garten nicht versucht hat, uns zu verschlingen«, antwortete Tilly. »Im Prinzip war es schon derselbe Vorgang. Bloß dass der Schlüssel zurückgeblieben ist, als der Garten wieder verschwand. Und die Brotkrumen stammen aus einem Märchenbuch. In das sind wir auch in Paris gewandelt. Aber abgesehen von der Sache mit Frankreich ...« Sie verstummte.

»Im Grunde also nein«, erklärte Oskar. »Es gibt keine richtige Verbindung.«

»Vielleicht sollten wir ein wenig näher über diesen Paris-Bezug nachdenken?«, überlegte Orlando unsicher.

»Außer ... Moment mal ...!«, rief Tilly. »Wenn Signaturen einem wie Koordinaten auf einer Karte helfen, das richtige Buch zu finden ... Na ja, was, wenn diese Gegenstände so was wie Wegweiser sind? Bloß ein wenig ... ungewöhnliche. Die Brotkrumen führen Hänsel und Gretel aus dem Wald, in dem sie sich verirrt haben. Und der Schlüssel hilft Mary Lennox, ihren Weg in den geheimen Garten zu finden. Bleibt also nur noch das Garn.«

»Das ist Theseus und der Minotaurus!«, rief Oskar plötzlich aufgeregt. »Weißt du nicht mehr, wie wir die griechische Mythologie in der Schule durchgenommen haben? Ari ... Ari ... Diese Prinzessin hat Theseus den roten Faden gegeben, damit er wieder hinausfand aus Minotaurus' ...«

»... Labyrinth!«, beendete Tilly freudestrahlend seinen Satz.

»Ihr zwei seid nicht zu unterschätzen, wenn ihr eure Köpfe zusammensteckt«, sagte Orlando beeindruckt.

Tilly und Oskar klatschten sich gegenseitig ab.

»Also suchen wir nach ... einem Labyrinth oder einem Wald oder einer Tür«, sagte Tilly. »Wobei in einer Bibliothek eine Tür am wahrscheinlichsten erscheint, oder?«

»Sollen wir uns vielleicht aufteilen?«, fragte Orlando.

Oskar verdrehte die Augen. »Ach komm schon«, entgegnete er. »Selbst wenn du noch nie einen Horrorfilm gesehen hast, müsstest du die oberste Horrorfilm-Regel kennen. Katastrophen passieren immer dann, wenn die Helden nicht zusammenbleiben.«

Auf Oskars Anweisung hin hielten sich also alle vier dicht beieinander, während sie durch die riesige Bibliothek liefen. Die Sonne ging noch weiter unter und warf lange Streifen rosarotes Licht auf die hellen Marmorwände. Obwohl die Stimmen, die sie hörten, die ganze Zeit nicht leiser wurden oder verstummten, begegneten sie keiner Menschenseele. Eine Tür schien zwar am wahrscheinlichsten, trotzdem hielten sie Ausschau nach allem, was einen Bezug zu einem der Gegenstände haben könnte: eine Tür, ein Labyrinth oder ein weiteres Symbol für ein Labyrinth. Doch der größte Teil der Bibliothek war offen und weitläufig und unverschlossen. Große Säle wurden durch Mauerbögen und Gänge miteinander verbunden, nichts war verborgen oder unzugänglich, und ihre anfängliche Zuversicht, die Bedeutung der Gegenstände entschlüsseln zu können, schwand ziemlich schnell.

»Oskar«, sagte Tilly leise. »Glaubst du, das mit dem Schlüssel war ein Fehler?«

»Wie meinst du das?«

»Na ja, vielleicht ist er wie eine falsche Fährte in einem Krimi. Die anderen Sachen habe ich alle geschenkt bekommen, aber der Schlüssel war plötzlich einfach da.«

»Erzähl mir noch mal genau, was passiert ist, als du ihn gefunden hast«, sagte Oskar.

»Ich habe mit meiner Mum *Der geheime Garten* in meinem Zimmer gelesen, und der Garten kam plötzlich aus dem Buch heraus und fing an, um uns herumzuwachsen«, sagte Tilly. »Es war wunderschön – nicht so wie die wilden Triebe in Shakespeare's Sisters. Den Schlüssel habe ich zuerst gar nicht bemerkt; erst am nächsten Morgen, als er auf meinem Nachttisch lag.«

»Und es kam keine Figur aus der Geschichte?«

»Nein, es war nicht, wie wenn Anne oder Alice in den Buchladen kommen – so was passiert ja allen Buchwandlern. Es war, als würde die Geschichte *selbst* zwischen den Seiten hervordringen. Was außerhalb des Buchladens gar nicht möglich sein dürfte.«

»Soweit ich das sehe, bleibt uns nichts anderes übrig, als es mit dem zu versuchen, was wir haben«, sagte Oskar. »Und wenn das nicht funktioniert, sehen wir weiter. Was bleibt uns anderes übrig?« Er versuchte, Tilly aufmunternd anzulächeln, bevor er vorwegging, um weiter nach einer Tür zu suchen.

»Stimmt wahrscheinlich«, sagte Tilly zu sich selbst, obwohl sie nicht wirklich beruhigt war.

Mit einem hatte Oskar allerdings recht: Sie hatten keine andere Wahl. Diese Bibliothek würde sie schon irgendwohin führen, hoffentlich zu den Archivaren.

Also liefen sie weiter. Jorge schlug vor, auf den Etiketten

an den Schriftrollen nach weiteren Labyrinth-Symbolen zu suchen, doch davon lagen Tausende und Abertausende in den Regalen, und nicht einmal er konnte ein System erkennen, nach dem sie geordnet waren. Ganz abgesehen davon, dass der größte Teil der Beschriftungen in Sprachen und Buchstaben angefertigt war, die sie nicht ansatzweise lesen konnten.

»Wisst ihr«, sagte Tilly, »wenn man Bücher liest, bekommt man einen ziemlich ungenauen Eindruck davon, wie viel Planung eigentlich in den ganzen Abenteuern steckt. Wann habt ihr zuletzt ein Buch gelesen, in dem die Leute gründlich nach etwas suchen mussten?«

»Na ja, das liegt daran, dass es unglaublich langweilig klingt«, erklärte Oskar. »Genau wie das hier gerade ist. Wenn wir in einem Film wären, würden sie jetzt ein paar schnelle Schnitte machen, und wir hätten die Erleuchtung.«

»Leider sind wir weder Figuren in einem Buch noch in einem Blockbuster«, sagte Jorge. »Also müssen wir uns selber anstrengen.«

»Wenn wir Figuren in einem Buch *wären*, käme jetzt bestimmt irgendein kluger, alter Bibliothekar um die Ecke und würde uns auf wundersame Weise den Weg zeigen«, fügte Orlando hinzu, um sie aufzuheitern.

»Oder einer von uns würde stolpern und rein zufällig auf einen Türöffner treten oder so«, fügte Jorge grinsend hinzu.

»Oder vor unseren Augen würde plötzlich ein geheimnisvolles Leuchten erscheinen«, sagte Oskar hoffnungsvoll und blickte sich um, als könnte er es herbeiwünschen. »Moment mal… da drüben leuchtet *wirklich* etwas.«

Alle sahen zu der Stelle, auf die er zeigte. Und er hatte recht: An der gegenüberliegenden Wand war eindeutig ein Lichtschein zu sehen.«

»Da entlang!«, rief Oskar triumphierend und rannte darauf zu.

Doch Tilly blieb stehen und schnupperte. Sie drehte sich zu Orlando und Jorge um.

»Bilde ich mir das ein, oder riecht es hier nach Rauch?«

15

WIR HÄTTEN ES KOMMEN SEHEN MÜSSEN

Oskar blieb wie angewurzelt stehen.

»Die Bibliothek brennt!«, rief er.

»Hattest du nicht erzählt, dass sie deshalb so berühmt wurde, weil sie abgebrannt ist?«, wandte sich Tilly an Jorge.

Er nickte. »Vielleicht hätten wir es kommen sehen müssen.«

Rauchwolken quollen durch den Saal, und ein deutlich sichtbares Feuerband fraß sich langsam durch die Regale. Die trockenen Schriftrollen gingen in Flammen auf, die so schnell auf die darüber-, darunter- und danebengestapelten Rollen übersprangen, dass man kaum erkennen konnte, wo das Feuer anfing, wo es aufhörte und wohin es sich als Nächstes ausbreiten würde.

»Wir müssen hier weg, Tilly! Schlag schon mal das Buch auf. Ich hole Oskar«, sagte Orlando.

»Leute! Ich hab was!«, rief Oskar vom anderen Ende des Saales aus.

»Oskar, komm vom Feuer weg!«, brüllte Orlando und rannte schnell zu ihm.

»Nein, sieh doch!«, rief Oskar, zog den Arm weg, den Orlando gepackt hatte, und deutete vor sich. »Da, hinter dem Feuer!«

Orlando kniff die Augen zusammen und versuchte zu erkennen, was Oskar meinte.

»Ich sehe nichts«, antwortete er mit vor Rauch brennenden Augen.

»Da ist eine Tür«, sagte Oskar und musste husten, während der Rauch sie immer mehr umhüllte.

»Das könnte eine x-beliebige sein«, sagte Orlando. »Sie ist das Risiko nicht wert. Wir müssen zurück in das Buch, das Tilly hat.«

»Aber sieh doch nur!«, erwiderte Oskar enttäuscht und zeigte noch einmal auf die Stelle, als Tilly und Jorge sie erreichten. Beide hatten ihre Pullover vor den Mund gezogen, damit sie den Rauch nicht einatmeten.

Und tatsächlich, vor ihnen funkelte unverkennbar das goldene Labyrinth im Feuerschein, das auch auf dem Deckel des Buches eingeprägt war, das sie hergeführt hatte.

»Aber wie kommen wir dahin?«, fragte Tilly verzweifelt. »Durch das Feuer können wir nicht. Es brennt wirklich!«

»Wir müssen zurück«, erklärte Orlando entschieden

und zog Tilly und Oskar von den Flammen fort. »Auf diesem Weg gelangen wir nicht zu der Tür, und ich habe nicht vor, Bea anzurufen, um ihr mitzuteilen, dass ihr bei einem Brand in der Bibliothek von Alexandria umgekommen seid! Wir müssen uns jetzt erst mal in Sicherheit bringen und zurück nach Hause. Wir können es später noch einmal versuchen.«

»Was, wenn es dann nicht mehr geht?«, fragte Tilly.

»Wir verschwinden«, sagte Orlando. »Lies uns jetzt hier raus, Tilly!«

Tilly schlug die letzte Seite des schmalen Büchleins auf und fing an zu lesen, doch nachdem sie das letzte Wort ausgesprochen hatte, passierte nichts.«

»Es funktioniert nicht!«, rief sie panisch.

»Versuch es noch einmal!«, rief Jorge hustend, während er die anderen fest umklammerte.

Tilly las erneut, dieses Mal von etwas weiter vorne, als würde ein längerer Anlauf etwas bringen, aber wieder – nichts. Die brennende Bibliothek um sie herum blieb unerschütterlich stehen, und es wurde langsam höllisch heiß. Tilly versicherte sich, dass es auch wirklich die letzte Buchseite war und dass niemand etwas herausgerissen hatte. Dann hielt sie das Buch hilflos in die Höhe, um den anderen zu zeigen, dass da nichts weiter stand.

»Dann müssen wir aus dem Gebäude raus!«, rief Orlando. »Um einen Ausweg aus dem Buch kümmern wir uns, sobald wir in Sicherheit sind.«

Sie rannten zu dem Saal zurück, durch den sie gekommen waren, um dort durch einen der zahlreichen Durchgänge ins Freie zu gelangen. Doch plötzlich war ein gewaltiges Rumpeln zu hören, und die Regale stürzten eines nach dem anderen in sich zusammen. Brennende Schriftrollen und glühende FUNKEN flogen durch die Luft und prasselten auf die Buchwandler herab.

Orlando und Jorge beugten sich instinktiv über Tilly und Oskar, um sie vor dem schlimmsten Feuerregen zu schützen. Und gerade, als die vier fest umklammert mit zugepressten Augen auf die Katastrophe warteten, zog Tilly plötzlich ein vertrauter Geruch in die Nase. Nicht etwa der nach verkohltem Papyrus oder Asche, nein, es roch nach gerösteten Marshmallows. Als sie die Augen aufschlug, sah sie die brennenden Regale unter sich wegklappen und den Blick auf die Library of Congress mit ihren fein säuberlich gebundenen Büchern und ihrer schicken Klimaanlage freigeben. Da kauerten die vier nun keuchend und von Ruß und Asche bedeckt auf dem Boden des Hauptlesesaals.

Orlando brach vor Erleichterung in Lachen aus, und sofort drehten sich alle im Saal zu ihnen um und sahen sie böse an.

»Da!«, rief jemand, und ehe sie sich's versahen, stürzten fünf Gestalten in Uniformen und Schutzausrüstung auf sie zu.

16
VERDECKTE ERMITTLUNGEN

Wer ist denn das?«, fragte Orlando Jorge und schob Tilly und Oskar schnell hinter sich.

»Ich habe keine Ahnung«, antwortete Jorge. »Leute in so einem Aufzug hab ich noch nie in der Bibliothek gesehen. Da kommen wir ja vom Regen in die Traufe.«

»Na ja, aus den Flammen ins Feuer müsste es wohl eher heißen«, meldete sich Oskar hinter den beiden Männern zu Wort.

»Vielen Dank für die Aufklärung«, sagte Tilly. »Wenn wir dich nicht hätten.«

»Gern geschehen.« Oskar zeigte grinsend ein Daumenhoch.

Die Wachleute waren blitzschnell bei ihnen und umstellten sie. Zeitgleich geleiteten die Bibliothekare die anderen Benutzer aus dem Lesesaal, sodass kurz darauf nur noch sie übrig waren.

Eine der Wachen trat einen Schritt vor und schob das Visier an ihrem Helm hoch. »Man erwartet Sie unten«, sagte die Frau.

»Unten?«, wiederholte Jorge verwirrt. »Wer sind Sie?«

»Wir sind dem Direktor der amerikanischen Unterbibliothek unterstellt, und er hat ein paar Fragen an Sie«, antwortete die Frau. »Folgen Sie mir.«

Sie gab den anderen Wachen ein Zeichen, hinter ihnen aufzuschließen, damit keiner weglief. Dann marschierten sie alle durch den nun leeren Lesesaal in den Flur, wo schweigende Bibliotheksbenutzer standen und die Hälse reckten, um festzustellen, was los war. Sie staunten nicht schlecht, als sie sahen, dass zwei Kinder aus dem Saal eskortiert wurden.

»Hast du das Buch noch?«, flüsterte Orlando Tilly zu. Sie nickte und deutete auf ihre Jackentasche.

»Gut. Halt es bereit.«

Sie liefen weiter, bis sie zu einer Tür mit der Aufschrift **Vorratsraum** kamen. Tilly dachte an den Eingang zur British Underlibrary, der sich in einem scheinbar defekten Fahrstuhl verbarg, und war deshalb kein bisschen überrascht, dass sie zunächst einmal eine Art Putzmittellager betraten. Die Anführerin der Wachen schob einen Metallwagen mit Handtüchern zur Seite, woraufhin eine Tür zum Vorschein kam. Dahinter verbarg sich ein Fahrstuhl, ziemlich ähnlich dem in der British Underlibrary, ganz aus Holz und mit glänzenden Kupferverzierungen.

»Der blonde Mann fährt zusammen mit dem Mädchen«, blaffte die Wache. »Und der Junge zusammen mit dem zweiten.« Sie schob Tilly und Orlando mit zwei Wachen in die Fahrstuhlkabine, während Oskar und die beiden anderen zurückblieben. Alle schwiegen, während sie nach unten glitten, und Tilly hatte schreckliche Angst, bis sie spürte, wie Orlandos warme Hand ihre nahm und sie sanft drückte.

»Bleib ganz ruhig«, sagte er leise. »Achte einfach auf mich, ja?« Orlando schien sich etwas überlegt zu haben, was Tilly ein bisschen beruhigte, obwohl sie sich nicht vorstellen konnte, wie er sie alle sicher hier herausbringen wollte.

Der Fahrstuhl hielt ruckelnd an, und die Tür öffnete sich mit einem *Pling*. Sie traten in einen breiten, mit Teppichboden ausgelegten Flur, der von Standbildern mürrisch dreinschauender Männer gesäumt war. Orlando und Tilly folgten den beiden Wachen in einen kreisrunden Raum mit schweren Samtvorhängen an den Fenstern. In den Teppichboden war das Logo der amerikanischen Unterbibliothek – eine Eiche in der Mitte eines aufgeschlagenen Buches – eingewebt, und ihnen gegenüber stand ein riesiger Schreibtisch. Dahinter saß mit versteinerter Miene ein Mann mit grau melierten Haaren und tadellosem Anzug. Zwei weitere Anzugträger standen hinter ihm.

Der Mann am Schreibtisch erhob sich nicht und machte auch keine Anstalten, sie zu begrüßen –

er beobachtete nur, wie sie langsam auf ihn zuliefen. Kurz darauf wurden auch Jorge und Oskar hereingebracht. Die Wachen schlugen die Fersen zusammen und verließen das Zimmer.

»Willkommen in der amerikanischen Unterbibliothek«, sagte der Mann jetzt. »Mein Name ist Jacob Johnson, ich bin der Bibliotheksdirektor. Ich bedaure die etwas unsanfte Begrüßung bei Ihrer Ankunft hier, aber ich habe geheimdienstliche Informationen, dass Sie verdeckte Ermittlungen in der Library of Congress durchführen.«

»Nein!«, rief Tilly. »Das stimmt nicht. Beziehungsweise doch. Aber wir wollten es nicht vor Ihnen geheim halten. Wir können bloß unseren eigenen Bibliotheksdirektor nicht bitten, sich um die Sache zu kümmern, weil er derjenige ist, der alle am Buchwandeln hindern will! Wir versuchen nur, ihn davon abzuhalten.«

»Das erklärt einiges, vielen Dank«, sagte Jacob und nickte.

»Ach ... ähm, gut.« Tilly sah in fragend an.

»Ja«, fuhr Jacob fort. »Wie schön, von dir selbst zu hören, dass ihr gegen Melville vorgeht. Er hatte mich schon gewarnt, dass ihr womöglich lügen würdet, was eure Absichten betrifft.«

»Er ... hat Sie gewarnt?«, fragte Oskar verwirrt.

»Aber ja«, antwortete Jacob. »Ich habe erst vor ein paar Stunden mit ihm telefoniert – nachdem wir erfahren hatten, dass ihr hierher unterwegs seid. Bedauerlicherweise haben wir es nicht geschafft, euch abzufangen, bevor ihr die Buchhandlung verlassen habt. Aber zum Glück seid ihr ja direkt hierhergekommen. Und ich habe das Vergnügen, meinem Freund und Kollegen in London mitteilen zu können, dass ihr euch in meinem Gewahrsam befindet.«

»Ihrem Freund?«, fragte Tilly entsetzt.

»Natürlich«, antwortete Jacob. »Wir arbeiten schon eine ganze Weile zusammen. Und sind bisher mit den Ergebnissen ziemlich zufrieden.«

17
NEUE GRENZEN DER BUCHMAGIE

Es folgte ein Moment schrecklichen Schweigens, während alle erst einmal verarbeiten mussten, was Jacob gerade gesagt hatte.

»Sie... arbeiten zusammen?«, brachte Tilly schließlich stammelnd heraus.

»Wir sind schon immer gute Kooperationspartner der British Underlibrary gewesen«, antwortete Jacob gelassen.

»Aber... was die da machen, hindert auch die Buchwandler hier daran, in viele Bücher zu wandeln!«

»Das ist mir bekannt, glaub mir«, erwiderte Jacob. »Sie haben meine Zustimmung eingeholt, bevor sie die Bücher gesichert haben. Vorerst können amerikanische Buchwandler weiterhin in die Bücher wandeln, von denen sich Exemplare in unserem Besitz befinden, während ich Mr Underwoods Experiment mit Interesse verfolge.«

»Und was springt für Sie dabei raus?«, fragte Oskar kühl.

»Mir ist klar, dass es Kindern schwerfällt, komplexe Zusammenhänge wie diese zu verstehen«, antwortete Jacob, worauf Orlando und Jorge Tilly und Oskar beschwichtigend die Hände auf die Schultern legen mussten, damit sie nicht vor Wut platzten. »Aber«, fuhr Jacob fort, »was die Underwoods tun, ist wirklich mehr als nötig und zum Wohle aller Buchwandler.«

»Welche Lügen haben die Ihnen erzählt?«, fragte Orlando, der seinen Ärger kaum verbergen konnte.

»Denken Sie nicht, dass ich naiv bin oder mich habe hinters Licht führen lassen«, erwiderte Jacob. »Ich habe ihnen sehr deutlich gemacht, dass meine Unterstützung kein Freifahrtschein für sie ist, doch im Moment befürworte ich ihre Bemühungen. Und was mir als Gegenleistung für meine Kooperation bei der Erkundung neuer Grenzen der Buchmagie versprochen wurde, geht Sie nichts an. Was bilden Sie sich eigentlich ein?«

»Woher haben Sie gewusst, dass wir herkommen würden?«, fragte Jorge.

»Oh, wir haben in der ganzen Stadt freundliche und zuvorkommende Helfer.« Jacob lächelte. »Ihre schöne Buchhandlung natürlich eingeschlossen.«

Orlando wurde blass. »Jemand aus dem Laden hat Ihnen gesagt, dass wir kommen?«, fragte er. »Wer?«

»Danach können Sie Ihre Mitarbeiter irgendwann selber fragen«, antwortete Jacob. »Im Moment sind Sie sicher darauf angewiesen, dass sie Ihr Geschäft ordentlich führen, solange Sie verhindert sind.«

»Verhindert?«

»Nun ja, vorläufig geht keiner von Ihnen irgendwohin.

125

Das werden Sie sicher verstehen. Meine Freunde in England wüssten sehr gerne, was Fräulein Pages vorhat und was sie auf diese Seite der Welt führt«, antwortete Jacob. Er hielt inne, als erwartete er, dass sie ihm freiwillig ihre Pläne offenbarten.

Tilly spürte, wie Orlando ihre Hand suchte und sie sanft drückte. Sie sah ihn fragend an.

»Jorge, warum erzählst du Mr Johnson nicht ein bisschen mehr darüber, was wir hier tun«, sagte er dann.

Jorge wirkte ziemlich verdutzt, vertraute Orlando aber offenbar blind und fing an, irgendetwas über Forschungen und Bibliotheken und Buchwandeln zu erzählen. Es klang nicht sehr überzeugend, verschaffte Orlando aber genug Zeit, um sich mit Tilly auszutauschen.

»Du musst dich mit Oskar auf den Weg machen«, sagte er so leise, dass Tilly befürchtete, ihn nicht richtig verstanden zu haben. »Glaubst du, du findest zu dieser Tür zurück, bevor das Feuer sich weiter ausbreitet?«, flüsterte er.

Tilly begriff, was er meinte und nickte. Sie streckte kaum merklich den Arm aus, um so unauffällig wie möglich Oskars Hand zu umfassen.

Jacob nahm keine Notiz davon, doch Oskar verstand sofort, dass sie ihm etwas mitteilen wollte.

»Vertrau auf dein Bauchgefühl«, flüsterte Orlando. »Wir regeln das hier. JETZT!« Und damit zog er Tilly und Oskar blitzschnell hinter sich und breitete die Arme weit aus.

Tilly war vorbereitet und hatte, bevor noch die Wachen

hinter Jacobs Schreibtisch hervorgestürzt kamen, die richtige Seite aufgeschlagen und las den Satz laut vor, der sie in die Bibliothek von Alexandria zurückbefördern würde. Sie sah gerade noch, wie Orlando die beiden Wachen zurückhielt, die versuchten, sie zu packen, dann glitten die Wände um sie herum abwärts, und Oskar und sie waren wieder in dem großen, hellen Saal in der Bibliothek von Alexandria, wo die Sonne gerade erst anfing unterzugehen. Und dieses Mal wussten sie genau, wohin sie gehen mussten.

Einen Augenblick standen die beiden bloß da und sahen sich nach Luft schnappend an.

»Ich …«, begann Tilly, vor Schreck noch ganz starr.

»Schon klar«, sagte Oskar. »Wir können später darüber reden. Jetzt müssen wir erst mal diese Tür finden, bevor der Brand ausbricht. Schließlich wollen wir *nicht* wieder in der amerikanischen Unterbibliothek rauskommen.«

»Meinst du, Orlando und Jorge kommen zurecht?«, fragte Tilly.

»Ja«, antwortete Oskar, obwohl er dabei nicht sehr überzeugt klang. »Die können bestimmt selbst auf sich aufpassen, und sie wollten ja, dass wir hierher zurückkommen. Außerdem haben sie keine Ahnung, wie man die Archivare findet – genau wie *wir* übrigens. Das können sie also schon mal nicht verraten. Sobald wir wieder in der realen Welt sind, rufen wir deine Mum an und erzählen ihr, was passiert ist. Hoffentlich hat sie noch ein paar andere Freunde, die sich um die beiden kümmern können. Aber jetzt müssen wir los, Tilly. Es macht keinen Sinn, dass Orlando und Jorge sich für uns opfern, wenn wir nichts daraus machen.«

Tilly nickte und nahm ihren Mut zusammen. »Es ging hier entlang«, sagte sie, und die beiden rannten durch die großen, vom Dämmerlicht durchfluteten Säle voller Schriftrollen.

Als sie die Tür erreichten, zog ihnen beißender Rauch in die Nase, aber sehen konnten sie das Feuer nicht. Die Tür war klein und unscheinbar und mit einer Schicht abblätternder Farbe in einem ähnlichen dunklen Blauton überzogen, den das Buch hatte. Und darauf prangte das goldene Labyrinth. Abgesehen davon wies die Tür keine Besonderheiten auf, es gab weder Hinweise noch Instruktionen. Nur ein Schlüsselloch hatte sie.

»Wie war das noch mal mit dem Schlüssel und der falschen Fährte?« Oskar grinste Tilly an, während sie in ihrem Rucksack nach dem großen Messingschlüssel aus *Der geheime Garten* kramte.

Sie zog ihn heraus und steckte ihn vorsichtig in das Schlüsselloch. Er ließ sich ohne Probleme drehen, bevor mit einem *Klick* der Verriegelungsmechanismus aufsprang.

Tilly schob die Tür langsam auf, sie traten hindurch in die Dunkelheit und ließen die berühmte Bibliothek von Alexandria

hinter sich

brennen.

128

18

EINE GESCHICHTE IN DER GESCHICHTE

Wo immer sie gelandet waren, es war zum Glück nicht in der Library of Congress bei Jacob Johnson. Ihre Augen brauchten einen Moment, um sich an das merkwürdige Licht zu gewöhnen und die Umgebung zu erkennen. Es schien ein Wald zu sein, allerdings war alles ganz farblos, als hätten sie einen Schwarz-Weiß-Film betreten.

»Sind wir im Freien?«, fragte Tilly unsicher.

»Ich… ich weiß nicht genau«, antwortete Oskar leise.

Obwohl nirgends etwas von jemand anderem zu sehen oder zu hören war, hatten sie ein mulmiges Gefühl, als wären sie irgendwo, wo sie nicht sein sollten. Über ihren Köpfen erstreckte sich Dunkelheit, aber weder Mond noch Sterne standen am Himmel, da war nur Leere.

»Sind wir etwa wieder in *Ein Sommernachtstraum*?«, fragte Tilly, denn die Waldwiese, auf der sie standen, hatte tatsächlich bemerkenswerte Ähnlichkeit mit der Lichtung, auf der sie erst vor Kurzem gewesen waren, nur dass sie vollkommen farbleer und stumm war, nichts als Schwarz und Weiß und Grautöne. Und Stille. Eine Stille, die tiefer war als nur Geräuschlosigkeit, eine schwere, eindringliche Stille, die sie niederdrückte wie Blei.

»Ist das der Himmel?«, fragte Tilly und reckte den Hals, um in die unermessliche Finsternis über ihnen zu blicken.

Oskar schwenkte die Hände über dem Kopf, als wollte er testen, ob sie vielleicht eine unsichtbare Decke berührten. Das seltsame Dämmerlicht, das es ihnen ermöglichte, ungefähr sechs Meter weit zu sehen, schien von dem Wald selbst auszugehen.

»Die Bäume… leuchten?«, fragte Oskar. Er ging vorsichtig zu einem hin und streckte zaghaft die Hand aus, um ihn anzufassen. »Huch!«, rief er erstaunt. »Der ist ja aus Papier!«

Als Tilly vorsichtig den Baumstamm berührte, stellte sie fest, dass Oskar recht hatte. Es handelte sich um das bestechend naturgetreue Papiermodell eines Baumes, von der knorrigen Rinde bis zu den fein verzweigten Ästen und dem lichtdurchlässigen Blattwerk über ihren Köpfen. So weit das Auge reichte, bestand alles aus weißem Papier mit schwarzer Schrift darauf, die dem Wald, je nach Menge und Stärke, Form gaben sowie Licht und Schatten verliehen.

Tilly bückte sich, um das Gras anzufassen, das ebenfalls aus Papier bestand – dem weichsten Seidenpapier, das sie je berührt hatte. Und auch die Blumen hatten zarte Papierblütenblätter.

»Sind wir in einem Buch?«, fragte Oskar staunend.

130

»Oder hat
das jemand
gemacht?«

»Keine Ahnung«,
antwortete Tilly, die es
ebenfalls kaum glauben
konnte. »Es würde doch
eine Ewigkeit dauern, so
etwas anzufertigen, oder?«

»Es ist bestimmt ein Buch«,
stellte Oskar fest. »Auch wenn
wir nicht richtig buchgewandelt sind.
Ich komme mir irgendwie vor, als hätten wir die Hintertür benutzt.«

»Eine Geschichte in der Geschichte«, sagte
Tilly. »Hier müssen die Archivare irgendwo sein.
Verborgen in den tieferen Ebenen von Geschichten.
Ich verstehe bloß nicht, warum sie sich verstecken.«

»Vielleicht tun sie das gar nicht«, meinte Oskar.
»Vielleicht haben sie sich verirrt.«

»Und wie sollen wir sie finden?«

»Indem wir weiterwandeln?«

Etwas anderes blieb ihnen offenbar nicht
übrig, also setzten sie sich in eine beliebige
Richtung in Bewegung. Das Papiergras
knirschte leise unter ihren Füßen, während
das seltsame Leuchten unverändert blieb,

bis sie einen goldenen Lichtschein zwischen den Bäumen sahen. Der kam, so stellte sich heraus, von einer altmodischen Straßenlaterne mitten auf einer Lichtung. Auch sie war aus Papier, aber sie fing trotzdem kein Feuer. Die Flamme darin versengte nur ein bisschen die Oberfläche, setzte die Lampe aber nicht in Brand.

»Wie merkwürdig«, sagte Tilly. »Und trotzdem kommt es mir irgendwie bekannt vor. Ich habe dasselbe Gefühl, wie wenn einem das richtige Wort für etwas nicht einfallen will, obwohl es einem auf der Zunge liegt. Als hätte ich dieses Buch schon mal gelesen, aber es wäre eine Ewigkeit her.«

Sie gingen weiter, und alle paar Augenblicke stießen sie auf etwas anderes, das sich zwischen den Papierbäumen verbarg. Sie kamen an einem langen Klapptisch vorbei, der zwei umgeknickte Beine hatte, sodass die Origamibecher und -Teller, die darauf gestanden hatten, alle ins Gras gepurzelt waren. Sie entdeckten einen Sessel, der im Lichtkreis einer hohen Papierlampe stand, und sie passierten mehrere leere Bücherregale, von denen einige in Baumstämme geschnitzt waren, andere daran lehnten und ein paar umgekippt auf dem Boden lagen. Sie blieben staunend vor einer riesigen Pflanze aus dicker Pappe stehen, die so hoch in den Himmel ragte, dass ihre Spitze in der tintenschwarzen Finsternis verschwand. Das Eigentümlichste, was ihnen begegnete, war jedoch ein Piratenschiff mit Schlagseite, an dessen Bordwänden Kletterpflanzen emporwuchsen und es am Boden hielten, wie einen alten

Tempel, den der Wald zurückerobert. Der riesige verwaiste Anker daneben war von einem zarten Teppich wilder Blüten überzogen.

»Fällt dir etwas auf?«, fragte Tilly, bei der beim Anblick des Piratenschiffs der Groschen gefallen war.

»Was denn?«

»Dass wir dauernd an Dingen aus Büchern vorbeikommen, in die wir schon mal gewandelt sind.«

»Aaaah!«, rief Oskar. »Jetzt, wo du es sagst. Aber wie kann das hier alles so auf uns zugeschnitten sein? Das macht doch keinen Sinn.«

»Es sei denn, jemand weiß, dass wir kommen«, sagte Tilly. »NICHT DASS ES VIEL BRINGEN WÜRDE, SOLANGE IHR UNS NICHT ZEIGT, WIE WIR ZU EUCH KOMMEN KÖNNEN!«, rief sie in den Himmel.

»Tilly!« Oskar blieb plötzlich stehen und zog sie am Arm zurück.

»He!«, rief sie. »Das hat wehgetan!«

»'tschuldigung, aber ich glaube, ich hab eine ... Wie nennt man das noch mal? Erleuchtung!«

»Und?«, fragte Tilly.

»Na ja, was hat uns zur Bibliothek von Alexandria geführt?«

»Die Signatur«, antwortete Tilly.

»Und was hat uns geholfen hierherzukommen?«

»Der Schlüssel.«

»Und was haben wir noch übrig?«

»Das Garn ... die Brotkrumen!«

»Genau!«, rief Oskar triumphierend. »Und wozu haben Hänsel und Gretel die Krumen benutzt? Um den Weg aus einem Wald zu finden.« Er deutete auf die Bäume um sie herum. »Und wo befinden wir uns?«

»Schon gut, schon gut«, sagte Tilly. »Ich hab's kapiert.«

»Macht aber Spaß, das Erklären.«

»Das Problem ist nur, dass Hänsel und Gretel die Brotkrumen benutzt haben, um aus dem Wald herauszugelangen«, sagte Tilly. »Wir dagegen wollen in etwas hinein.«

»Da ist was dran, aber weil wir null Ahnung haben, wohin wir hier müssen, und angesichts der Tatsache, dass die Gegenstände uns bisher geholfen haben, kann ein Versuch doch nichts schaden, oder? Das Schlimmste, was passieren kann, ist, dass wir eine Spur entlang unseres Weges legen, damit wir bei unserer Suche nicht im Kreis laufen.«

Dagegen konnte Tilly nichts einwenden. Sie setzte ihren Rucksack ab und öffnete ihn, um den Beutel mit den Brotkrumen herauszunehmen. Sie reichte ihn Oskar. »Möchtest du die ehrenvolle Aufgabe übernehmen?«, fragte sie lächelnd.

»Wenigstens gibt's hier keine Papiervögel, die das Zeug gleich fressen«, sagte Oskar. »Oder irgendwelche…« Er hielt inne und sah auf den Boden, wo er gerade die erste Handvoll Krumen hingestreut hatte. »Nicht schon wieder!« Er wich zurück.

Als Tilly nach unten blickte, sah sie eine dicke Papierranke über ihren Fuß kriechen. Sie schob sie weg, aber die Pflanze wuchs immer wieder in ihre Richtung. Das Ganze war noch unheimlicher, als es in Shakespeare's Sisters gewesen war, weil der Trieb aus Papier und Tinte bestand, auch wenn er sich langsamer ausbreitete als die Schlingpflanzen in der Buchhandlung. Und dieses Mal wusste niemand, wo sie waren.

»Vielleicht ist sie ganz harmlos«, sagte Oskar aus einer gewissen Entfernung.

»Das Risiko, das herauszufinden, gehe ich nicht ein. Nichts wie weg.«

Tilly schnappte sich ihren Rucksack vom Gras, und sie fingen an zu rennen, wobei Oskar Brotkrumen über die Schulter warf.

Dabei bemerkte keiner von ihnen das Garnknäuel, das aus Tillys offenem Rucksack gerollt und liegen geblieben war:

leuchtend rot

wie eine Lache

Blut

auf

dem

weißen

Papiergras.

19

DEN KOMPASS RICHTIG EINSTELLEN

Kurz darauf hatte der Wald aufgehört, nach ihnen zu greifen, und Tilly und Oskar konnten langsamer laufen.

»Meinst du, das sollte mich beunruhigen?«, fragte Tilly.

»Ähm.« Oskar zögerte, unschlüssig, ob er Tilly die Wahrheit sagen sollte. Schließlich sollte sie sich nicht noch mehr sorgen. »Na ja, sagen wir einfach, wir haben schon Schlimmeres wuppen müssen.«

»Aber wohin wollten die Schlingpflanzen mich wohl bringen?«

»Ich glaube, wir bewegen uns immer tiefer in Geschichten hinein«, antwortete Oskar. »Vielleicht wollen sie dich auf eine noch tiefere Ebene befördern? Wir können ja die Archivare fragen, ob sie ... Moment, du glaubst doch nicht etwa, dass sie es waren, die versucht haben, dich irgendwohin zu verfrachten?«

»Falls ja, muss ich sagen, dass mir ihre Methoden überhaupt nicht gefallen. Aber immer noch besser, sie verfrachten mich irgendwohin, als die Underwoods.«

»Langsam bin ich mir gar nicht mehr so sicher, ob ich

diese Archivare überhaupt finden will, wenn das der Weg ist, wie man zu ihnen kommt.« Oskar seufzte. »Hinterhältige Kletterpflanzen hin oder her, wir haben überhaupt keinen richtigen Plan, sondern verfranzen uns bloß immer mehr. Und jetzt haben wir auch noch irgendwelche bösartigen Gewächse an der Hacke. Sollten wir nicht eine Karte kriegen? Das kommt mir vor wie eine Karte, die jemand gezeichnet hat, der noch nie hier war, um sie dann zu zerreißen und die Stücke falsch wieder zusammenzukleben.«

Tilly hielt inne. Als sie Oskars Worte hörte, klingelte etwas bei ihr.

»Das ist es« sagte sie. »Es geht um Karten. Weißt du noch, was Grandad immer über Buchhandlungen sagt? Dass sie wie Landkarten sind – aber ihren Kompass einstellen müssen die Leser schon selbst. Vielleicht ist es das, was wir tun müssen – lernen, wie man den Kompass richtig einstellt. Wir müssen unsere eigene richtige Marschrichtung festlegen.«

»Theoretisch schön und gut«, erwiderte Oskar. »Aber wie sollen wir das denn bitte anstellen? Du kannst doch nicht auf irgendeine wundersame Eingebung warten und denken, dann sind alle Probleme gelöst. Oder versteckst du etwa einen richtigen Kompass im Rucksack?«

»Ich habe viel einfacher gedacht«, sagte Tilly und ignorierte den Seitenhieb mit der Eingebung. »Wir könnten das

Piratenschiff als Orientierungspunkt nehmen, es kann unser Kompass sein. Es ist riesig und nicht zu übersehen und bietet uns Schutz, wenn nötig. Lass uns den Brotkrumen dorthin zurück folgen.«

»Müssten wir nicht schon daran vorbeigekommen sein?«, fragte Oskar leicht nervös, als sie der Brotkrumenspur schon eine ganze Weile gefolgt waren. Sie waren an einer alten umgekippten Schulbank vorbeigekommen, von der Tinte tropfte, und an einer kaputten Schaukel, die an einem dicken Ast baumelte. Beides war ihnen vorher nicht aufgefallen. »Und bilde ich mir das bloß ein, oder liegen da jetzt viel mehr Krumen auf dem Boden, als ich vorhin verteilt habe?«

Oskar hatte recht. Statt der hastig verstreuten Bröckchen, die er hinterlassen hatte, als sie vor den kletternden Ranken geflüchtet waren, lag da nun eindeutig ein richtiger Pfad aus Brotkrumen vor ihnen, vermischt mit zerknüllten weißen Papierschnipseln. Und er führte sie eindeutig nicht dahin zurück, von wo sie gekommen waren.

Eins hatten Tilly und Oskar jedoch durch die Lektüre unzähliger Bücher gelernt: Wenn auf einer magischen Schatzsuche ein Pfad vor dir auftaucht, solltest du ihm unbedingt folgen. Es wurde jetzt immer deutlicher: Die Brotkrumen verwandelten sich in einen Papierpfad, der sich durch die Birken mit Rinde aus abblätterndem Transparentpapier schlängelte. Während sie weitergingen, bildeten die Bäume eine Art Bogengang. Statt sich wie die Kletterranken nach ihnen auszustrecken, schlangen sich die Birkenzweige über ihren Köpfen elegant ineinander, als wollten sie sie schützen.

»Weißt du, woran mich das erinnert?«, fragte Oskar.

»Annes Birkenpfad?«, antwortete Tilly, die genau dasselbe dachte. »Weißt du noch, damals, als Buchwandeln ganz einfach war und wir nur so aus Spaß mit Anne auf Tour gehen konnten?«

»Ich bin mir nicht sicher, ob es wirklich jemals einfach war«, erwiderte Oskar. »Trotzdem macht es auch jetzt Spaß, findest du nicht? Was gerade hier abgeht, ist zwar anstrengend, aber würdest du ein Leben vorziehen, in dem du in diesem Moment nicht durch einen Papierwald laufen könntest? Wenn ich die Wahl hätte, würde ich mich immer hierfür entscheiden.«

»Ich auch«, sagte Tilly. Oskar hatte ja recht. »Jedes Mal wieder.«

Während der Pfad sich vor ihnen durch den Birkenwald schlängelte, wuchsen die Bäume immer dichter, sodass die beiden bald nicht mehr hindurchsehen konnten und völlig von silbrig glänzendem Blattwerk umschlossen waren. Die Kurven wurden zunehmend enger, als bewegten sie sich spiralförmig auf die Mitte eines Kreises zu, bis sie schließlich auf einer kleinen Lichtung herauskamen. Ringsum standen Papierbirken so nah beieinander, dass sie praktisch eine weiße Wand bildeten.

In der Mitte der Lichtung befand sich ein Torbogen. Es schien, als wäre er aus Marmor, doch bei näherem Hinsehen stellte sich heraus, dass auch er aus Papier bestand.

Tilly und Oskar näherten sich ihm schweigend. Von der Stelle aus, wo sie die Lichtung betreten hatten, konnte man hindurchschauen und die Bäume dahinter erkennen. Als sie einmal außen herumliefen, änderte sich nichts, außer dass nun ein kaum wahrnehmbares Flirren in der Luft zwischen den beiden Pfosten zu sehen war. So ähnlich wie bei dem geheimen Gang, der die British Underlibrary mit Pages & Co. verband.

Oskar sah Tilly an und zuckte mit den Schultern. Sie erwiderte, ebenfalls schulterzuckend, seinen Blick. Ohne ein Wort sagen zu müssen, nahmen sie einander an der Hand und

traten

hindurch.

20

Der letzte Gegenstand

Einen kurzen Moment lang befanden sie sich in zwei Welten gleichzeitig, die Birken, in ihrem Rücken noch sichtbar, und die hohen Seitenteile des Torbogens rechts und links neben ihnen, doch dann überkam Tilly und Oskar ein kurzes Schaudern, und sie waren auf der anderen Seite.

Der Ort, an dem sie herauskamen, ähnelte in verschiedener Hinsicht dem Papierwald, aus dem sie gekommen waren: der weite, dunkle Himmel, die Menschenleere, die Stille; und die Tatsache, dass auch hier alles schwarz und weiß war. Nun bestand alles aus Stein und nicht aus Papier; starr und alt statt leicht und verspielt. Um sie herum erhoben sich hohe steinerne Mauern, und die Straße unter ihren Füßen war aus demselben Material. Der Torbogen selbst war in der Mauer hinter ihnen verschwunden, sodass sie zu beiden Seiten von massiven Wänden umgeben waren und hinter ihnen eine Sackgasse lag.

»Ein Gutes hat es«, stellte Oskar mit etwas wackeliger Stimme fest, »jetzt scheint uns wenigstens keiner mehr zu folgen.«

»Und immerhin gibt es dieses Mal nur den einen Weg«, sagte Tilly. Also setzten sie sich in Bewegung, denn etwas anderes blieb ihnen nicht übrig.

»Gehen wir einfach davon aus, dass schon irgendwas passiert?«, fragte Oskar. »Sollen wir das rote Garn benutzen, was meinst du?«

»Wir sind doch nicht in einem Labyrinth«, antwortete Tilly. »Hier gibt's weder Kurven noch Lücken oder Biegungen. Wir sollten nicht das Risiko eingehen, es an der falschen Stelle einzusetzen.«

»In Ordnung.« Oskar nickte. »Aber ich will nicht bloß ewig weiterlaufen und ruhig und zuversichtlich bleiben. Weil du nämlich immer ängstlicher wirst und irgendwann gar nichts mehr sagst und, machen wir uns nichts vor, wahrscheinlich irgendwann durchdrehst. Und weil ich dann anfange, immer mehr zu reden und immer schlechtere Witze zu machen, um zu helfen. Und dann werden wir beide irgendwann sauer, und dann, Stunden später... Ach. Egal.«

Sie blieben stehen, denn sie hatten gleichzeitig gesehen, dass in einiger Entfernung ein zweiter Torbogen stand.

»War's das jetzt mal?«, fragte Oskar, während sie darauf zuliefen. »Es wird nicht etwa noch eine Geschichtenebene kommen.«

»Aber wir haben den roten Faden noch nicht benutzt«, stellte Tilly fest. »Das da ist bestimmt die letzte Ebene. Und dazu gehört der letzte Gegenstand. Sieh doch.«

Ein Blick durch den Torbogen zeigte ihnen, dass mehrere von Mauern umgebene Wege dahinter anfingen, die alle kurz darauf scharf um die Ecke bogen, sodass sie nur wenige Meter in jede Richtung schauen konnten. Ein paar einzelne Papierbaumzweige ragten über die Mauern, und am Eingang waren zwei Pflanzen aus verdrilltem Papier positioniert.

»Ich denke, wir können mit Sicherheit behaupten, dass das ein Labyrinth ist«, sagte Tilly. »Hundertprozentig – und in der Mitte müssen die Archivare sein, das sagt mir mein Bauchgefühl.«

»Wenigstens steht hier außer Frage, welchen Gegenstand wir benutzen müssen«, sagte Oskar. »Und sogar wie. Volltreffer, Tilly!« Er klatschte seine Freundin ab und zog den Reißverschluss des Rucksacks auf ihrem Rücken auf, um das Garnknäuel herauszuholen.

Tilly hatte endlich das Gefühl, dem Ziel näher zu kommen. Jeder Gegenstand hatte zu einer Geschichtenebene gepasst, und jetzt blieb nur noch ein Knäuel Garn und ein Labyrinth – offensichtlicher konnte es nicht sein.

Die riesigen Marmorsteine am Eingang des Labyrinths wölbten sich hoch über ihren Köpfen, und Tilly spürte eher Aufregung als Angst, denn jetzt wussten sie genau, welchen Weg sie zu nehmen hatten. Das Labyrinth-Symbol hatte sie bis an diese zentrale Stelle geführt, an diesen staubigen, steinernen Ort, an dem man das Gefühl hatte, dass seit Jahrzehnten, wenn nicht länger, keine Menschenseele mehr vorbeigekommen war.

Die Bibliothek von Alexandria war Tilly noch irgendwie lebendig erschienen, doch diesen steinernen Gängen fehlte jegliches Geräusch, jegliches Licht oder sonst irgendetwas, das ihr vertraut vorgekommen wäre. Sie befanden sich im tiefsten Inneren der Geschichten, und es gab nur einen Weg...

»Ich kann es nicht finden«, sagte Oskar und unterbrach Tillys Gedankenfluss.

»Was?!« Tillys Zuversicht zerplatzte wie ein Luftballon.

»Das Garnknäuel. Es ist nicht da.«

Sie sah Oskar und den leeren Rucksack in seiner Hand entgeistert an. »Aber es *muss* da drin sein. Wir haben es doch noch gar nicht herausgenommen. In Alexandria war es auf jeden Fall noch da.«

»Wir haben aber den ganzen Tag Sachen aus dem Rucksack genommen und hineingetan«, stellte Oskar nüchtern fest. »Und wir sind herumgerannt und weggerannt. Es ist bestimmt rausgefallen, als du etwas anderes aus dem Rucksack genommen hast.«

»Ach, dann ist es also meine Schuld?«, zischte Tilly.

»Na ja, meine ist es jedenfalls nicht«, erwiderte Oskar.

»Warum bin eigentlich immer ich dafür verantwortlich, alles im Blick zu behalten?«

»Weil du diejenige bist, der die Leute magische Geschenke machen«, antwortete Oskar. »Und weil, egal wo du hingehst, wunderbare Dinge passieren. Und weil du immer alle Probleme löst! Nichts davon trifft auf mich zu.«

»Um nichts davon habe ich gebeten«, sagte Tilly, den Tränen nahe. »Alle erwarten immer von mir, dass ich die Sache schon hinbiege. ›Ach, diese Tilly, die ist nicht normal – wie sie buchwandelt, ist ungewöhnlich. Sie ist supergeeignet, diese ganzen magischen Rätsel zu lösen.‹ Ich will nicht halb fiktional sein!« Sie konnte die Tränen nicht mehr länger zurückhalten, die ihr nun vor lauter Wut und Enttäuschung die Wangen hinabliefen.

»Ich weiß«, sagte Oskar leise. »Tut mir leid. Ich hab damit nicht gemeint, dass du für alles verantwortlich bist. Es ist bloß … weißt du, ich will zu etwas nütze sein, nicht bloß jemand, der nur irgendwie mitgeschleppt wird.«

»Aber ohne dich wäre ich aufgeschmissen!«, rief Tilly,

die überrascht war, dass er sich nutzlos fühlte. »Ohne dich hätte ich das mit den Gegenständen nie rausgekriegt. Ohne dich hätte ich die Tür in der Bibliothek in Alexandria nicht gefunden. Wenn du nicht wärst, würde ich auf keinen Fall in einem verlassenen Steinlabyrinth festsitzen. *Nichts* von alldem könnte ich ohne dich tun. Ganz abgesehen davon, dass ich, wie du schon erwähnt hast, wahrscheinlich ziemlich panisch werden und mir kein Mensch jemals wieder magische Geschenke machen würde.« Sie versuchte zu lächeln, und Oskar beugte sich vor und nahm sie in den Arm.

»Also ich glaube«, sagte er, »wenn sich schon jemand all diese Mühe gemacht hat, um dir diese Gegenstände zukommen zu lassen, dann lässt er uns jetzt nicht im Stich. Lass uns einfach ohne den roten Faden in das Labyrinth gehen. Wir können improvisieren. Durch den Irrgarten von Hampton Court Palace haben wir auch gefunden, dann schaffen wir das hier locker. Weißt du, ich gehe da immer so vor…«

Die Beschreibung von Oskars Vorgehensweise wurde jedoch von einem schrillen Pfeifen übertönt. Von einem Pfeifen, das sich so anhörte, als käme es von einer Dampflok, und zwar von einer, die sich in unmittelbarer Nähe befand. Als der Pfeifton verklang, war eindeutig das Rattern, Quietschen und Schnaufen einer Eisenbahn zu hören, die in einen Bahnhof einfuhr.

»KÖNNTEST DU BITTE AUFHÖREN, IMMER MERKWÜRDIGER ZU WERDEN!«,

brüllte Tilly Richtung Himmel und stampfte mit dem Fuß auf den Boden.

»Hast du… Hast du gerade mit dem Fuß aufgestampft?«, fragte Oskar amüsiert. »Im Ernst, das hab ich schon ewig keinen mehr machen sehen. Genau genommen hab ich das im wirklichen Leben noch nie jemanden machen sehen.«

»Ich bin eben echt sauer«, sagte Tilly und versuchte, nicht zu lachen. »Aber komm schon – warum jetzt dieser Zug? Wozu sollte man das rote Garn in einem Zug benutzen?«

»Ich habe nicht den blassesten Schimmer«, antwortete Oskar. »Aber sollen wir mal versuchen, ob wir eine Mitfahrgelegenheit kriegen?« Bei diesen Worten brachen sie in beinah hysterisches Gelächter aus. »Komm schon, Tilly«, sagte Oskar. »Offensichtlich gibt's in dieser geheimnisvollen Steinwüste hinter dem Papierwald einen Bahnhof. Kaum zu glauben, dass du das noch gar nicht wusstest.«

»Vielleicht hätten mir die drei Bären damals einen Fahrplan mitgeben sollen«, prustete Tilly, der vom vielen Lachen langsam der Bauch wehtat.

»So was können sich wirklich nur Erwachsene ausdenken«, sagte Oskar. »Weißt du, wie das ablaufen würde, wenn ich ein Archivar wäre? Eine freundliche E-Mail, in der dir mitgeteilt wird, was zu tun ist, oder eine Textnachricht mit der Frage, ob du Hilfe brauchst. Vielleicht noch ein Online-FAQ.«

»Mir ist ganz schwindlig«, sagte Tilly plötzlich und lehnte sich an die Mauer. »Dir auch? Warum lache ich so viel?«

»Ich glaube, es ist nicht gut für uns, so tief in die Geschichten einzutauchen«, antwortete Oskar.

»Eigentlich darf man innerhalb eines Buches nicht mal in ein einziges anderes wandeln, erinnerst du dich? Weiß der Geier, wie wir hier jemals wieder rauskommen.«

»Nimm's mir nicht übel, Oskar«, sagte Tilly, »aber ohne diesen roten Faden setze ich keinen Fuß da rein, egal, wie viele Labyrinthe du schon durchquert hast. Und irgendwohin muss dieser Zug schließlich fahren, also schlage ich vor, wir suchen ihn.«

»Antrag stattgegeben«, sagte Oskar. »Also wenn du ein Bahnhof in dieser erfundenen Wirklichkeit hier wärst, wo würdest du dich dann befinden?«

»Ich würde meinen Platz genau da einnehmen, wo ich gebraucht werde«, antwortete Tilly sehnsüchtig. »Irgendwo dahinten, auf der gegenüberliegenden Straßenseite. Stell dir mal vor, wir könnten...«

»Tilly, dreh dich mal um«, sagte Oskar in dem Moment leise.

Hinter ihnen stand plötzlich ein weiterer Torbogen, der zu einem hübschen Kiesweg führte, der sich von ihnen wegschlängelte. Ein Torbogen, der vorher ganz sicher noch nicht dort gestanden hatte. »Nicht, dass es irgendwie wichtig wäre, aber hast du dieses Ding da gerade herbeigewünscht?«, fragte Oskar.

»Natürlich nicht«, antwortete Tilly. »Der muss schon vorher dort gewesen sein… Oder?«

»Funktioniert das auch mit anderen Sachen?«, fragte Oskar hoffnungsvoll. »Ich denke an einen Veggie-Burger mit Süßkartoffel-Pommes und 'ner Fanta.« Plötzlich stand ein Tablett mit Essen vor seinen Füßen. »HAMMER!«, rief er. »Wieso haben wir das erst jetzt rausgefunden?« Er nahm den Burger und biss freudestrahlend hinein, bevor er das Gesicht verzog und alles wieder ausspuckte.

»Bäh! Der ist ja aus Papier«, stellte er fest und sah dabei aus, als hätte jemand gerade Weihnachten abgesagt.

»Wie wäre es, wenn ich mir ein Knäuel rotes Garn wünsche, das uns aus dem Labyrinth führt?«, fragte Tilly, und Oskar zeigte ihr ein Daumen-hoch, während er noch die letzten Reste nassen Papier-Burger zwischen den Zähnen herauspulte.

Da kullerte ihnen schon ein Knäuel Garn vor die Füße. Allerdings war es nicht rot, und leider war es ebenfalls aus Papier.

»Ich will lieber nicht wissen, wie unsere Chancen damit stünden«, sagte Oskar. »Inzwischen traue ich überhaupt keinem mehr, woher auch immer diese Sachen kommen. Wer schickt den Leuten denn Papier-Burger? Das ist einfach nur grausam. Ich bin dafür, dass wir zu dem Zug gehen.«

Tilly nickte. Sie warf noch einen kurzen Blick über die Schulter, dann ließen sie das Labyrinth hinter sich und gingen durch den neuen Torbogen zu einem deutlich als solchen erkennbaren Bahnhof samt Dampfeisenbahn, die glücklicherweise nicht aus Papier bestand. Sie war unzweifelhaft aus dem Material gemacht, aus dem Züge gemacht sein sollten, nämlich aus Stahl und Holz und Farbe. Gespannt standen sie da, bis ein Junge, der ungefähr in ihrem Alter zu sein schien, aus einer der Zugtüren trat.

»Kommt ihr?«, rief er.

»ALLE EINSTEIGEN!«

21

DER GESCHICHTENWELT-EXPRESS

Einen Augenblick konnten Tilly und Oskar nur dastehen und den Zug anstarren. Er war ungewöhnlich lang und hatte viel mehr Waggons als die Züge, die sie aus Bahnhöfen in London kannten. Und nicht nur die Anzahl der Wagen stach hervor, es war auch ihr Aussehen; sie schienen alle von unterschiedlichen Zügen zu stammen. Neben einer Reihe windschnittiger silbern glänzender Waggons ganz vorne gab es altmodische schwarze Eisenwaggons und wackelige Holzwaggons, die früher einmal bunt gestrichen gewesen waren und deren Farbe inzwischen abblätterte. Manche hatten Fenster, andere keine, und kein Wagen sah aus, als gehörte er zum anderen, und den Eindruck, als könnten sie alle auf denselben Gleisen fahren, machten sie schon gar nicht.

Der Junge, der sie gerufen hatte und nun ungeduldig auf eine Antwort wartete, war groß und drahtig und hatte kupferbraune Haut und zerzauste Locken, die ihm über eine dicke Hornbrille fielen.

»Wir können nicht auf euch warten!«, rief er. »Wir haben

nur kurz gehalten, um etwas abzuladen. Ihr habt die einmalige Chance auf eine Mitfahrgelegenheit im Geschichtenwelt-Express!«

»Im was?!«, rief Oskar, gerade als ein weiterer Pfiff aus der Zugpfeife ertönte, eine Wolke glitzernder Dampf über ihren Köpfen wallte und der Zug sich abfahrbereit machte.

»Im Geschichtenwelt-Express. Und er fährt jeden Moment los!«

»Steigen wir ein?«, fragte Tilly.

»Es ist ein richtiger Zug mit einem realen Menschen, und er fährt an einen Ort, der nicht *hier* ist«, antwortete Oskar. »Worauf warten wir noch?«

»Aber die Archivare…«, wandte Tilly ein, während sie schon auf den Zug zuliefen.

»Vielleicht weiß der Junge ja, wo wir sie finden«, sagte Oskar. »Wenn er hier ist, kann er uns bestimmt irgendwie weiterhelfen.«

Tilly musste an ihre Mum denken, und an Orlando und Jorge und daran, wie enttäuscht sie sein würden, wenn sie die Archivare nicht fände. Aber was Oskar da sagte, leuchtete ihr ein, und sie hatte keine Lust, sich ohne Essen und Wasser und die Möglichkeit, Kontakt zu jemandem aufzunehmen, in einem Labyrinth zu verirren. Die Verlockung durch ein Fahrzeug, das sich fortbewegte, und dazu noch mit einem wirklichen Menschen an Bord, war zu groß.

Der Zug war ruckelnd angesprungen und rollte jetzt

langsam am Bahnsteig entlang. Tilly und Oskar fingen an zu rennen, um ihn noch zu erreichen.

»Beeilt euch!«, rief der Junge, der jetzt auf der hölzernen Plattform am letzten Waggon stand und den Arm ausstreckte, um ihnen an Bord zu helfen.

»Du zuerst«, sagte Tilly und schubste Oskar ein wenig vorwärts, damit er die Hand des Jungen ergreifen und sich nach oben ziehen lassen konnte. Dann biss sie die Zähne zusammen, beschleunigte und streckte selbst die Hand nach Oskar und dem Jungen aus. Gerade als ihre Finger Oskars berührten, machte der Zug einen Ruck vorwärts, und sie verlor den Kontakt wieder.

»Ich hab nicht vor, alleine hier festzusitzen!«, rief sie und sammelte ihre letzte Kraft. Gerade als der Zug aus dem Bahnhof raste, gelang es den beiden Jungen Tillys Handgelenke zu packen und sie auf den Zug zu hieven. Alle drei purzelten in einem ziemlich uncool aussehenden Haufen auf den Boden.

Nachdem sie ihre Körperteile wieder entwirrt hatten, standen Tilly und Oskar auf und betrachteten den Jungen, der ihnen geholfen hatte. Das nicht besonders saubere weiße T-Shirt und die dunkelgrüne Hose, die mit Hosenträgern festgehalten wurde, waren ihm etwas zu klein. Um den Hals hatte er einen senfgelben Schal gewickelt, der zu seinen fingerlosen Handschuhen passte. An den Füßen trug er Lederstiefel; einer war mit gewöhnlichen braunen Schnürsenkeln zugebunden, der andere mit einem roten

Band. Er sah aus... Nun ja, er sah aus wie eine Figur aus einem Buch.

»Ich bin Milo«, sagte der Junge und streckte ihnen seine ölverschmierte Hand entgegen. »Willkommen im Geschichtenwelt-Express.«

Tilly stellte sich und Oskar vor.

»Verzeihung«, sagte sie. »Willkommen im was?«

»Im Geschichtenwelt-Express«, wiederholte Milo und sprach das Wort extra langsam für sie aus. »Spitzname Lemmi.«

»Dann bleibe ich bei Lemmi«, sagte Oskar und schüttelte Milo die Hand. »Danke für die Einladung.«

»Gern geschehen.« Milo lächelte. »Was wolltet ihr zwei denn in dem Labyrinth? Ihr habt Glück gehabt, dass wir vorbeigekommen sind – normalerweise liegt es nicht an unserer Strecke.«

Tilly und Oskar wechselten einen Blick. Sie waren sich nicht sicher, wie viel sie Milo sagen konnten. Er war zwar nett, aber nach allem, was sie bisher erlebt hatten, zögerten sie, einem Fremden zu erzählen, was sie vorhatten.

»Wir... suchen jemanden«, antwortete Tilly vage. »Beziehungsweise mehrere Leute. Glauben wir. Und wir haben ein paar Hinweise bekommen, die uns hergeführt haben. Aber wir haben uns ein bisschen verlaufen, und die normalen Buchwandelregeln funktionieren hier offenbar nicht.«

»Was ist denn Buchwandeln?« Milo runzelte die Stirn.

»*Oh nein*«, flüsterte Oskar.

»Du bist… kein Buchwandler?«, fragte Tilly erschrocken.

»Äh, nein, tut mir leid«, antwortete Milo und fing sofort an zu grinsen. »Ich mach bloß Witze! Natürlich bin ich ein Buchwandler. Wie sollte jemand in einen Zug kommen, der kreuz und quer durch die Geschichten fährt, wenn er kein Buchwandler wäre?«

»Dieser Zug fährt durch die Geschichten?«, fragte Tilly erstaunt, ohne sich weiter wegen des Witzes zu ärgern.

»Jep«, antwortete Milo stolz.

»Aber wir haben noch nie von dir gehört«, sagte Tilly. »Und mein Großvater war früher der Direktor der British Underlibrary.« Tilly hätte schwören können, dass Milo die Nase rümpfte, als sie die Underlibrary erwähnte.

»Also wenn ihr von diesen eingebildeten Offiziellen kommt, dann ist es kein Wunder, dass ihr noch nie von uns gehört habt. Ehrlich gesagt, würde ich mir Sorgen machen, wenn es anders wäre. Wir arbeiten inoffiziell und streng nach dem Kenntnis-nur-bei-Bedarf-Prinzip.«

»Es gibt offizielle und inoffizielle Teile des Buchwandelns?«, fragte Oskar.

»So sieht's aus«, antwortete Milo. »Ungefähr alles hat seinen offiziellen und seinen inoffiziellen Bereich, seine offenen Straßen und seine verborgenen Gassen, seine Regeln – und seine Regelbrecher. Und Lemmi und diejenigen, die von ihm wissen, gehören auf jeden Fall zu den nicht öffentlichen Kreisen.«

»Was macht ihr denn genau?«, erkundigte sich Tilly.

»Wir stehen im Dienst des Verlorenen und Vergessenen«, antwortete Milo. »Vor allem geht es um Bücher und Geschichten. Aber manchmal auch um verschwundene Menschen; diejenigen, die Hilfe brauchen, um von einem Ort zum anderen zu gelangen, oder die etwas zu verbergen haben. Die Leute wenden sich an uns, weil wir wissen, wie man Dinge findet. Oder loswird. Unsere Erfolgsrate ist überirdisch; und wir kommen mit diesem Zug überallhin.«

Tilly und Oskar sahen sich an. Vielleicht hatten sie doch noch eine Chance, die Archivare zu finden.

22

Nichts Gutes im Schilde

Also … wissen die in den Unterbibliotheken nicht, dass es euch gibt?«, fragte Tilly, als der Zug in einen engen Tunnel ratterte.

»Nö«, antwortete Milo. »Wir haben gelegentlich Kunden, die sich um persönliche Angelegenheiten kümmern und es vorziehen, anonym zu bleiben. Deshalb nein; Horatio ist sehr darauf bedacht, dafür zu sorgen, dass wir unentdeckt bleiben.«

»Wer ist denn Horatio?«, fragte Oskar.

»Ihm gehört Lemmi«, erklärte Milo. »Er führt die Geschäfte. Außerdem ist er mein Onkel, aber das verbirgt er gerne vor anderen. Wenn ihr ihn also kennenlernt, solltet ihr das Thema nicht aufbringen. Ihr solltet allerdings hoffen, ihn *nicht* kennenzulernen, denn er wird nicht allzu begeistert davon sein, dass wir zwei blinde Passagiere haben. Niemand darf hier umsonst mitfahren – niemals.

Aber keine Sorge, ihr könnt in meinem Quartier bleiben, bis wir zur nächsten Haltestelle kommen oder … Wohin wollt ihr eigentlich?«

»Kommt darauf an, welche Möglichkeiten es gibt«, antwortete Tilly.

»Lemmi kann an jeden Ort fahren, den ihr euch vorstellen könnt«, erklärte Milo. »Allerdings wird mir die Fahrstrecke nicht mitgeteilt. Und das war erst das zweite Mal, dass wir bei diesem Labyrinth gewesen sind. Als wir das erste Mal hier angehalten haben, sind wir anschließend zu einem großen alten Haus weitergefahren, in dem Horatio eine Besprechung hatte. Er nannte es das Archiv, aber er hat mich nicht aussteigen lassen. Und dann geht es vermutlich weiter zu ...«

Tilly sah Oskar an, der erstaunt die Augenbrauen hochgezogen hatte.

»Wir halten also als Nächstes bei diesem Archiv?«, fragte sie und versuchte, möglichst gleichgültig zu klingen.

»Ich weiß nicht genau«, antwortete Milo. »Man erzählt mir nicht viel. Die Strecken sind nicht immer dieselben, aber das letzte Mal, als wir am Labyrinth vorbeigekommen sind, haben wir da angehalten. Warum kommt ihr nicht rein, und wir trinken eine Tasse Tee zusammen?«

Tilly und Oskar wechselten noch einen vielsagenden Blick, dann folgten sie Milo durch die hölzerne Tür in den letzten Waggon, wo es fast völlig finster war, denn er hatte nur schmale Schlitze als Fenster.

»Das ist der Lagerraum«, erklärte Milo. »Passt auf, dass ihr nicht gegen ein ...«

160

»Autsch!«, rief Oskar, als er sich das Knie an der Ecke eines unbekannten Gegenstandes stieß.

»Ups, zu spät«, sagte Milo vergnügt. »Folgt einfach dem Klang meiner Stimme.«

»He, Milo!«, rief Oskar. »Hast du vielleicht auch ein paar Kekse?«

»Jede Menge«, antwortete Milo. »Also ein paar Kekse. Na gut, einen Keks. Wahrscheinlich. Macht es dir was aus, wenn er ein bisschen durchgeweicht ist?«

Während er das sagte, öffnete er eine Tür am anderen Ende des Waggons, und sie konnten seine Silhouette ein paar Meter entfernt erkennen, während sie sich ihren Weg nach vorne suchten. In dem Waggon stapelten sich Holzkisten, kaputte Regale, bergeweise Papiere und andere Sachen, die Tilly nicht im Entferntesten benennen konnte. Als sie am anderen Ende ankamen, galt es, eine schmale Lücke zu überspringen, über die Milo Tilly und Oskar hinüberhalf.

»Willkommen in meinem Zuhause«, sagte er dann stolz und öffnete schwungvoll die Tür.

Sie standen in einem kleinen, behaglichen Raum.

»Das war mal ein Schlafwagen für zwei Personen«, erklärte Milo mit leicht verlegenem Schulterzucken. »Aber ich habe das untere Bett ausgebaut und ihn für mich hergerichtet, als ich hierherkam.«

»Wie lange wohnst du denn schon hier?«, fragte Oskar.

»Seit ich sechs war«, antwortete Milo. »Da hat Horatio mich praktisch adoptiert, und ich bin bei ihm eingezogen.« Tilly, der aufgefallen war, dass er seine Eltern nicht erwähnte, hatte genug Erfahrungen mit komplizierten Familienverhältnissen, um nicht weiter danach zu fragen. Und Oskar war lange genug mit ihr befreundet, um das ebenfalls nicht zu tun. Milo würde ihnen schon mehr erzählen, wenn ihm danach war.

Sie schauten sich im Zimmer um. Nachdem Milo es erwähnt hatte, sahen sie, dass ein momentan hochgeklapptes Bett einmal das obere zweier Etagenbetten gewesen war. Jetzt stand allerdings ein kleiner Schreibtisch darunter, inklusive Tintenfässchen, Feder und einem Stapel Pergament. Daneben stand ein vollgepacktes Bücherregal, und ein weiteres befand sich auf der anderen Seite des kleinen Waggons. Ein winziger Kochbereich mit Herdplatte, Wasserkocher und ein Eimer Eiswasser, in dem eine Flasche Milch gekühlt wurde, nahmen die Ecke ein. An der Wand hing ein Spiegel mit gesprungenem Glas, und den freien Platz ringsum schmückten eine Lichterkette (bei der einige Birnchen fehlten) und diverse Postkarten. Über der Tür war ein altmodisches Poster der Londoner U-Bahn angebracht.

Vom Fußboden war unter einem Berg weicher Kissen und Decken in allen erdenklichen Farben nicht viel zu sehen. Offenbar war es erwünscht, dass man sich hier, wann immer einem danach war, niederließ und gemütlich ein Buch las. Und die überall auf dem Boden verstreuten Bücher, teils aufgeschlagen und mit Notizen und Unterstreichungen versehen, ließen darauf schließen, dass Milo genau das häufig tat. Auf dem größten Kissen lag zusammengerollt eine rot getigerte Katze und schlief.

»Das ist Hester«, erklärte Milo. »Sie ist so etwas wie die Eisenbahnkatze. Sie gehört mir nicht, aber ich bin derjenige, der sie füttert, deshalb verbringt sie die meiste Zeit hier bei mir.«

Tilly hob eins der Bücher auf, um herauszufinden, was Milo las. Es war eine Ausgabe von *Die Eisenbahnkinder* von Edith Nesbit.

»Das gehört zu meinen Lieblingsbüchern«, sagte Milo.

»Zu meinen auch!« Tilly strahlte ihn an. »Aber du

machst ja Eselsohren in die Seiten. Und dabei hatte ich gerade angefangen, dich zu mögen.«

»Tut mir leid«, sagte Milo. »Ich vergesse bloß manchmal, wo ich mein Lesezeichen hingelegt habe, und ...«

»Das war nur ein Scherz.« Tilly grinste. »Kleine Revanche, weil du so getan hast, als wüsstest du nicht, was Buchwandeln ist. Du kannst mit deinen Büchern machen, was du willst. Es sind ja schließlich keine Museumsstücke.«

»Ein paar der Bücher im Geschichtenwelt-Express sind das sogar«, sagte Milo.

»Wie meinst du das?«, fragte Oskar.

»Na ja, einige der Bücher, die wir befördern, sind ganz schön wertvoll, und andere sind ... geborgt ... aus anderen Einrichtungen«, erklärte Milo zögerlich. »Beziehungsweise befreit, wie Horatio es nennt.«

»Ihr stehlt Bücher?«, fragte Tilly entsetzt.

»Nein!«, rief Milo und klang beinah beleidigt. »Aber gelegentlich stellt jemand fest, dass er im Besitz eines gestohlenen Buches ist, das er woandershin transportiert haben möchte. Oder wir stoßen auf ein Buch, dessen Herkunft nicht ganz klar ist, und helfen ihm auf seiner Reise.«

»Also seid ihr Bücherschmuggler?«, fragte Oskar beeindruckt.

»Zu euren Diensten«, antwortete Milo. »Obwohl Horatio das Wort nicht gefällt.«

»Die Behauptung, dass ihr euch um verschollene Bücher

kümmert, ist also nur eine fantasievolle Um-
schreibung der Tatsache, dass ihr eigentlich
Bücher stehlt?«, fragte Tilly, die sich nicht ganz
sicher war, was sie von dem Ganzen halten
sollte. Sie musste daran denken, was ihre Großeltern wohl dazu sagen würden.

»Aber wir beschäftigen uns wirklich mit verschollenen
Büchern«, verteidigte sich Milo. »Das war nicht gelogen,
und wir sind keineswegs bloß Diebe. Die meiste Zeit suchen wir nach Geschichten, von denen die Leute glauben,
sie wären für immer verschwunden, und nehmen uns ihrer
an. Wir haben schon sehr viele Bücher und Geschichten
vor dem Vergessenwerden bewahrt, glaubt mir. Wir sind
eher so etwas wie ... Bücherretter.«

»Aber wie kommt es, dass Bücher verschwinden?«,
fragte Oskar.

»Dafür gibt es alle möglichen Gründe«, antwortete
Milo. »Autoren verstecken Bücher, die sie nie veröffent-
licht haben; Bücher werden zensiert oder verbrannt;
manchmal landen auch welche in alten Koffern auf Dach-
böden oder werden gestohlen oder verlegt. Wir helfen dabei, sie wiederzufinden. Jede Geschichte, die gelesen, geliebt und geteilt wird, stärkt das Buchwandeln. Und mit
jedem Buch, das verloren geht oder vergessen wird, verliert die Buchmagie ein wenig an Macht. Wir helfen dabei, dass die Welt der Fantasie im Gleichgewicht bleibt.
Oder wir versuchen es zumindest ... Fantasie ist manch-

mal unberechenbar, das wisst ihr sicher. Zugegeben, wir bekommen ungewöhnliche Anfragen von unseren eher… geheimen Kunden, aber es geht nicht darum, Bücher zu stehlen, ich schwöre. Abgesehen davon, warum spielt ihr euch überhaupt so auf? Ihr führt doch bestimmt nichts Gutes im Schilde!«

»Wie meinst du das?«, fragte Tilly gekränkt.

»Wir haben euch am Labyrinth aufgegabelt, ganz allein, und ihr macht ein ziemliches Geheimnis daraus, warum ihr hier seid und nach wem ihr sucht.«

»Was wir vorhaben, ist eine gute Sache, nur zu deiner Information«, erklärte Tilly verlegen, aber sehr überzeugt. »Wir versuchen, das Buchwandeln zu retten.«

»Was, das ganze?«, fragte Milo. »Muss es denn gerettet werden?«

»Scheint so«, antwortete Oskar. »Und wenn du so gut darüber Bescheid weißt, wie man die Welt der Fantasie im Gleichgewicht hält, dann wirst du mitgekriegt haben, dass irgendwas nicht stimmt. Wie wäre es also, wenn du uns zur Abwechslung mal erzählst, was *du* eigentlich weißt – und dann sehen wir, ob wir uns gegenseitig helfen können?«

»Ich bin dabei, wenn ihr es seid«, antwortete Milo und wartete gespannt auf Tillys Antwort.

»Abgemacht«, sagte Tilly.

Darauf gaben sich alle drei die Hand, und der Geschichtenwelt-Express

166

setzte
      rumpelnd
          seinen
                Weg
                      fort.

23

Eine Abkürzung

Sie sahen einander an, und keiner wollte der Erste sein, der sein Geheimnis preisgab.

»Nur zu deiner Information«, sagte Tilly, »meine Mum weiß, wo wir sind.«

»Sie weiß, dass ihr an Bord des Geschichtenwelt-Expresses seid?«

»Nein, das nicht direkt«, musste Tilly zugeben. »Aber sie weiß, wonach wir suchen und wo wir damit angefangen haben. Außerdem haben wir Freunde, die jeden unserer Schritte kennen, bis wir in diesen Zug gestiegen sind«, behauptete sie und flunkerte nur ein klein wenig, was die Einzelheiten von Orlandos und Jorges Wissensstand betraf.

»Ich hab nicht vor, euch zu entführen«, sagte Milo leicht beleidigt. »Und ihr solltet anfangen, schließlich seid ihr in meinem Zug. Also, raus mit der Sprache. Was habt ihr vor?«

Tilly sah zu Oskar, der zustimmend nickte. Sie holte tief Luft. »Wir versuchen, die Archivare zu finden«, sagte sie.

»Die Archivare, die sich in vorhin erwähntem Archiv aufhalten?«, fragte Milo.

»Das wissen wir nicht genau«, antwortete Tilly. »Wir hoffen es. Du hast erzählt, du wärst schon mal dort gewesen; weißt du etwas Genaueres darüber?«

»Wie ich schon sagte, ich bin nicht aus dem Zug gestiegen«, sagte Milo. »Alles, was ich gesehen habe, war ein großes altes Gebäude, bei dem wir vorher noch nie gewesen waren. Und Horatio war ein paar Stunden da drin. Er erzählt mir nie etwas über diese Zusammenkünfte, falls ihr dazu etwas fragen wolltet.«

»Wir wissen, dass diese Archivare den Buchwandlern helfen«, sagte Oskar. »Wir folgen einer Art Karte und versuchen, sie zu finden – so sind wir zu dem Labyrinth gekommen. Jetzt sieht es allerdings so aus, als hätten wir eine Abkürzung gefunden.«

»Wobei braucht ihr denn Hilfe?«, fragte Milo. »Bei dieser ganzen Rettungsaktion für das Buchwandeln, von der ihr gesprochen habt?«

Tilly nickte. »Es gab einen Putsch in der British Library«, erzählte sie. »Diese schrecklichen Geschwister Underwood haben die Macht übernommen und hindern die Leute jetzt am Buchwandeln. Sie drohen damit, dass Kinder es nie wieder tun dürfen, wenn nicht… Na ja, wenn nicht alle bereit sind, ihnen zu helfen«, schloss sie ihren Satz. Die Wahrheit über ihre Eltern und was die Underwoods von ihr wollten, verschwieg sie Milo lieber.

169

»Wenn sie verhindern, dass die Leute buchwandeln«, sagte Milo langsam, »dann heißt das, sie haben die Bücher gesichert?«

»Genau«, antwortete Oskar. »Und den Direktor der amerikanischen Unterbibliothek haben sie überzeugt, mit ihnen gemeinsame Sache zu machen.«

»Bücher zu sichern… ist das Allerschlimmste.« Milo wurde ganz blass. »Und ihr wollt darüber urteilen, was im Geschichtenwelt-Express passiert. Wir würden niemals ein Buch sichern. Wir sorgen dafür, dass die Geschichten sich verbreiten, wie es ihre Bestimmung ist.« Er hielt kurz inne. »Ich hätte mir denken können, dass so etwas passiert ist. Wie gesagt, Horatio erzählt mir nicht viel, aber in den letzten Monaten war es eindeutig ruhiger hier bei uns. Abgesehen davon ist Horatio ständig schlecht gelaunt. Schlechter als gewöhnlich jedenfalls. Er würde es zwar nie zugeben, aber nachdem ich schon so viel Zeit mit ihm verbracht habe, bin ich mir ziemlich sicher, dass ihn irgendwas beunruhigt.«

»Siehst du, ich wusste, dass du etwas weißt«, sagte Oskar.

»Ich habe nie etwas anderes behauptet.« Milo grinste.

»Grandad hat gesagt, dass Pages & Co. – das ist unser Buchladen – in letzter Zeit auch weniger Bücher verkauft«, sagte Tilly nachdenklich. Ihre Gedanken wanderten zurück zu der seltsamen Begegnung mit dem Kunden, der vergessen hatte, wegen welches Buchs er gekommen

war. »Ich frage mich, ob das vielleicht alles zusammenhängt.«

»Hast du nicht gesagt, dein Großvater arbeitet in der
British Underlibrary?«, fragte Milo.

»Früher einmal«, antwortete Tilly. »Jetzt ist er im Ruhe-
stand und führt zusammen mit meiner Großmutter eine
Buchhandlung. Bis vor Kurzem hatten sie eine sehr nette
Bibliotheksdirektorin in der Underlibrary; sie hieß Amelia.
Aber die Underwoods – das sind die Geschwister, die jetzt
die Bibliothek leiten – haben dafür gesorgt, dass sie ent-
lassen wird. Und nun geht dort alles drunter und drüber.«

»Tja, das kommt davon, wenn man auf die Unterbibliotheken vertraut«, sagte Milo etwas scheinheilig.

»Das musst du gerade sagen«, bemerkte Oskar. »Wenn
dort die richtigen Leute das Sagen haben, sind sie großartig.«

»Da liegt das Problem«, sagte Milo. »Wie sorgt man
dafür, dass die richtigen Leute das Sagen haben, und wer
sucht sie aus? Was passiert, wenn Leute wie diese Underwoods an die Macht kommen? Dieser Schlamassel, den
ihr wieder in Ordnung bringen wollt, kommt dabei raus.«

»Du bist nicht der Einzige, der so denkt«, sagte Tilly.
»In Paris haben wir eine Buchhändlerin kennengelernt, die
sich nicht von der Underlibrary registrieren lassen wollte
und deshalb dauerhaft ausgesondert wurde.«

»Und dann wurde sie zwischen die Nachsatzblätter gestoßen«, sagte Oskar. »Von den Underwoods.«

171

»Wie genau geht das, zwischen die Nachsatzblätter gestoßen zu werden?«, fragte Milo.

»Die Underwoods haben schon Probleme gemacht, bevor sie angefangen haben, die Bücher zu sichern«, erklärte Tilly. »Sie haben absichtlich Märchen zerstört, um die Buchmagie zu sammeln, die dadurch ausgetreten ist. Wegen des Durcheinanders, das sie angerichtet haben, haben die Nachsatzblätter sich immer weiter in das eigentliche Buch ausgedehnt. Und als Gretchen versucht hat, die bösen Geschwister zu stoppen, haben sie... na ja... haben sie sie hineingestoßen.«

»Moment mal«, sagte Milo. »Gretchen... Gretchen... Kurze Haare, große Brille?«

»Ja«, bestätigte Oskar. »Kennst du sie? War sie schon mal im Geschichtenwelt-Express?«

»Sozusagen«, antwortete Milo. »Wir haben sie vor ein paar Monaten in den Nachsatzblättern aufgegabelt. Sie hatte keine Fahrt gebucht, aber Horatio lässt die Leute schon mal per Anhalter mitfahren, wenn sie zahlen.«

»Dann geht es ihr gut?« Eine Welle der Erleichterung überkam Tilly.

»Ich glaube, wir haben sie in wieder Paris abgesetzt«, sagte Milo. »Vor ihrem Buchladen.«

»Moment, hast du gerade gesagt, in den Nachsatzblättern ist ein *Bahnhof*?«, fragte Oskar ungläubig.

»Natürlich kein normaler für regelmäßigen Zugverkehr«, antwortete Milo. »Aber wie schon gesagt, Lemmi kann fast überall anhalten, solange die Fantasie es zulässt. Wir fahren mit Magie, nicht mit Kohle.«

»Mit Buchmagie?«, fragte Oskar.

»Jep«, antwortete Milo. »Hundert Prozent umweltfreundlich.«

»Aber wieso dürft ihr Buchmagie benutzen?«, wollte Tilly wissen. »Und das auch noch für etwas Unrechtmäßiges? Ich dachte, es wäre unglaublich schwierig, eine Nutzungserlaubnis dafür zu bekommen.«

»Ach, das ist kein Problem.« Milo grinste. »Wir fragen einfach nicht um Erlaubnis.«

24

JEMAND, DER JEMANDEN KENNT, DER JEMANDEN KENNT

Aber …«, sagte Oskar. »Auch wenn das ziemlich übel ist, was die Underwoods machen, gibt es ja nicht ohne Grund Regeln«.

Milo machte eine wegwerfende Handbewegung. »Ach weißt du, die meisten Regeln sind sowieso nicht real.«

»Was soll denn das heißen?« Oskar sah ihn erstaunt an. »Du kannst doch nicht einfach bestimmen, ob die Regeln real sind oder nicht.«

»Wer denn sonst?«, fragte Milo. »Die Unterbibliotheken vielleicht?«

»Na ja, schon«, antwortete Tilly. »Irgendwer muss ja die Verantwortung haben.«

»Wenn ihr meinen Onkel fragt, wird er euch sagen, dass das nicht unbedingt stimmt«, erklärte Milo. »Vielleicht solltet ihr einfach mal ein bisschen um die Ecke denken.«

»Ich finde nicht, dass du Grund hast, so von oben herab

mit uns zu reden«, sagte Oskar. »Du stiehlst berufsmäßig
Bücher.«

»Das ist nicht mein Beruf«, erwiderte Milo. »Zumindest
verdiene ich kein Geld damit.«

»Gar keins?«, fragte Tilly.

»Wofür sollte ich es denn ausgeben?«, fragte Milo.
»Horatio gewährt mir Kost und Logis, und ich reise mit
ihm zu fantastischen Orten. Das ist eine deutliche Ver-
besserung gegenüber dem, was ich vorher hatte.« Er hielt
inne, als wartete er darauf, dass sie ihn danach fragten.
»Wollt ihr denn gar nicht wissen, wo ich vorher gelebt
habe?«

»Wenn du es uns erzählen willst, gerne«, antwortete
Tilly zurückhaltend. »Du musst aber nicht.«

»Ich war in einem Waisenhaus für Kinder von Buchwandlern, die in Büchern ums Leben gekommen sind«,
erklärte Milo, ohne zu zögern. »Kinder, die man nicht
einfach in die reale Welt zurücklassen konnte, weil das
Schicksal ihrer Eltern zu viele Fragen aufgeworfen hätte
und die Leute auf Dinge aufmerksam geworden wären,
von denen sie nichts wissen sollten. An meine Eltern kann
ich mich nicht mal mehr *erinnern*. Ich weiß nur noch,
dass ich, bis ich sechs war, mit lauter anderen Kindern an
einem schrecklichen, kalten Ort gewesen bin. Sie wussten genauso wenig wie ich, wer sie waren und woher sie
kamen, und Bücher hielten sie für etwas ganz Furchtbares,
das ihnen ihre Eltern weggenommen hatte. Und dann kam

175

Horatio und hat mich mitgenommen und hergebracht, deshalb werde ich mich niemals darüber beschweren.«

»Verstehe«, sagte Tilly.

»Ach ja?«, fragte Milo ein bisschen barsch.

»Na ja, nicht hundertprozentig«, antwortete sie. »Aber bis vor einiger Zeit hab ich meine Eltern auch nicht gekannt. Ich bin bei meinen Großeltern aufgewachsen. Meine Mum war in einem Buch gefangen. Wir haben sie erst letztes Jahr gefunden. Und mein Dad...« Sie verstummte. »Mein Dad ist auch gestorben. Also weiß ich zwar nicht genau, wie es ist, du zu sein, aber ich weiß, wie es ist, nicht richtig zu wissen, wer man ist. Danke, dass du es uns erzählt hast.«

Milo zuckte mit den Schultern, als wäre das keine große Sache, doch Tilly sah ihm an, welche Last von ihm abgefallen war, nachdem er von seiner Herkunft berichtet hatte und so akzeptiert wurde, wie er war.

»Jetzt aber genug davon«, sagte er. »Ich habe euch einen Tasse Tee und einen Keks versprochen.« Er füllte den Wasserkessel mit einem Schlauch, der durchs Fenster hing, und stellte ihn anschließend auf die Herdplatte. »Auf dem Dach ist ein Eimer«, erklärte er und deutete auf den Schlauch.

»Und das ist... sauber?«, fragte Oskar ein wenig besorgt.

»Selbstverständlich«, antwortete Milo. »Wir befinden uns in einer reinen Geschichte, da gibt's nichts, was es verschmutzen würde. Außerdem wird es sowieso gekocht, keine Sorge. Also Kekse. Kekse …« Er fing an, in verschiedenen Schubladen zu kramen und unter Bücherstapeln nachzusehen, und beförderte schließlich eine angebrochene Packung Doppelkekse zutage.

Er reichte sie Oskar, der ein Häufchen Krümel in seine Hand leerte.

»Ups, tut mir leid«, sagte Milo. »Wir haben zwar einen Speisewagen, aber den darf ich eigentlich nicht aufsuchen, wenn andere Fahrgäste an Bord sind.«

»Es sind noch mehr Menschen im Zug?«, fragte Tilly erstaunt.

»Na logisch«, antwortete Milo. »Was habt ihr denn gedacht, wofür die ganzen Wagen sind, nur für Bücher?«

Tilly zuckte mit den Schultern. Genau das hatte sie sich vorgestellt.

»Wir haben Personenwagen für unterschiedlich gut betuchte Reisende; es gibt den bereits erwähnten Speisewagen; außerdem besitzen wir eine ganze Reihe Bücherwagen. Und es gibt Wagen für Treffen und Besprechungen und zum Arbeiten; sogar so etwas wie einen Druckerpressenwagen haben wir. Und dann noch die Lokomotive. Das Gute daran, durch die Welt der Geschichten zu fahren und von ihrer Magie angetrieben zu werden, ist, dass wir noch viel Raum zum Expandieren haben, je nachdem, was die Leute so brauchen. Oder sich wünschen. Sobald ihr das Buchwandeln gerettet habt, müsst ihr mal eine

Zugfahrt bei uns buchen, damit ihr Lemmi richtig kennenlernt.«

»Und wie machen wir das?«, fragte Oskar. »Habt ihr eine Website oder so?«

»Klar doch, du musst einfach *magischer.buecherzug. com* eintippen«, antwortete Milo im Scherz. »Nein, natürlich gibt es keine Website! Aber wenn ihr herumfragt, werdet ihr feststellen, dass ihr jemanden kennt,

der

jemanden kennt,

der

jemanden kennt.

Ganz bestimmt.

25

VON GEDANKEN ANGETRIEBEN

Der Kessel fing an zu pfeifen, und während Milo das heiße Wasser in eine Teekanne goss, sahen Tilly und Oskar sich weiter um.

»Bewegt sich … diese Karte da etwa?«, fragte Tilly, als sie eine halb zusammengefaltete Landkarte auf Milos Schreibtisch bemerkte. Darauf war ein Gewirr aus bunten Linien zu erkennen.

»Kann gut sein«, antwortete Milo und wischte drei Becher mit dem Ende seines Schals aus. »Wir hätten nicht genug Platz, um Karten von allen Strecken, die wir befahren oder nicht befahren dürfen, im Blick zu behalten. Deshalb aktualisiert die Karte sich während der Fahrt. Seht ihr den Dampf?«

Sie gingen näher heran, und da, auf einer lavendelblauen Linie, puffte ein kleines schwarz glitzerndes Rauchwölkchen entlang. Oskar hielt den Finger darüber und zuckte zurück.

»Das ist heiß!«, rief er.

»Der Zug verheizt Buchmagie«, erklärte Milo. »Klar ist es heiß!«

179

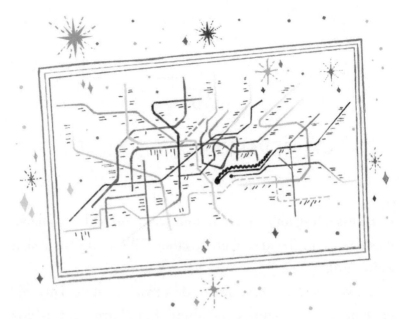

»Ich bin mir wirklich nicht sicher, ob es in Ordnung ist, dass ihr Bücher verbrennt«, sagte Tilly.

»Wir verbrennen keine *Bücher*!«, rief Milo aufgebracht. »Wir sind doch keine Banausen.«

»Aber wie könnt ihr denn sonst Buchmagie verheizen?«

»Ich weiß ja nicht, wie ihr an Buchmagie kommt. Hier gewinnen wir sie jedenfalls auf die zivilisierte Art, direkt aus der Quelle.«

Tilly und Oskar sahen ihn verständnislos an.

»Wir werden von Gedanken angetrieben. Von Fantasie«, erklärte er.

»Was?«, fragte Oskar verwirrt. »Wie funktioniert das denn?«

»Das ist das Bezahlsystem im Geschichtenwelt-Express.
»Je nachdem, was du hier machen oder wohin du fahren
willst, bezahlst du mit mehr oder weniger deiner Ideen
und Vorstellungen. Deshalb darf Horatio euch auch nicht
sehen – das mit dem Bezahlen nimmt er sehr genau. Keine
Ausnahmen – niemals.«

»Ich dachte… Buchmagie kommt aus Büchern«, sagte
Tilly.

»Sicher«, antwortete Milo. »Wir könnten auch einfach
Bücher in die Feuerbüchse werfen, wenn wir wollten –
oder im Notfall vielleicht. Aber unser System ist besser.«

»Trotzdem haben sie uns in der Underlibrary gesagt,
dass Buchmagie ein kostbarer Rohstoff ist.« Tilly ließ
nicht locker.

»Er ist so kostbar wegen dem, was er bewirken kann«,
sagte Milo. »Und die Welt hätte ein ganz schönes Problem,
wenn ihr die Fantasie ausginge. Denn das ist Buchmagie
eigentlich; kein endlicher Rohstoff, der in Bücher gedruckt
wird. Wir sollten ihr wirklich einen anderen Namen geben. Sie ist zwar oft in Büchern enthalten – genauer gesagt
in den Geschichten –, aber sie steckt auch in jedem Buchwandler. Und in jedem Leser. Man muss nur wissen, wie
man drankommt. Das haben die Unterbibliotheken entweder vergessen, oder sie haben beschlossen, es den meisten
Leuten zu verschweigen. Also, wenn…«

Er wurde durch ein lautes Brüllen von draußen unterbrochen.

»MILO!«, rief jemand mit rauer Stimme. »Wo bist du, Junge? Wir sind gleich beim Archiv, mach dich bereit zum Ausladen!«

»Wir kommen *jetzt* zum Archiv?«, flüsterte Tilly. »Warum hast du uns das nicht gesagt?«

»Ich wusste es nicht«, antwortete Milo. »Schnell! Wenn Horatio hier hereinkommt, müsst ihr euch verstecken. Beeilt euch!«

26

UM EINE RUNDE ZU DREHEN, REICHT DIE MAGIE IMMER

Milos Selbstbewusstsein und gute Laune schmolzen dahin wie ein Eis am Stiel an einem Sommertag. Wegen seiner Körpergröße und weil er so von sich überzeugt war, war es Tilly schwergefallen, zu glauben, dass er in ihrem Alter war. Doch die Stimme seines Onkels verwandelte ihn plötzlich in einen kleinen Jungen, der Angst hatte, Ärger zu bekommen.

»Macht schnell!«, drängte er. »Bitte. Beeilt euch!«

Es wäre gemein gewesen, nicht auf ihn zu hören. Als sie ganz in der Nähe eine Tür zuschlagen hörten, blickte er sie panisch an. Also schob Tilly sich rasch in den schmalen Spalt hinter dem Bett und ging hinter dem zerschlissenen Vorhang in Deckung, der am Fenster hing. Oskar hechtete unter ein paar Decken.

Milo stapelte gerade noch ein paar weitere auf ihn drauf, als auch schon die Waggontür aufflog. Tilly bekam kaum Luft, und der muffige Geruch der Vorhänge stieg ihr in die Nase. Sie hoffte, sie würde nicht niesen müssen, solange Horatio im Raum war.

»Da bist du ja, Junge«, sagte Horatio schroff. »Hast du die Glocke nicht gehört? Wir sind jeden Moment am Archiv.«

»Tut mir leid, ich war wohl zu sehr in mein Buch vertieft«, antwortete Milo mit einem leichten Zittern in der Stimme. »Was gibt's denn eigentlich in diesem Archiv?«

»Günstige Gelegenheiten. Nicht, dass es dich etwas anginge.«

Tilly lächelte hinter dem Vorhang vor sich hin, weil Milo versuchte, seinen Onkel für sie auszuhorchen.

»Machen wir in Zukunft öfter hier halt?«

»Weiß ich noch nicht«, antwortete Horatio. »Es ist jedenfalls eine neue Anlaufstation, die sich vielleicht als einträglich erweisen könnte. Als ich neulich etwas für Mr Gentlemoon besorgt habe, bin ich auf eine Art Karte gestoßen, die mich hierhergeführt hat. Und in dem Archiv bin ich einer interessanten Frau begegnet. Hol bitte jetzt die Bücher, um die sie gebeten hat. Lange wird unser Aufenthalt hier sicher nicht dauern. Hörst du mir eigentlich zu, Junge? Warum schwitzt du denn? So hart hast du doch gar nicht gearbeitet. Was hast du eigentlich gemacht, seit wir das Labyrinth verlassen haben? Wieso hast du noch nicht alles vorbereitet?«

»Entschuldige, Onkel«, antwortete Milo. »Ich muss die Zeit vergessen haben.«

»Was habe ich dir gesagt? Du sollst nicht Onkel zu mir sagen«, schimpfte Horatio. »An solchen Sentimentalitäten habe ich kein Interesse. Nenn mich bei meinem Namen. Ich hab dich nicht zum Spaß aus diesem Heim geholt, Junge. Ich habe eine zusätzliche Arbeitskraft an Bord gebraucht. Und diese Übereinkunft bringt uns beiden etwas. Außerdem stehe ich bei deinen Eltern in der Schuld und revanchiere mich, wie versprochen. Und jetzt komm«, sagte er. »Verärgere mich nicht.«

Die Tür fiel zu, und kurz darauf holte Milo Tilly und Oskar aus ihren Verstecken.

»Tut mir leid, dass ihr das mit anhören musstet«, sagte er verlegen. »Er ist… na ja, egal. Für euch ist es unwichtig, wie er ist. Ich habe nur ihn, wisst ihr, und ich bin lieber hier im Geschichtenwelt-Express als im Waisenhaus, also ist es nun mal, wie es ist.« Er lächelte sie steif an. »Ich muss anfangen, die Kisten zu packen. Ihr beide könnt hier warten, bis wir anhalten und dann hinten aussteigen – genau, wie ihr eingestiegen seid. Ich wäre euch echt dankbar, wenn ihr unsichtbar bleiben würdet.«

»Klar«, versprach Tilly, dann folgten sie Milo aus seiner Behausung über den Zwischenraum zurück in den Lagerraum.

»Bleibt einfach hier drin, bis wir da sind«, sagte Milo im Halbdunkel. »War wirklich nett, euch kennenzulernen. Ich hoffe, dass ihr findet, wonach ihr sucht, und hinterher wieder gut nach Hause kommt. Und denkt daran: Um eine

Runde mit dem Geschichtenwelt-Express zu drehen, reicht die Magie immer.«

Dann lächelte er ihnen wehmütig zu, winkte zum Abschied und ging zurück, um den Auftrag zu erledigen, den er von Horatio bekommen hatte.

»Meinst du, wir sollten ihn mitnehmen?«, fragte Tilly Oskar leise. Obwohl sie kaum Zeit mit Milo verbracht hatten, tat er ihr unglaublich leid. Sie wusste, wie schlimm es war, nicht zu wissen, woher man kam, und um seinen Platz auf der Welt kämpfen zu müssen. Auf den ersten Blick schien es zwar wie ein großes Abenteuer, in einem Bücherschmuggelzug zu leben, aber sie konnte sich nicht vorstellen, dass er sich hier wirklich zu Hause fühlte.

»Das geht nicht«, sagte Oskar. »Er ist kein herrenloses Kätzchen, Tilly. Was sollte er denn tun, wenn wir ihn aus seinem Leben reißen? Bei dir wohnen? Oder bei mir?«

»Grandma und Grandad würden bestimmt erlauben, dass er in Pages & Co. bleibt«, sagte Tilly, doch sie wusste, dass das nicht der Punkt war.

»Er wird eines Tages sein eigenes Zuhause finden.«

»Seit wann bist du denn so vernünftig?« Tilly lachte und knuffte Oskar in die Rippen.

»Seit ich angefangen habe, diese ganzen Bücher zu lesen und mich in lebensgefährliche Abenteuer zu begeben, nehme ich an«, antwortete Oskar und grinste. »Ab jetzt spreche ich in erbaulichen Zitaten, gewöhn dich schon mal daran. Aber was noch wichtiger ist: Es ist so weit, Tilly!«

»Wir sind kurz davor, endlich die Archivare zu finden«, sagte sie.

»Haben wir … einen Plan?«

»Ich hoffe, dass es sich irgendwie von selbst ergibt und dass derjenige, der mir diese Gegenstände geschickt hat, da ist und uns erwartet.«

»Hoffentlich«, sagte Oskar. »Und hoffentlich haben sie Kekse. Was Milo da zu bieten hatte, war nämlich eine ziemliche Enttäuschung.«

Die Bremsen quietschten, und der Zug wurde langsamer. Als Tilly aus dem Fenster spähte, erblickte sie einen Bahnhof, der völlig anders aussah als der am Labyrinth. Statt kahlem, weißem Marmor erwartete sie hier ein wunderschön gepflasterter Bahnsteig, umgeben von einer roten Backsteinmauer, an der Efeu emporrankte. Neben einem kunstvoll verschnörkelten goldenen Tor wartete eine schwarz gekleidete Frau.

Als der Zug vollständig zum Stehen kam, schlichen Tilly und Oskar sich zur hinteren Tür hinaus und ließen sich von dem Podest auf die Schienen gleiten.

»Wie sollen wir bloß unbemerkt durch das Tor kommen?«, fragte Oskar und deutete auf einen Mann, bei dem es sich offensichtlich um Horatio handelte. Er war gerade aus der Lok gestiegen und lief zu der schwarz gekleideten Frau hinüber, um ihr die Hand zu schütteln.

Bisher hatten sie nur seine Stimme gehört, als sie sich in Milos Wagen versteckt hatten. Jetzt sahen sie, dass er groß

und schlank war wie sein Neffe, die gleiche kupferbraun getönte Haut hatte und ebenso dunkle Haare. Nur dass seine Locken schon langsam grau wurden und er sich offenbar mehr bemüht hatte, sie zu zähmen – mit mäßigem Erfolg allerdings. Er trug einen schlichten, aber teuer aussehenden dunklen Wollmantel und lächelte die Frau freundlich an.

»Warten wir einfach, bis der Zug wieder anfährt?«, fragte Oskar.

»Das wird nicht nötig sein«, antwortete Tilly. »Die beiden bleiben bestimmt nicht die ganze Zeit da stehen. Wenn sie reingehen – wo immer das ist –, rennen wir los.«

Genau wie Tilly es vorausgesagt hatte, wandten sich die Frau und Horatio nach ein paar Höflichkeiten um und gingen durch das goldene Tor.

»Jetzt!«, flüsterte Tilly, und die beiden kletterten auf den Bahnsteig und rannten los. Tilly warf noch einen kurzen Blick über die Schulter und sah, dass Milo am hinteren Zugteil anfing, große Kisten auszuladen. Er bemerkte sie, hielt kurz inne und zeigte ihnen ein Daumen-hoch, bevor er sich wieder seiner Arbeit zuwandte.

Tilly und Oskar erreichten das Tor, sausten blitzschnell hindurch und – stießen beinah mit Horatio und der Frau zusammen.

»Ah, ihr müsst Matilda und Oskar sein«, sagte die Frau kein bisschen überrascht, sie zu sehen, und lächelte freundlich. »Willkommen im Archiv. Ich freue mich sehr, dass ihr endlich da seid.«

27

DIE BUCHGELEHRTE

Wart ihr zwei etwa in meinem Zug?«, fragte Horatio und runzelte die Stirn.

»Ähm, ja«, antwortete Tilly. »Tut uns leid.«

Horatio reagierte nicht, sondern wandte sich stattdessen an die Frau. »Und Sie kennen die beiden?«

»Ja«, bestätigte sie. »Ich habe sogar auf sie gewartet. Ich dachte nur, sie würden durch das Labyrinth kommen, aber offensichtlich haben sie kurzfristig einen kleinen Umweg gemacht.«

»Wir … äh … sind durch das Labyrinth gekommen«, startete Oskar einen vorsichtigen Versuch, Milo zu schützen.

»Der Ausgang aus dem Labyrinth befindet sich auf der anderen Seite des Archivs, tut mir leid.« Sie lächelte. »Aber was für ein glücklicher Zufall, dass der Geschichtenwelt-Express gerade vorbeigekommen ist.«

»Die beiden schulden mir noch den Fahrpreis«, bemerkte Horatio schroff.

»Den können Sie doch dieses eine Mal sicher erlassen?«, fragte die Frau.

»So funktioniert das nicht.« Horatio blieb hart.

»Dann zahle ich für sie. Und ich versichere Ihnen, meine Bezahlung wird Ihnen lieber sein als ihre.«

Horatio grummelte zustimmend und wandte seine Aufmerksamkeit wieder Tilly und Oskar zu. »Hat mein Neffe euch etwa geholfen?«, fragte er. »Er hat offenbar eine Vorliebe für verwaiste Kinder.«

»Nein«, log Oskar. »Milo wusste von nichts.« Es entstand kurzes Schweigen, und Oskar begriff, dass es ein Fehler war, Milos Namen zu nennen. »Beziehungsweise… geholfen hat er uns nicht. Er hat uns gesagt, wir müssten so schnell wie möglich wieder aussteigen, als er uns entdeckt hat.«

»Wer's glaubt…«, schnaubte Horatio. »Aber um Milo kümmere ich mich später.«

»Ehrlich, er kann nichts dafür«, verteidigte Tilly ihren neuen Freund.

»Haltet euch trotzdem da raus«, knurrte Horatio.

»Nun gut, Horatio«, sagte die Frau. »Wir sollten jetzt alle hineingehen. Tilly und Oskar können es sich dort bequem machen, während wir in Ruhe unter vier Agen sprechen. Und danach haben Sie noch ein paar weitere Termine hier, richtig?«

Wieder grummelte Horatio nur zustimmend, während er Tilly und Oskar böse ansah.

Die Frau drehte sich um und ging voraus. Hinter dem goldenen Tor erschien ein stattliches Backsteingebäude.

Mit seinen hohen Fenstern, efeubewachsenen Wänden und seinem gepflegten Park, der bis zum Bahnhof hinunterführte, sah es aus wie eine alte Universität. Obwohl es ein bisschen protzig erschien, wirkte es nach der brennenden antiken Bibliothek, dem Wald aus Papier und dem Marmorlabyrinth auf den ersten Blick erfrischend normal.

Doch als sie näher kamen, stellten sie fest, dass irgendetwas nicht stimmte. Die Blumen waren teilweise verwelkt und vertrocknet und ihre Farben zu Schwarz- und Weiß- und Grautönen verblasst. Es war beinah, als wären sie wieder im Papierwald. Durch eine der Außenwände verlief vom Dach bis zum Boden ein Riss, und der Efeu, der aus der Entfernung so hübsch ausgesehen hatte, war doch nicht so gepflegt, wie er auf den ersten Blick erschien. An manchen Stellen rankte er in die Fenster hinein und drang in kleine Sprünge im Mauerwerk, und es gab sogar Fenster, aus denen er von innen herauszuwachsen schien. Als sie um die Ecke bogen, fiel ihr Blick auf einen großen Haufen Schutt. Dort war ein beträchtlicher Teil des Gebäudes eingestürzt.«

»Wir machen derzeit leider nicht gerade den besten Eindruck«, sagte die Frau. »Ein paar, nun ja, Probleme mit der Bausubstanz.«

Tilly und Oskar folgten ihr und Horatio durch den Park. Die beiden Erwachsenen unterhielten sich leise, aber der Rock der Frau raschelte so laut über den Kiesweg, dass sie nichts verstehen konnten. Ihre seltsamen Kleidungs-

stücke – allesamt schwarz – schienen aus
einer völlig anderen Zeit und von einem völlig
anderen Ort zu stammen. Hinten war ihr Rock
lang und gerüscht, vorne kurz und glatt. Dazu
trug sie eine schwarze Hose, kombiniert mit Ab-
satzstiefeln. Über ihrem T-Shirt, das ihr locker über Schultern und Rücken fiel, sodass in ihrem Nacken das goldene
Tattoo eines Labyrinths zu sehen war, saß ein Korsett. Die
Frau hatte pechschwarzes Haar und porzellanweiße Haut,
und wäre das Tattoo nicht gewesen, hätte auch sie ausgesehen wie eine Figur aus dem schwarz-weißen Wald.

Sie stiegen eine geschwungene Treppe hoch, die Frau
schob eine quietschende Flügeltür auf und ließ sie in eine
große Eingangshalle ein.

»Willkommen im Archiv«, sagte sie. »Bitte entschuldigt,
ich habe mich noch gar nicht richtig vorgestellt. Ich bin
die Buchgelehrte.«

»Das ist Ihr Name?«, fragte Tilly verdutzt.

»Nein, das ist mein Beruf«, antwortet die Frau. »Mein
Name ist Artemis. Wenn ihr beide mich jetzt begleiten
würdet. Ich frage nur noch rasch Mr Bolt, ob alles in Ordnung ist, und komme sofort zurück.«

Artemis führte sie durch einen kleine-
ren Raum voller Bücherregale mit zwei
gemütlichen Sofas vor einem prasseln-
den Kaminfeuer. Auf dem Beistelltisch
dazwischen standen zwei Becher mit

heißer Schokolade. »Bitte wartet hier einen Moment«, sagte Artemis. »Ich bin gleich wieder da.«

»Also«, sagte Oskar. »Was denkst du?«

»Worüber?«

»Über das alles.«

»Ich weiß nicht genau, was ich erwartet habe. Auf jeden Fall wusste sie, dass wir kommen, das ist doch beruhigend, oder?«

»Glaub schon«, antwortete Oskar und begutachtete das Keksangebot. »Sie klingt jedenfalls, als wüsste sie, was los ist. Ist sie eine Archivarin, was meinst du? Ob es wohl noch mehr von ihnen hier gibt?«

»Sie hat gesagt, Horatio hätte ein paar weitere Besprechungen, also müssen irgendwo noch mehr Menschen sein. Und das Gebäude ist riesig. Ist dir auch aufgefallen, dass es zwar nobel erscheint, aber irgendetwas nicht ganz stimmt? Es verfällt. Siehst du?« Tilly deutete auf einen weiteren Riss, der sich durch die Holzverkleidung schlängelte. Als sie aufstand und ihn näher inspizierte, erkannte sie eine kaum sichtbare funkelnde Substanz an den Rändern. »Sieht ein bisschen so aus wie die Risse, die wir in den Märchen gesehen haben. Nur dass das hier eine Art Glitzerstaub ist statt Buchmagie. Vielleicht liegt es daran, dass wir so tief im Inneren der Geschichten sind?«

Oskar nickte, während er einen Schokokeks mampfte.

»Egal, was jetzt passiert, Tilly«, sagte er, »bis hierhin

sind wir schon mal gekommen, trotz allem. Das ist eine ganz schöne Leistung, finde ich. Wir haben gesagt, wir schaffen es, und wir haben es geschafft.«

Zwanzig Minuten später begannen sie allerdings, sich zu langweilen und außerdem müde zu werden. Nach dieser abenteuerlichen Reise war es ein bisschen enttäuschend, bloß alleine dazusitzen und Kekse zu essen.

Um nicht einzudösen, stand Tilly auf und erkundete das Zimmer. Unter dem Giebelfenster stand ein großer, ordentlich aufgeräumter Schreibtisch, auf dem lediglich ein kleiner Stapel Papiere lag. Die Fensterscheibe hatte feine Risse, die ein Spinnennetz aus Schatten auf die Blätter warfen. Als Tilly das oberste zur Hand nahm, fiel ihr Blick auf eine säuberlich mit der Hand geschriebene Liste von Buchtiteln, von denen sie jedoch keinen kannte.

- Roseberry Topping von Patrick Bray (1987)
- Gefährlicher Fluss von Lyra Lake (1866)
- Blutsverwandt von A.M.C. Collier (1895)
- Der Pinguin von Eve Tsang (1928)

»Hast du schon mal von irgendeinem dieser Bücher gehört, Oskar?«, fragte Tilly.

»Nö«, antwortete Oskar schläfrig. »Aber es gibt 'ne gigantische Menge Bücher, davon kennen wir bestimmt nur einen Bruchteil.«

»Wahrscheinlich«, sagte Tilly. »Trotzdem wüsste ich gerne, was das für Titel sind.«

»Das sind die Bücher, die ich gerade zu finden versuche«, erklärte Artemis, die unbemerkt wieder ins Zimmer gekommen war. »Bücher, die plötzlich verschwunden sind.«

»Sind sie denn irgendwie wertvoll?«, fragte Tilly.

»Nicht besonders, glaube ich«, antwortete Artemis. »Ihr Verschwinden ist allerdings äußerst merkwürdig, weil nicht nur eine Ausgabe davon verloren gegangen ist, sondern alle. Sie sind wie vom Erdboden verschluckt, und es ist ziemlich schwierig herauszufinden, was passiert ist, weil sie so unbekannt sind, dass es kaum einen Nachweis für sie gibt. Hier im Archiv können wir ziemlich viel nachverfolgen, deshalb wissen wir zumindest, dass es sie gegeben hat, aber bestimmte Dinge bleiben uns verborgen. Diese Bücher – und wer weiß, was sonst noch – gehören dazu.«

»Und aus diesem Grund ist Horatio hier«, zählte Oskar eins und eins zusammen. »Denn er sucht verschollene Bücher.«

»Genau«, sagte Artemis.

»Aber warum sind wir hier?«, fragte Tilly. »Sie waren das doch, die uns diese Gegenstände geschickt hat, oder?«

»Ich habe euch eine Karte geschickt, ja«, antwortete Artemis.

»Na ja, von einer Karte zu sprechen, finde ich ein bisschen übertrieben«, erwiderte Oskar. »Es war nicht gerade leicht, hierherzufinden.«

»Für diejenigen, die sie lesen können, ist es eine Karte«, antwortete Artemis. »Und ihr seid ja schließlich hier.«

»Waren die Kletterranken auch von Ihnen?«, fragte Tilly.

»Die Kletterranken?«, fragte Artemis verwirrt.

»Als wir in Washington waren, kam plötzlich ein Teil aus *Ein Sommernachtstraum* aus dem Buch und hat uns hineingezogen«, erklärte Oskar.

»Dieses Grünzeug hat sich um meinen Knöchel geschlungen, genau wie früher schon mal im Buchladen«, fügte Tilly hinzu.

»Also, das bin ich sicher nicht gewesen«, erklärte Artemis. »Das ist ganz und gar nicht meine Art.«

»Wenn Sie es nicht waren, wer war es denn dann?«, fragte Oskar.

»Vielleicht…«, begann Artemis. »Ich habe da eine Theorie«, fuhr sie fort, »doch vielleicht muss ich euch etwas mehr über das Archiv erzählen, bevor es Sinn für euch ergibt.«

»Einverstanden«, sagte Tilly. Was blieb ihnen auch anderes übrig? »Entschuldigung, ich will ja nicht unhöflich sein«, fuhr sie fort, »aber Sie haben noch nicht die Frage beantwortet, warum wir eigentlich hier sind. Dass Sie Horatio brauchen, um diese verschollenen Bücher wiederzufinden, ist verständlich, aber wo kommen wir dabei ins Spiel? Hat es etwas mit dem zu tun, was zurzeit in der Underlibrary vor sich geht? Deshalb sind wir nämlich gekommen.«

»Was geht denn in eurer Underlibrary vor?«, fragte Artemis, und Tilly dachte, sie höre nicht richtig. Wozu waren sie denn hier, wenn es nicht darum ging, die Sache in der British Underlibrary wieder in Ordnung zu bringen?

»Das… das wissen Sie nicht?« Oskar war völlig baff.

»Leider nein. Kommen da etwa auch Bücher abhanden? Das wäre ja höchstinteressant.«

»Wer weiß«, sagte Tilly, die zunehmend frustrierter wurde. »Auf jeden Fall haben da schreckliche Leute das Sagen, die sich ihre Positionen auf ganz gemeine Weise erschlichen haben. Und sie benutzen Buchmagie, um ihre Macht zu behalten. Sie hindern die Menschen am Buchwandeln!«

»Ah, das ergibt Sinn.« Artemis nickte. »Ich habe mich schon gefragt, warum das kaum noch jemand macht.«

»Genau das ist das Problem«, sagte Tilly. »Aus diesem Grund sind wir hier. Damit Sie uns helfen. Ich dachte, deshalb haben Sie mir diese Gegenstände geschickt!«

Artemis wurde nachdenklich. »Nein. Aber offensichtlich ist unser Problem vielschichtiger, als ich dachte. Wann genau haben denn die Underwoods die Leitung der Underlibrary übernommen?«

»Kurz vor Weihnachten«, antwortete Tilly.

»Hm. Also kurz bevor es anfing, dass in größerem Ausmaß Bücher verschwanden«, stellte Artemis fest. »Ihr müsst mir etwas mehr darüber erzählen.«

»Ich verstehe immer noch nicht, wieso Sie nichts darüber wissen. Dass wir nicht mehr buchwandeln, wissen Sie doch auch.«

»Warum das so ist, versteht ihr, glaube ich, am besten, wenn ich es euch zeige«, sagte Artemis, sichtlich ungerührt von Tillys Verzweiflung.

»Kommt

mit.«

28

Aus Fantasie gemacht

Tilly und Oskar standen auf und folgten Artemis durch eine Tür. Sie führte die beiden einen langen Korridor entlang zu einer großen weißen Flügeltür. Als Artemis sie aufschob, erblickten sie nichts als strahlendes Weiß, so blendend hell, dass sie blinzeln mussten. Als sich ihre Augen an die Helligkeit gewöhnt hatten, wurde nach und nach ein Raum sichtbar. Er war fensterlos, hatte hohe Decken und stand voller Regale mit dicken, weiß gebundenen Büchern. Der Boden war mit weiß getünchten Dielen ausgelegt, und bis auf Bücherregale war der Raum leer. Trotz der fehlenden Farbe strahlte er eine gewisse Wärme und Freundlichkeit aus, als wollte er sie einladen einzutreten.

»Willkommen im Archiv«, sagte Artemis und lächelte.

»Was genau wird denn hier archiviert?«, wollte Tilly wissen.

»In diesem Saal findet ihr die Historie jedes einzelnen Buchwandlers, seit der Gründung des Archivs«, erklärte Artemis.

»Was meinen Sie mit *Historie*?«, fragte Oskar.

»Aufzeichnungen über jeden Zeitpunkt, an dem sich ein Buchwandler in ein Buch hineinliest«, erklärte Artemis. »So habe ich erfahren, dass ihr beide in letzter Zeit nicht mehr buchgewandelt seid.«

»Aber wie?«, fragte Tilly. »Wie konnten Sie das wissen?«

»Nicht ich,« antwortete Artemis, »das Archiv wusste es. Dieser Ort hier besteht aus Magie, aus derselben Buchmagie, die ihr jedes Mal benutzt, wenn ihr buchwandelt. Sämtliche Magie stammt aus derselben Quelle, deshalb kann das Archiv sehen, auf welche Weise ihr sie benutzt, und zeichnet das hier auf.«

»Dann haben Tilly und ich hier jeder ein eigenes Buch?«, fragte Oskar fassungslos. »Können wir sie mal sehen?«

»Eigentlich ist es mir nicht erlaubt, Buchwandlern ihre Akte zu zeigen«, antwortete Artemis. »Aber angesichts der Umstände kann ich vielleicht mal eine Ausnahme machen. Damit ihr das Ganze ein bisschen besser versteht. Außerdem kann ich euch noch ein bisschen mehr über die Entstehungsgeschichte des Archivs erzählen.«

Artemis ging vorweg an den langen Regalreihen entlang.

»Der Legende nach war der allererste Archivar ein Buchwandler, der dem Tod entkommen wollte«, begann sie mit ihrer leisen, sanften Stimme. »Nicht aus den Gründen, die man normalerweise annehmen würde, sondern weil ihn der Gedanke an all die Bücher quälte, die er nicht mehr lesen könnte, wenn er starb. Also fing er an, sich immer tiefer in die Geschichten hineinzulesen – in Geschichten innerhalb von Geschichten, in Bücher innerhalb von Büchern. Es war ihm egal, ob er jemals den Rückweg finden würde – er wollte für immer dort bleiben. Er schuf einen abgeschlossenen Raum innerhalb der Geschichtenwelt und sandte seinen Freunden Nachrichten, damit auch sie den Weg dorthin finden konnten, falls sie es wünschten. Es entstand ein Ort des Schreibens und Lesens und des geistigen Austauschs, der nach und nach immer mehr von der Magie der Bücher, der Geschichten und der Fantasie erfüllt wurde.

»Erfüllt?«, fragte Tilly. »Was soll das heißen?«

»Magie zieht Magie an, will ich damit sagen. Und die durchdrang mit der Zeit den ganzen Ort, bis sie irgendwann zu seinen Grundfesten gehörte.«

»Dann besteht das Archiv also aus Magie?«, fragte Oskar.

»Ja – es ist aus Fantasie gemacht«, antwortete Artemis. »Und Fantasie ist reine Magie. So kam es, dass die Menschen, die hier lebten und arbeiteten, mit dieser Magie experimentieren konnten, und zwar außerhalb der normalen Grenzen von Raum und Zeit. Und eine ihrer Errungenschaften bestand darin, die Magie in diese Verzeichnisse zu leiten und so alle Abenteuer von Buchwandlern in Vergangenheit, Gegenwart und Zukunft archivieren zu können. Und so wurde der Zufluchtsort des Mannes als das *Archiv* bekannt. Eine ständig aktualisierte Aktensammlung des gesamten Buchwandelns.«

»Aber heißt das nicht, dass Sie immer genau wissen, wo jeder Buchwandler gerade ist?«, fragte Tilly.

»Nein. Wir wissen nur, wohin jemand gerade wandelt – das Archiv kann euch nur sehen, wenn ihr in den Geschichten seid. Niemand soll bei seinem täglichen Leben beobachtet werden – das ginge gar nicht, selbst wenn das Archiv es wollte. Während ihr hier seid, kann es euch natürlich sehen, und seit ihr die Bibliothek von Alexandria erreicht hattet, konnte ich euren Weg verfolgen.«

»Sind die Leute, die diese Verzeichnisse erfunden haben, denn noch hier?«, fragte Tilly.

»Nein«, antwortete Artemis. »Der Gründer stammte nicht aus der Welt der Geschichten, und irgendwann hat die reale Welt ihn gefunden und zurückgefordert, und er starb. Aber das Archiv war von Dauer – in seinen Grundfesten befindet sich genug Magie, um bis heute weiterzubestehen. Als Leser oder Autor ist man Teil einer immerwährenden Reihe von Geschichten, die von Freunden an Freunde, von Großeltern an Enkel oder von Bibliothekaren an Leser weitergegeben werden. Doch seit einiger Zeit zehrt etwas an dieser Magie, irgendetwas unterbricht diese Kette, und die Fundamente des Archivs beginnen zu bröckeln, als wäre nicht mehr genug Fantasie vorhanden, um ihr Kraft zu geben. Ah…«, sie hielt inne, »…da sind wir.«

Artemis blieb vor einem Regal stehen, das genauso aussah wie die anderen. Auf den Rücken sämtlicher Bände darin waren das goldene Labyrinth und eine lange Ziffernfolge eingeprägt. Artemis zog einen davon heraus und schlug ihn auf. Fasziniert beobachteten Tilly und Oskar, wie vor ihren Augen – wie von einer unsichtbaren Feder geschrieben – plötzlich Wörter erschienen.

Die Buchgelehrte zeigt Matilda ihr Verzeichnis im Archiv, war da zu lesen.

»Es weiß, dass ich hier bin?«, fragte Tilly entgeistert.

Matilda erkundigt sich nach der Funktionsweise des Archivs, schrieb das Buch, *und bezweifelt seine Kenntnis über ihre Anwesenheit.* Daraufhin begann das Buch ein Wort zu schreiben, das jedoch sofort wieder verschwand. Als wäre es wegradiert worden.

»Was wollte es sagen?«, fragte Tilly.

»Offenbar hast du gerade deine Meinung über etwas geändert«, antwortete Artemis belustigt und schlug das Register wieder zu.

»Das gefällt mir ganz und gar nicht«, sagte Oskar. »Es ist, als wäre das Buch uns einen Schritt voraus.«

»Darf ich sehen, was es in der Vergangenheit über mich geschrieben hat?«, fragte Tilly.

»Und kann ich meins mal sehen?«, bat Oskar.

»Leider nein«, antwortete Artemis. »Wie schon gesagt, ich darf euch eure Verzeichnisse eigentlich gar nicht zeigen, aber ihr solltet einen Eindruck davon bekommen, was ich normalerweise sehen kann.«

»Das Ding wusste schon vor mir, was ich tun wollte!«, rief Tilly.

»Nicht ganz.«

»Und wie kommt es dann, dass Sie nichts von den Underwoods wissen?«, fragte Tilly. »Gibt es über die denn keine Aufzeichnungen?«

»Doch, gibt es«, antwortete Artemis. »Aber das Archiv hat eine Schwachstelle. Es wird nicht übermittelt, auf welche Weise in den Unterbibliotheken Buchmagie genutzt wird – ob zum Buchwandeln oder für einen anderen Zweck.«

»Warum nicht?«, fragte Oskar. »Das wäre auf jeden Fall sinnvoll.«

»Das wäre es allerdings«, antwortete Artemis. »Die Unterbibliotheken haben allerdings schon vor langer Zeit beschlossen, eine große Menge Buchmagie zu verwenden, um sich darin einzuhüllen, und das Archiv kann nichts aufzeichnen, was hinter diesem Schutzschild passiert.«

»Und warum haben sie das gemacht?«, fragte Tilly.

»Weil sie nicht wollten, dass wir uns einmischen«, erklärte Artemis. »Früher zogen die Bestände des Archivs einmal viele Buchwandler an – sie suchten hier Hilfe und Rat und Handlungsempfehlungen. Wir standen als neutrale Instanz über den Interessen und Machtstrategien unterschiedlicher Länder, aber unsere Position ging den Unterbibliotheken zunehmend gegen den Strich. Sie wollten ungestört ihre eigenen Pläne umsetzen, auch wenn sie da-

205

mit Geschichten oder Buchwandlern Schaden zufügten. Und sie wollten keine Beweise für ihr Tun. Seht hier.«

Sie schlug noch einmal Tillys Verzeichnis auf und suchte eine andere Seite heraus. Dort wurde geschildert, wie Tilly und Oskar an den Rand von *Alice im Wunderland* und dann in die Nachsatzblätter gewandelt waren. Am Ende stand da: *Als halb erfundene Figur wurde Matilda zusammen mit Oskar Roux aus den Nachsatzblättern zurück in die British Underlibrary katapultiert.*

Damit hörte die Beschreibung auf, und die Einträge wurden erst fortgesetzt, als Tilly später in *Sara, die kleine Prinzessin* gewandelt war, um ihre Mutter zu retten.

»Dann… wissen Sie also, dass ich halb erfunden bin«, stellte Tilly fest. »Natürlich wissen Sie das.«

»Aber ja«, antwortete Artemis freundlich. »Ich habe, so gut ich konnte, mitverfolgt, wie dein Buchwandelkönnen sich ausgebildet hat, und ich habe dir auch die Gegenstände geschickt; in der Hoffnung, deine Fähigkeiten könnten mir helfen herauszufinden, warum im Archiv die Magie verloren geht und ob es etwas mit den verschwundenen Büchern zu tun hat. Und um auf deine Frage von vorhin zurückzukommen: Ich habe euch doch gesagt, dass der Gründer des Archivs nicht aus der Welt der Geschichten stammte und deshalb von der realen Welt zurückgefordert wurde, wisst ihr noch? Mit dir ist es vielleicht genau andersherum, Tilly. Die Welt der Geschichten versucht, dich irgendwie zurückzuholen. Daher die Kletterpflanzen.«

»Was?«

»Du bist halb erfunden – stammst also zur Hälfte aus der Geschichtenwelt. Und ich vermute, die will dich ganz für sich beanspruchen.«

Tilly starrte Artemis an. »Aber warum gerade jetzt?«, fragte sie entsetzt.

»Du tust praktisch schon, seit du erfahren hast, dass du eine Buchwandlerin bist, deine Anwesenheit kund. Und deine Reise durch mehrere Ebenen von Geschichten hat dich noch deutlicher sichtbar gemacht«, antwortete Artemis. »Es tut mir leid, wenn mein Wunsch, dich hierzuhaben, die Sache womöglich noch verschlimmert hat. Es könnte auch mit den immer häufiger auftretenden Rissen in den Geschichten zu tun haben. Immerhin wird die fiktionale Welt gerade in ihren Grundfesten erschüttert. Vielleicht beruhigt sich das Ganze, sobald wir das in Ordnung gebracht haben. Noch ein Grund mehr, das Rätsel möglichst schnell zu lösen.«

»Sie haben gesagt, dass der allererste Archivar nicht mehr hier ist«, sagte Oskar. »Also gibt es hier außer Ihnen noch andere Archivare?«

»Natürlich«, antwortete Artemis. »Und ich glaube, es wird Zeit, dass ihr ein paar von ihnen kennenlernt.«

Artemis schob Tillys Verzeichnis sorgfältig wieder ins Regal. Dann gingen die drei durch den strahlend weißen Saal zurück zur Eingangshalle, die im Vergleich düster und verstaubt wirkte. Als sie die Haupttreppe hinaufstiegen, krachte Artemis' Fuß einmal durch das morsche Holz, doch sie zog ihn einfach wieder heraus und lief weiter.

»Gebt acht, wo ihr hintretet«, warnte sie ihre beiden Besucher über die Schulter hinweg.

»Total abgefahren, dieser Ort«, flüsterte Oskar Tilly zu.

»Stimmt«, raunte Tilly. »Keine Ahnung, was ich erwartet habe, aber sicher nicht das.«

»Ich weiß allerdings nicht, wo sich die Archivare den ganzen Tag aufhalten«, fuhr Artemis fort. »Und die meisten hatten schon sehr lange keinen Besuch mehr. Vielleicht finden wir jemanden in der Bibliothek. Wollen wir mal nachsehen?«

Sie deutete auf eine Tür, neben der akkurat ein hölzernes Schild mit der Aufschrift **Bibliothek** angebracht war. Daneben blühte schon der Schimmel an der Wand. Artemis öffnete die Tür, und sie betraten eine wunderschöne Bibliothek, die auf den ersten Blick wie der perfekte Ort zum Lesen und Entspannen wirkte. Wären da nicht die beiden Männer gewesen, die in der Mitte des Raumes standen und sich anschrien. Einer von ihnen trug ein lockeres Hemd, das er in seine knielange Samthose gesteckt hatte, und dazu Kniestrümpfe. Er hatte ziemlich lange Haare und einen Ohrring. Der andere hatte die dunklen Haare streng gescheitelt nach unten gekämmt, war mit einem schmal geschnittenen Anzug bekleidet und hielt ein Glas Champagner in der Hand.

»Du hörst EINFACH NICHT ZU, Will, alter Sports-

freund!«, rief der Mann im Anzug mit starkem amerikanischen Akzent. Als er die Stimme hob, schwappte ein bisschen Champagner aus seinem Glas.

»Nein, du bist hier derjenige, der nicht zuhört!«, brüllte
Will.

»Wenn du weiter den Ahnungslosen spielst, muss ich annehmen, du willst mich mit Absicht kränken.«

»Mensch, du kannst froh sein, dass ich mich überhaupt
mit dir abgebe«, entgegnete der Amerikaner. »Du über-
schätzt eindeutig die Menge an Zeit, die ich damit ver-
bringe, über deine Gefühle nachzudenken.«

»Nein, nur ein Narr würde das tun«, erwiderte Will.

»Aber du bist ständig auf der Suche nach Ablenkung. Wenn du der Gentleman wärst, der du vorgibst zu sein, würdest du langsam zugeben, dass du es warst, du ganz allein, der meine gute Halskrause in den Fischteich geworfen hat.«

»Nichts dergleichen werde ich tun, Sportsfreund«, sagte der Amerikaner. »Ich war es nämlich nicht!«

Artemis hüstelte, woraufhin die beiden Männer die Neuankömmlinge bemerkten.

»Beruhigen Sie sich, Gentlemen«, sagte Artemis. »Wir haben Gäste. Also, Tilly, Oskar, darf ich vorstellen: Scott Fitzgerald und William Shakespeare, zwei unserer Archivare.«

29

Ungelesene Geschichten

Ist das vielleicht alles irgendein abgefahrener, wirrer Scherz?«, fragte Oskar Tilly ungläubig. »Hat sie wirklich gerade gesagt, das wäre William Shakespeare?«

»Junger Herr«, sagte Will. Er kam auf sie zu und verbeugte sich tief. »Ich habe wahrhaft häufig das Gefühl, unter dem eigentümlichen Humor eines anderen zu leiden, aber ich versichere euch beiden, dass wir sind, wer wir behaupten zu sein. Schriftsteller in einem solchen Fegefeuer einzukerkern, widerspricht allem, was mir als englischem Gentleman lieb und teuer ist. Stellt euch nur vor! Ich lag auf meinem Sterbebett, wartete darauf, das Zeitliche zu segnen, und siehe da! Ich erwache hier. Mit nichts als Männern wie diesem als Gesellschaft«, jammerte er und deutete auf Scott, der hinter seinem Rücken die Augen verdrehte. »Im Vergleich zu dem, was ich erdulden musste, befindet er sich erst eine verschwindend kurze Zeit im Archiv und hat folglich keine Entschuldigung für sein scheußliches Verhalten.«

»Wie lange sind Sie denn schon hier?«, fragte Tilly.

»Es müssen bald vierhundert Jahre sein«, antwortete Will matt. »Bei all dem Verlangen nach einem Zeitvertreib verliert man jegliches Zeitgefühl.«

»Sollten Sie nicht dem Buchwandeln helfen?«, fragte Tilly leise. »Das hat man uns jedenfalls glauben gemacht.«

»In der Tat haben wir denjenigen, die unsere Hilfe suchten, eine Zeit lang zur Seite gestanden«, antwortete Will. »Aber ich befürchte, unsere wahre Bestimmung verliert sich in der Legende. Ich weiß, dass die gute Lady Artemis das Archiv hütet, aber von welchem Nutzen es für uns ist, erschließt sich mir nicht, denn niemand kommt mehr, um es zu konsultieren. Einen Saal voll ungelesener Geschichten, ohne Zustimmung der darin Handelnden gesammelt. Früher haben wir allen gerne geholfen, die im Dienste des geschriebenen Wortes tätig waren. Wir haben jene, die zu schreiben, zu lesen und zu forschen wünschten, eingeladen, es gemeinsam mit uns zu tun, den größten Geistern unserer jeweiligen Zeit. Doch die Möglichkeiten unserer Unterstützung waren irgendwann erschöpft, unsere Beweggründe wurden infrage gestellt, und wenn diejenigen, die noch leben, das weiter in Torheit tun – wozu sie verdammt sind – wer sind wir dann, das zerbrochene Porzellan wieder zusammenzusetzen?«

»Wenn ich gewusst hätte, was mich hier erwartet«, schaltete Scott sich ein, »dann hätte ich mir mehr Mühe gegeben, am Leben zu bleiben, das steht fest. Als ich noch lebte, wollte ich, dass jeder meinen Namen kennt, aber hätte ich gewusst, was mir als Schriftsteller bevorsteht, hätte ich wahrscheinlich einen anderen Beruf gewählt.«

»Was das betrifft, sind wir uns einig«, sagte Will.

»Aber die Menschen lieben Ihre Werke!«, wandte Tilly ein. Sie erschrak bei der Vorstellung von einer Welt ohne *Der große Gatsby* oder *Romeo und Julia.*

»Ach, du schmeichelst mir, Kind«, sagte Will sichtlich erfreut über das Lob. »Doch welchen Wert haben Geschichten, wenn am Ende alles zu Staub zerfällt? Du schreibst etwas, und die Leute applaudieren. Es ist allerdings gefährlich zu glauben, es läge ihnen etwas daran. Als ich noch lebte, dachte ich, Geschichten könnten Berge versetzen. Aber die Welt wird sich nicht ändern, sosehr wir es uns auch wünschen. Was sind Bücher oder Theaterstücke oder Sonette schon mehr als ein paar Stunden unbedeutendes Vergnügen im Tausch gegen einen kurzen Moment des Vergessens?«

»Wohlgesprochen, Sportsfreund«, sagte Scott und erhob sein fast leeres Champagnerglas.

»Gnädige Frau«, wandte Will sich an Artemis, »wenn Ihr zufällig Jane oder Charles trefft, würdet Ihr ihnen sagen, dass ich ihre Gesellschaft suche. Ich habe genug von Amerikanern.«

Die beiden Männer begannen wieder zu streiten, doch Artemis unterbrach sie.

»Will, ich hatte gehofft, du könntest mit Tilly und Oskar eine kurze Führung durch das Archiv machen. Ich hatte etwas mehr Begeisterung darüber erwartet, ein paar fremde Menschen zu sehen; es ist schließlich schon lange her, dass wir Besucher hatten. Und, wie du gerade selbst angemerkt hast, könntest du ein bisschen andere Gesellschaft gut brauchen. Warum machst du dich nicht auf den Weg und schaust, ob du Jane oder Charles selbst findest, und nimmst Tilly und Oskar mit?

»Soll ich jetzt etwa auch noch Kindermädchen spielen?«, protestierte Will.

»Tilly und Oskar sind sehr nette junge Leute, und sie haben eine weite Reise auf sich genommen, um unseren Rat zu suchen«, antwortete Artemis. »Wenn du jetzt nicht mit ihnen sprechen willst, beklage dich in Zukunft nicht mehr über Langeweile oder über deine fehlende Aufgabe hier.«

»Na schön«, sagte Will. »Und sei es nur, um mich etwas von diesem »*alten Sportsfreund*« zu erholen.«

»Großartig, dann lasse ich euch drei mal allein. Will, wenn du sie zurück in den Empfangsraum bringen würdest, sobald ihr fertig seid. Ich treffe euch dort«, sagte Artemis und verschwand.

»Wahrscheinlich wird es nur ein sehr kurzer Rundgang«, erklärte Will gelangweilt. »Denn hier gibt es wenig Interessantes zu sehen.«

Tilly hatte den Besuch in der Bibliothek von Alexandria schon für etwas Außergewöhnliches gehalten, doch der war noch vom Herumspazieren in einem Wald aus Papier übertroffen worden, was im Vergleich zu ihrer anschließenden Bahnreise durch Geschichten wiederum plötzlich relativ normal erschienen war. Und nun wurden sie von William Shakespeare persönlich durch ein Archiv geführt!

»Ich muss mich entschuldigen«, sagte Will, während sie einen Gang entlangliefen. »Ihr hattet sicher einen schlechten Eindruck von mir. Es ist schon sehr lange her, dass wir Gäste hatten, und dieser Amerikaner hat mir wirklich zugesetzt. Als er hier ankam, waren wir enge Freunde, aber das verging, und nun erweckt alles, was er sagt, in mir den Wunsch, mich hinter meiner unglückseligen Halskrause her in den Fischteich zu werfen.« Will strich teilnahmslos mit den Fingern über die Wand und schlurfte beim Gehen. Er wirkte eher wie ein trotziger Teenager und nicht wie einer der berühmtesten Stückeschreiber der Welt.

»Wer wählt eigentlich die Schriftsteller aus, die hier Archivare werden?«, fragte Tilly, um herauszufinden, wie das Ganze funktionierte und was die Archivare vielleicht tun konnten, um ihnen zu helfen.

»Ach, das ist mir ein Rätsel«, antwortete Will betrübt. »Vermutlich werden diejenigen von uns, die zu Lebzeiten glaubten, Herz und Verstand ihres Publikums zu besitzen, jetzt dafür verhöhnt. Lady Artemis sagt, dafür sei kein menschliches Wesen verantwortlich, sondern diese Ruhestätte der Fantasie selbst ziehe uns an – dieselbe Energie, die dieses vermaledeite Archiv unten erschuf. Sie tut so, als müsste man es als Ehre empfinden, hier sein zu dürfen, und ich gebe zu, dass es in zurückliegenden Jahren auch Zeiten großer Freude und Inspiration gab; mit Gästen, Veranstaltungen, Maskenspielen und Bällen.«

»Warum ist das denn anders geworden?«, fragte Tilly.

»Schwer zu sagen. Es passierte einfach nach und nach«, antwortete Will. »Aber manch einer erwartete von uns, dass wir alle Missstände der Welt beseitigten, und wollte nicht einsehen, dass Perfektion ein unerreichbares Ziel ist. Wir besaßen nicht die Macht, jedes Problem zu lösen, das uns vorgetragen wurde, und jene, die in Büchern wandeln, waren enttäuscht. Sie wurden wütend, denn sie suchten Macht und Gelegenheiten, nicht Weisheit und Trost.« Er sah Tilly und Oskar an. »Hat man euch eine Karte zugesandt?«

»Nicht direkt«, antwortete Tilly. »Aber so etwas Ähnliches. Wir haben einige Gegenstände bekommen, die uns hergeführt haben.«

»Wir hatten früher solchen Spaß dabei, diese Karten zu entwerfen«, erzählte Will. »Wir haben uns zusammengesetzt und die schönsten, kompliziertesten Exemplare gezeichnet, die man sich nur vorstellen kann. Und dann haben wir sie durch die Geschichten hinausgesandt, um den Buchwandlern den Weg hierher zu weisen. Doch je größer ihre Missgunst wurde, umso weniger Karten haben wir hergestellt und umso weniger von ihnen erlaubt, uns zu finden. Wir haben uns immer tiefer in die Geschichten zurückgezogen, bis wir nicht mehr in Büchern innerhalb von Büchern wohnten, sondern im Gewebe der Geschichten selbst. Und jetzt seht es euch an: Um uns herum fängt es an zu zerschleißen, und wir können nicht fort, aber hierbleiben können wir, fürchte ich, auch nicht.«

»Warum können Sie denn nicht weg?«, fragte Oskar.

»Über die Jahre haben einige liebe Freunde versucht fortzugehen«, erklärte Will. »Und trotz der Bitten derer, die schon wussten, was passieren würde, es nicht zu tun, mussten wir immer wieder mit ansehen, wie unsere Kameraden sich vor unseren Augen in Luft auflösten. Auf solch ein Schicksal kann ich verzichten, selbst wenn hierzubleiben die einzige Alternative ist. Ach ja … meine Freunde und Kameraden und dieses ganze Archiv zerfallen um uns herum zu Staub, und wir können nichts dagegen tun.« Er deutete auf einen Riss in der Wand. »Denn nicht einmal unsere Worte sind in der Lage, die Zerstörung der Fantasie zu verhindern.«

Der Riss war eigentlich gar nicht so groß. Will verpasste ihm einen Hieb mit der Faust, als wollte er seinem Schmerz mehr Ausdruck verleihen, und Tilly bemerkte, dass er etwas zufriedener wirkte, als lautlos ein Stückchen Putz von der Decke segelte, als wollte es seiner Aussage Nachdruck verleihen.

30

TINTENKLECKSE AUF DEN SEITEN DER GESCHICHTE

Woher kommt ihr?«, fragte Will, während er sie eine Wendeltreppe hinaufführte.

»Wir wohnen in London«, antwortete Oskar.

»Ach, wunderbare Zeiten habe ich in unserer schönen Hauptstadt erlebt«, schwärmte Will. »Wisst ihr, dass sie meine Stücke für Tausende spielten?«

»Ja, weil sie das immer noch ...«, begann Tilly.

»Und sogar Königin Elizabeth beehrte uns mit ihrer Anwesenheit«, fuhr Will fort und beachtete Tillys Antwort gar nicht. »Das waren Zeiten berauschender Freude, nach denen ich mich zurücksehne. Und jetzt muss ich hier vermodern, gefangen zwischen diesen zerbröckelnden Wänden.«

»Können Sie nicht mal mehr buchwandeln?«, fragte Oskar.

»Leider Gottes nein«, antwortete Will. »Es gibt überhaupt keinen Weg, diesen verfluchten Ort zu verlassen, außer in unserer Fantasie.«

»Dann sitzen Sie also einfach nur hier herum und streiten?«, fragte Tilly.

»Findest du etwa, ich sollte etwas anderes tun?« Will sah sie erstaunt an.

»Das finde ich allerdings«, antwortete Tilly und versuchte, forscher zu klingen, als sie sich fühlte. »Vor allem sollten Sie uns helfen. Wozu haben Sie uns sonst die Gegenstände geschickt?«

»Das war Lady Artemis«, antwortete Will. »Nicht ich. Wenn ich etwas zu sagen hätte … Ach da ist Jane. Ihr tätet gut daran, höflich und nett zu ihr zu sein, denn sie hat eine scharfe Zunge, und ich möchte nicht zwischen die Fronten geraten.«

Eine Frau in einem hübschen Empirekleid mit Blumenmuster kam über den Gang auf sie zu. Als sie sie erblickte, blieb sie stehen und machte einen Knicks.

»Jane«, sagte Will und neigte sich in eine kunstvolle Verbeugung. »Wie geht es dir? Ist heute nicht ein schöner Tag?«

»Bis eben war er das noch«, antwortete die Frau und seufzte.

»Ach Jane. Du und dein Witz«, sagte Will und wurde ein bisschen rot.

»Wenn du das witzig findest, werde ich wohl deine Stücke meiden«, antwortete sie. »Also, wer sind deine Gäste?«

»Ich heiße Tilly«, stellte Tilly sich vor.

»Und ich bin Oskar.«

»Mein Name ist Jane«, sagte die Frau. »Jane Austen.«

219

»Meine Mum ist ein großer Fan von Ihnen«. Tilly war ganz aufgeregt, weil Jane Austen so eine Berühmtheit war.

»Wie nett«, sagte Jane sichtlich erfreut. »Es ist doch immer schön zu hören, dass meine Bücher noch gelesen werden. Als ich noch lebte, wollte sich der Erfolg nicht richtig einstellen, aber ich bin froh, dass die Leute inzwischen Trost und Freude durch die Lektüre meiner Romane finden.«

»Ja, das tun sie bestimmt«, versicherte ihr Tilly.

»Miss Artemis weiß sehr viel über die Welt da draußen. Sie meint aber, es geziemt sich nicht, wissen zu wollen, wie unsere Werke heute ankommen«, fuhr Jane fort. »Ich teile ihre Bedenken allerdings nicht. Du etwa, Will?«

»Nein, nein«, antwortete Will. »Ganz und gar nicht.«

»Wenn ihr mich jetzt entschuldigen würdet«, sagte Jane. »Ich war gerade beim Französischüben, und Alexandre und ich haben eine Wette abgeschlossen, wie viel Whiskey Ernest heute wohl getrunken hat.« Und damit eilte sie davon.

»Ist sie nicht wunderbar?«, fragte Will und sah ihr nach. »Nun gut, ich sollte die anstehende Frage nicht länger hinausschieben. Vermutlich ist es der Grund, warum Lady Artemis mich gebeten hat, euch herumzuführen. Ihre Hintergedanken sind offensichtlicher, als sie glaubt. Wahrscheinlich wird mir die Frage später leidtun, aber ich stelle sie trotzdem. »Warum seid ihr gekommen? Sagt es mir. Bevor ihr antwortet, müsst ihr jedoch wissen, dass ich euch nicht helfen kann.«

»Es geht um die British Underlibrary«, begann Tilly.

»Diese schrecklichen Geschwister, die Underwoods, haben die Macht dort übernommen und sichern jetzt alle Bücher, damit kein Buchwandler mehr ohne ihre Erlaubnis hineinwandeln kann«, erzählte Oskar weiter.

»Und Kinder sollen überhaupt nicht mehr buchwandeln dürfen«, fügte Tilly hinzu.

»Die Menschheit hat schon Schlimmeres versucht«, sagte Will. »Und die Menschheit hat genau dasselbe immer wieder versucht – wo bleibt da die Fantasie? Immer geht es um Macht oder Unsterblichkeit.«

»Sie wollen beides«, sagte Oskar.

»Wie so oft.« Will nickte.

»Und was sollen wir jetzt tun?«, fragte Tilly.

»Ach, wenn ihr lange genug wartet, werden sie es leid, oder sie sterben irgendwann bei irgendeinem selbst erdachten Plan«, antwortete Will. »Im Archiv stehen Bände über Bände, in denen immer wieder von so etwas berichtet wird.«

»Aber was ist mit *jetzt*?«, fragte Tilly, die langsam eher wütend als enttäuscht war.

»Wir sind alle nichts als Tintenkleckse auf den Seiten der Geschichte«, antwortete Will. »Mit Ausnahme meiner Wenigkeit und den anderen hier natürlich. Und seht euch an, wohin das geführt hat. Auch das geht vorbei, ich verspreche es euch.«

»Tut mir leid,«, sagte Tilly. »Da muss ich euch höflichst widersprechen.«

»Ich auch«, sagte Oskar und verschränkte die Arme.

»Ich meine, das reicht einfach nicht«, fuhr Tilly fort. »Wo kämen wir denn da hin, wenn sich jeder nur zurücklehnen und ›Ach, auch das geht schon vorbei‹ sagen würde? Niemand hätte je etwas erfunden, wäre je irgendwohin gereist oder hätte je irgendetwas geschrieben. Haben Sie denn Ihre Stücke verfasst, weil Ihnen alles egal war?«

»Früher war mir nicht alles einerlei, Kind«, antwortete Will. »Das versichere ich dir. Aber wenn man sich für etwas einsetzt, erntet man Kummer und Schmerz. Inzwischen mache ich es mir einfacher.«

»Ich kann nicht glauben, dass der Mann, der *Ein Sommernachtstraum* geschrieben hat, ein ruhiges, ereignisloses Leben voller Gleichgültigkeit für die beste Option hält«, sagte Tilly.

»Bedeutet das Buchwandeln Ihnen überhaupt noch irgendwas?«, fragte Oskar. »Oder Menschen, die lesen? Die Underwoods wollen alles Gute aus den Geschichten stehlen und für sich selbst nutzen. Alle anderen sind ihnen egal. Ehrlich gesagt klingen sie so wie Sie, nur nicht so vornehm.«

Will zuckte mit den Schultern, schien jedoch ein bisschen aus der Fassung geraten zu sein. »Ihr könnt euch überhaupt nicht vorstellen, welche Qual es ist, hier seine Existenz zu fristen«, erklärte er. »Früher war ich einmal genauso wie ihr, von hochgesteckten Idealen angetrieben. Doch die wurden von denen zunichtegemacht, die diesen Ort besuchten. Hier in unserer Einsamkeit zu verharren, ist immer noch besser, als wieder in die Streitigkeiten und Auseinandersetzungen derjenigen verwickelt zu werden, deren Leben mit einem Wimpernschlag vorbei ist. Ich würde nicht einem Menschen glauben, der behauptete, nicht im eigenen Interesse zu handeln, und wenn er vor mir Rad schlagen würde. Euer Vertrauen ist wirklich ehrenwert, aber unangebracht.«

»Jetzt hören Sie mal zu«, sagte Tilly streng. »Wir sind nicht den ganzen Weg bis nach Amerika geflogen, zwei Mal aus einer brennenden Bibliothek geflohen, beinah in einem Papierwald oder einem Labyrinth verloren gegangen und als blinde Passagiere in einem magischen Zug mitgefahren, nur um uns von Ihnen sagen zu lassen, dass Ihnen alles egal ist und Sie uns nicht helfen wollen!«

»Etwas anderes kann ich euch nicht sagen«, erwiderte Will. »Und ihr werdet hier auch nichts finden, was euch ermutigt, nur weitere Archivare, die euch ebenfalls eine Absage erteilen. Und das will ich lieber nicht miterleben. Lasst uns also wieder zu Lady Artemis gehen. Soll sie euch selbst erklären, warum sie euch diese mühsame Reise ohne Hoffnung auf Erfolg hat unternehmen lassen. Vielleicht langweilt sie sich ebenso wie wir anderen und macht sich einen Spaß mit euch.« Er seufzte. »Tut mir leid, wirklich, aber es gibt nichts weiter dazu zu sagen, und ich verspüre keine Lust mehr, euch noch länger zu unterhalten.«

31

Das Gewebe der Geschichtenwelt

Shakespeare setzte Tilly und Oskar wieder in dem Zimmer mit dem Kamin – und den Keksen – ab, wo Artemis sie erwartete.

»Wie war euer Rundgang mit Will?«, fragte sie.

»Er weigert sich, uns zu helfen«, antwortete Tilly völlig entmutigt.

»Ach«, sagte Artemis. »Und ihr habt ihm erzählt, warum ihr hier seid?«

»Das, was wir darüber wissen«, antwortete Tilly. »Was allerdings nicht viel ist.«

»Wir dachten, das Archiv wäre dazu da, den Buchwandlern zu helfen«, sagte Oskar. »Aber es ist bloß eine verstaubte alte Bibliothek, die den Leuten nachspioniert und unnötig komplizierte Rätsel aufgibt, um sie zu finden.«

»Früher haben wir richtige Karten an die Buchwandler verschickt. Darauf waren einfach Wege durch Bücher in Büchern eingezeichnet, um zu uns zu gelangen.« Artemis seufzte. »Aber die Leute haben angefangen, damit zu handeln und Ausflüge hierher zu organisieren, um Zugang zum Archiv zu verlangen. Sie wollten die Einträge über ihre Feinde lesen; sie versuchten, Einsicht in ihre eigenen Einträge zu bekommen, um die Auswirkungen zu verhindern. Also haben wir mit der Zeit immer weniger Karten verschickt, und die meisten von denen, die es schon gab, sind inzwischen verschollen oder zerstört.«

»Und was machen wir jetzt?«, fragte Tilly. »Sie haben uns hergelotst, weil hier irgendwas mächtig schiefläuft und Bücher verschwinden. Sie haben Horatio gebeten, ihnen dabei zu helfen, diese Bücher wiederzufinden, das verstehe ich, aber was sollen wir hier?«

»Ich glaube, wir brauchen deine besonderen Fähigkeiten, Tilly«, antwortete Artemis. »Du bist in der Lage, Dinge aus den Büchern mit herauszubringen, in die du hineingewandelt bist. Das habe ich selbst überprüft, indem ich dir Sachen geschickt habe, die du aus Geschichten mitnehmen musstest. Wenn irgendwo Bücher versteckt werden, dann könnten deine Fähigkeiten gepaart mit Mr Bolts Talent, verschollene Bücher aufzuspüren, die Lösung für unser Problem sein.«

»Dann glauben Sie also, die Bücher sind in *anderen* Büchern versteckt?«, fragte Oskar.

»Genau«, antwortete Artemis. »Ich kann zwar nicht in die Unterbibliotheken schauen, aber wenn sie dort wären, entstünde nicht dieses ganze Chaos. Dann würden sie nicht das Gewebe der Geschichtenwelt zerschleißen. Sie müssen irgendwo tiefer im Verborgenen sein, so tief, dass sie praktisch nicht mehr existieren. Sonst würde die Fantasiewelt nicht in diesem Ausmaß in Mitleidenschaft gezogen.«

Einige Puzzleteile fügten sich vor Tillys innerem Auge zusammen. »Wenn aus irgendeinem Grund die Welt der Fantasie zerstört wird, könnte das der Grund dafür sein, dass die Leute weniger Bücher bei Pages & Co. kaufen, stimmt's?«

»Ja, durchaus.« Artemis nickte. »Wenn der Welt die Fantasie genommen wird, interessieren sich die Menschen nicht mehr für Geschichten und wissen noch nicht einmal, warum.«

»Und wenn ein Buch verschwindet, kann es passieren, dass jemand es komplett vergisst?«, überlegte Tilly laut weiter und dachte dabei an den Mann, der in den Buchladen gekommen war und nicht mehr wusste, nach welchem Buch er eigentlich suchte.

»Ja, im Grunde schon«, antwortete Artemis. »Es ist zwar nicht wissenschaftlich belegt, und es hängt sicher davon ab, wo diese Bücher versteckt sind, aber wenn sie dem Austausch zwischen Autor und Leser entzogen werden, ist es beinah, als wären sie nie geschrieben worden. Und jegliche Wirkung, die sie auf eine Person oder die Allgemeinheit gehabt hätten, wäre ebenfalls futsch.«

»Dann haben Sie uns hergeholt, damit wir *Ihnen* helfen, und nicht umgekehrt?«, fragte Tilly. »Wenn dabei auch das Problem mit den Underwoods gelöst wird, ist es bloß ein netter Nebeneffekt?«

»Aus dem, was ihr mir erzählt habt, schließe ich, dass das alles irgendwie zusammenhängt«, antwortete Artemis. »Es geht also eher darum, dass wir uns gegenseitig helfen. Es wäre mir jedenfalls lieber, wenn die Underlibrary nicht von solchen Leuten wie den Underwoods geleitet würde, wie angespannt unser Verhältnis zu dieser Institution auch sein mag. Wir stehen also auf derselben Seite, versprochen.«

»Kennt Horatio Ihren Plan?«, fragte Tilly, die sich ziemlich unwohl bei dem Gedanken fühlte, Milos Onkel vertrauen zu müssen.

»Den größten Teil davon, ja«, antwortete Artemis. »Was diese Underwood-Geschwister und die Vorgänge in der British Underlibrary betrifft, wird er wahrscheinlich die gleichen Wissenslücken haben wie ich. Und ich glaube, es wird Zeit, diese zu schließen, wenn ...«

In dem Moment wurde sie von Horatio unterbrochen, der, ohne anzuklopfen, ins Zimmer stürmte – gefolgt von einem etwas verwirrt aussehenden Will.

»Ehrenwerte Lady«, sagte Will, »dieser Gentleman aus dem Zug sagt, er müsse Euch sofort sprechen. Ich bat ihn, seine Manieren nicht zu vergessen, doch er sagte, er besäße keine.«

»Kein Problem«, sagte Artemis. »Wir wollten sowieso gerade nach Mr. Bolt suchen, weil es Zeit wird, einen Plan zu fassen. Tilly und Oskar haben mir erzählt, dass du uns nicht unterstützen wirst, Will. Daher steht es dir frei, jetzt zu gehen.«

»Wahrscheinlich ist es klüger, hierzubleiben und aufzu-
passen, dass dieser Herr nicht noch mehr Ungemach an-
richtet«, sagte Will.

»Wie du wünschst.« Artemis lächelte. »Tilly und Oskar,
wenn ihr einverstanden seid, bringe ich Mr Bolt auf den
neuesten Stand, ja?«

Tilly traute Horatio Bolt nicht über den Weg. Er wirkte
grob und unfreundlich, und es gefiel ihr nicht, wie er mit
Milo gesprochen hatte. Ein kurzer Blick zu Oskar sagte
ihr, dass er dasselbe dachte. Doch das konnte sie natürlich
vor Horatio nicht laut aussprechen, und wenn Artemis das
Gefühl hatte, er könnte ihnen helfen, die verschollenen
Bücher zu finden und die Underwoods aufzuhalten, dann
blieb ihr wohl keine Wahl. Sie nickte schulterzuckend.

Artemis wiederholte, was sie über die Vorgänge in der
Underlibrary erfahren hatte, und hielt dabei gelegentlich
kurz inne, um Tilly und Oskar nach weiteren Einzelheiten
zu fragen. Horatio hörte zu und nickte, sagte aber nichts.

»Nun, Mr Bolt«, schloss die Buchgelehrte dann, »ich
habe Sie bereits beauftragt, einige dieser Bücher zu suchen. Und wie bereits alle wissen, gehe ich davon aus, dass
die Bände entgegen aller Regeln der Geschichtenwelt irgendwo versteckt werden. Das ist der Grund dafür, dass
sämtliche Ausgaben dieser Werke ebenfalls verschwinden, dass das Archiv um uns herum zusammenfällt und
dass die Grundfesten der Geschichtenwelt selbst in Gefahr sind.

Die verschollenen Bücher sind entscheidend. Wenn wir sie finden, wird sich alles klären, da bin ich mir sicher.«

»So interessant Ihre Theorien auch sind«, sagte Horatio, »sie ändern nichts an der Sachlage. Ich habe Ihren Auftrag bereits angenommen, Sie haben Ihre Anzahlung geleistet, ich suche die Bücher. Warum erzählen Sie mir das noch alles?«

»Dazu komme ich jetzt, Mr Bolt«, fuhr Artemis fort. »Wie ich schon dargelegt habe, hat es ernste Auswirkungen, wenn man seltene Bücher dem Austausch zwischen Autor und Leser entzieht. Was Sie noch nicht wissen, Mr Bolt, ist, auf welche Weise Tilly uns behilflich sein kann. Sie besitzt einige ganz außergewöhnliche Fähigkeiten. Zum Beispiel hat sie festgestellt, dass sie in der Lage ist, Gegenstände aus Büchern mit herauszunehmen. Gemeinsam werden Sie beide die verschollenen Bände finden und wieder zurückbringen können, davon bin ich überzeugt. Ich wünschte, ich könnte Sie begleiten, aber ich kann das Archiv nicht verlassen.«

Will seufzte unüberhörbar im Hintergrund. Er hatte demonstrativ die verschiedenen Gemälde inspiziert, doch die kahle Stelle an der Wand, vor der er jetzt stand, offenbarte, dass seine Aufmerksamkeit eigentlich der Unterhaltung galt.

Horatio indessen sah Tilly nun deutlich interessierter an als vorher. »Du kannst Gegenstände mit aus Büchern herausbringen, die du vorher nicht mit hineingenommen

hast?«, fragte er, worauf Tilly nickte. »Ein ganz außergewöhnliches Talent, Mädchen. Wo hast du das gelernt?«

»Das tut jetzt nichts zur Sache«, sagte Artemis, und Tilly
war froh, dass sie nicht alle ihre Geheimnisse preisgab.

»Verstehe«, sagte Horatio. »Und Bücher sind das Einzige, was sie stehlen kann?«

»Ich *stehle* nicht«, erwiderte Tilly empört. »Und nein.
Ich habe auch schon … andere Sachen mitgenommen. Ver-
schiedenes.«

»Funktioniert das vielleicht auch mit Menschen?« Will
gab es jetzt ganz auf, vorzutäuschen, er würde nicht zuhö-
ren.

»Keine Ahnung«, antwortete Tilly. »Das habe ich noch
nie versucht.«

»Verstehe«, sagte Will und strich sich nachdenklich über
seinen Spitzbart.

»Na schön, wir können herausfinden, was du kannst
und was nicht, wenn es so weit ist«, sagte Horatio. »Falls
man dir trauen kann.«

»Unverschämtheit!«, rief Tilly. »Wer sagt uns denn, ob
wir *Ihnen* trauen können?«

»Ich bin der vertrauenswürdigste Mensch überhaupt für
diese Aufgabe«, erwiderte Horatio, »weil mich das alles
nicht interessiert. Ich erledige meinen Job, ich erziele Er-
gebnisse, ich werde bezahlt, und Ms… Ms…«

»Nennen Sie mich ruhig Artemis«, sagte Artemis. »Oder
Buchgelehrte.«

»Wie auch immer«, fuhr Horatio fort. »Diese Lady hier hat Vereinbarungen mit mir getroffen, die beweisen, dass man mir trauen kann. Könnt ihr dasselbe von euch sagen?«

»Wir werden jedenfalls nicht bezahlt«, erklärte Oskar. »Wir tun das, weil es das Richtige ist.«

»Das denkt fast jeder von sich«, erwiderte Horatio abfällig. »Mit solchen Leuten zusammenzuarbeiten, birgt meiner Erfahrung nach die größten Gefahren. Aber fürs Erste sollten wir wahrscheinlich übereinkommen, miteinander auszukommen, was?« Er streckte ihnen die Hand hin.

Eine andere Wahl hatten sie nicht, und eine andere Möglichkeit, nach Hause zu kommen, auch nicht. Also ergriff Tilly die Hand und schüttelte sie, und Oskar tat dasselbe.

»Das wäre also geklärt«, sagte Horatio.

»Die Frage, die sich mir langsam stellt«, sagte Will und näherte sich den anderen, »ist, wie Sie überhaupt Ihren Weg hierher gefunden haben, Sir?«

»Genauso wie alle anderen Besucher hier auch«, antwortete Horatio. »Ich habe eine Karte gefunden, beziehungsweise jemand hat sie mir verkauft. Aus Neugier, wohin sie wohl führt, bin ich ihr gefolgt. Ich erkenne eine Geschäftsmöglichkeit, wenn ich eine sehe. Und die besten Geschäfte sind die, bei denen jeder das bekommt, was er will, wie es mir hier der Fall zu sein scheint. Wär's das jetzt? Ich habe Dinge zu erledigen, Orte anzusteuern, Bücher zu finden.«

»Habt ihr vor, nach London zurückzukehren?«, wandte

sich Will an Tilly und Oskar. »Oft schon habe ich mir vorgestellt, wie es wäre, die Brise wieder im Gesicht zu spüren, die über die Themse weht.«

»Können wir über London fahren?«, fragte Tilly hoffnungsvoll. »Meine Familie kann uns vielleicht helfen. Sie kennen sich gut mit dem Buchwandeln aus. Besonders meine Grandma könnte uns behilflich sein; sie war mal Kartografin in der British…« Sie verstummte, als ihr einfiel, was Horatio über die Unterbibliotheken dachte.

»Ich weiß, von welcher Institution du sprichst«, sagte Horatio. »Und wir müssen sehen, ob wir ehemalige Mitarbeiter der Underlibrary miteinbeziehen wollen, vor allem, wenn das bedeutet, dass sie den Geschichtenwelt-Express zu Gesicht bekommen.«

»Ihr werdet darauf vertrauen müssen, dass Mr Bolt die beste Route und die richtige Richtung wählt«, sagte Artemis zu Tilly und Oskar. »Wegen dieser Fachkenntnis nimmt er schließlich an dieser Mission teil. Aber es kann sicher nichts schaden, den beiden einen kleinen Zwischenstopp zu Hause zu gewähren«, wandte sie sich an Horatio, »oder ihnen zu erlauben, noch anderswo um Hilfe zu bitten, wenn nötig. Und sollten wir mit unseren Annahmen recht haben, wird ein Besuch in der Underlibrary ohnehin nötig sein, um diese Bücher zu finden – wie auch immer Sie dazu stehen mögen.« Sie sah wieder Tilly und Oskar an. »Ich werde von hier aus ein Auge auf alles haben, und Mr Bolt weiß, wie er mich erreicht.«

»Genau«, pflichtete Horatio ihr bei. »Aber dieses Mal bezahlt ihr für die Fahrt, nur dass ihr es wisst.«

»Wir haben kaum Geld«, sagte Tilly. »Meine Mum hat uns nur ein paar Dollar gegeben – wird das reichen?«

»Oh, es ist nicht euer Geld, das ich will«, antwortete Horatio. »Es ist eure Vorstellungskraft.«

32

EIN EINSTIEGSANGEBOT

Sie verabschiedeten sich höflich von Will, der ihnen traurig nachblickte, während sie Artemis und Horatio durch den Park zurück zum Bahnhof folgten. Einen Moment lang sah es so aus, als wollte er ihnen hinterherrufen, doch dann änderte er offensichtlich in letzter Sekunde seine Meinung.

»Beeilt euch«, sagte Horatio, als sie den Bahnhof erreichten. »Wir haben keine Zeit zu verlieren.« Er half jedoch keinem der beiden beim Einsteigen, sondern ließ sie alleine an Bord klettern.

Der Waggon, den sie betraten, war in einer Mischung aus viktorianischem Stil und moderner Retro-Eleganz ausgestattet; viel dunkles Holz und ein dicker Plüschteppichboden.

Außerdem waren überall komplizierte mechanische Vorrichtungen zu sehen. Rund um die Decke verlief ein komplexes System aus Zahnrädern und Seilzügen. Zwei Rinnen – die eine leer, die andere mit hölzernen Kugeln gefüllt – führten von einem Schreibtisch bis zu einer Lücke in der Wand, wo sie Richtung Lokomotive verschwanden.

Horatio und Artemis stiegen nach ihnen ein, und Horatio ging zu dem Schreibtisch, schlug ein dickes Kassenbuch auf und tauchte eine Feder in das Tintenfässchen, das danebenstand.

»Zunächst einmal, Ms Artemis«, sagte er ruhig, »schulden Sie mir noch die Bezahlung für die erste Fahrt, die diese beiden mit dem Zug gemacht haben.« Er schrieb etwas in das Kassenbuch, während Artemis auf einem Hocker neben dem Schreibtisch saß und eine der Holzkugeln aus der Rinne nahm. Sie hielt sie mit beiden Händen fest, schloss die Augen und nickte Horatio zu, worauf der eine mit dunklem Sand gefüllte Eieruhr umdrehte, die auf dem Schreibtisch stand.

Daraufhin folgte... nichts.

Artemis saß einfach nur da, schweigend, die Augen geschlossen, bis der Sand auf die andere Seite gerieselt war und Horatio ihr mit einem Hüsteln signalisierte, dass es reichte. Artemis steckte die Kugel in die leere Rinne, und ehe sie sich's versahen, wurde sie durch die Öffnung in der Wand gesogen und war verschwunden. Denselben Vorgang wiederholte Artemis noch einmal – um für sie beide zu bezahlen, wie Tilly klar wurde.

Nachdem beide Kugeln durch die Öffnung gerollt waren, stand Artemis auf und schüttelte Horatio die Hand.

»Zufrieden?«, fragte sie.

»In gewisser Weise«, antwortete er. »So zufrieden ich eben sein kann, solange die Leute ihre Schulden bezahlen.

Lemmi fährt schließlich nicht mit Versprechen und gutem Willen, er braucht Träume und Vorstellungen, um über die Schienen rollen zu können.«

»Das erwähnten Sie bereits«, sagte Artemis. »Also Tilly, willst du vielleicht als Nächste?«

»Ja«, antwortete Tilly. »Obwohl ich nicht weiß, was ich tun soll.«

»Keine Angst, es ist ganz einfach. Nimm dir einfach eine Kugel, halte sie fest und fang an zu denken.«

»Was soll ich denn denken?«

»Irgendetwas«, erklärte Artemis. »Du kannst tagträumen, im Geist eine Einkaufliste machen oder im Stillen ein Gedicht aufsagen.«

»Wir bevorzugen fantasievolle Vorstellungen«, sagte Horatio. »Aber da ihr beide zum ersten Mal mit unserem Geschichtenwelt-Express fahrt, bin ich nicht wählerisch. Betrachtet es als Einstiegsangebot. Und keine Sorge: Ich bekomme nicht mit, was ihr denkt. Der Einzige, der sieht, was in euren Köpfen vorgeht, ist Lemmi, und der verbrennt alles.« Er wandte sich um und notierte wieder etwas in seinem Kassenbuch, bevor er einen großen Stempel zur Hand nahm und ihn aufs Papier drückte.

»Was schreiben Sie denn da auf?«, fragte Oskar und spähte misstrauisch auf die Seite.

»Nur eure Namen«, antwortete Horatio. »Und hör auf zu spionieren, Junge. Unsere Passagierdaten sind absolut vertraulich. Die meisten unserer Kunden legen viel Wert auf Diskretion und wollen ganz bestimmt nicht, dass kleine Jungen in ihren Angelegenheiten herumschnüffeln. Also, Kind, wie lautet dein voller Name?«

»Matilda Rose Pages«, sagte Tilly, setzte sich auf den Hocker und nahm eine Kugel. Sie fühlte sich glatt an und viel kälter, als Tilly erwartet hatte. »Und ich kann einfach an irgendetwas denken, egal was?«

»Egal was«, bestätigte Artemis.

»Tut es weh?«, erkundigte Tilly sich ängstlich.

»Kein bisschen«, versicherte Artemis ihr. »Bist du bereit?«

Als Tilly nickte, drehte Horatio die Sanduhr um. Tilly fiel absolut nichts ein, und bei einem Blick auf den Sand stellte sie fest, dass nur ganz wenige Körnchen von oben nach unten rieselten, während in ihrem Kopf nichts anderes war als die Sorge, keine geeigneten Gedanken zu finden.

»Warum schließt du nicht die Augen?«, fragte Artemis freundlich. »Und denkst vielleicht an dein Lieblingsbuch?«

Und das tat Tilly. Sie versuchte, die Geräusche und Gerüche des Zuges auszublenden, genau wie das ungute Gefühl, mit Horatio zusammenarbeiten zu müssen, die Tatsache, dass die Archivare ihnen letztendlich überhaupt keine Hilfe waren, und die Angst davor, ihrer Familie erklären zu müssen, dass alles umsonst gewesen war, falls sie diese Bücher nicht fanden. Sie erinnerte sich daran zurück, wie sie zum ersten Mal Green Gables besucht hatte und mit Anne und Oskar durch den idyllischen Wald spaziert war, nachdem sie gemerkt hatte, dass sie buchwandeln konnte. Sie dachte daran, dass Anne immer das Beste in allem und jedem sah und immer versuchte, das Richtige zu tun, und …

»Das war's«, sagte Horatio.

Tilly schlug die Augen wieder auf. Sie sah auf die Kugel in ihren Händen, die ein klein wenig qualmte und den gleichen dunkel glitzernden Staub abgab, den sie schon aus Lemmis Schornstein hatte aufsteigen sehen.

»Was *ist* das?«, fragte sie.

»Das ist Magie«, antwortete Horatio. »Buchmagie.«

»Aber es sieht gar nicht aus wie Buchmagie«, sagte Oskar. »Ich dachte, die ist ganz schwarz und klebrig.«

»Dieses Erscheinungsbild hat sie nur, wenn sie gewaltsam gewonnen wird«, erklärte Horatio. »Auf diese Weise beschaffen sich die Unterbibliotheken ihre Buchmagie, aber so muss es nicht sein. Eigentlich sieht Buchmagie so aus, wie ihr es hier seht.«

Tilly fiel wieder ein, was Milo gesagt hatte – dass Buchmagie keine hundertprozentig passende Bezeichnung war, weil sie im Grunde nichts mit Büchern zu tun hatte, sondern mit Geschichten.

»Stimmt es auch, dass es nicht wehtut?«, fragte Oskar und riss sie aus ihren Gedanken.

»Ja, alles paletti«, beruhigte Tilly ihn. »Du spürst wirklich nicht das Geringste. Ich kann bloß kaum glauben, dass man so leicht an Buchmagie kommt.«

»Warum beschaffen die Unterbibliotheken sie sich dann nicht so?«, fragte Oskar, während er die Finger um die nächste hölzerne Kugel schloss.

»Wer weiß, ob sie auf diese Idee je gekommen sind«,

antwortete Horatio. »Wahrscheinlich glauben sie schon immer, sie könnten sich einfach alles nehmen, was sie wollen. Und jetzt still. Wenn du auch bezahlt hast, können wir losfahren.«

Als sowohl Tilly als auch Oskar offiziell für ihre Fahrt im Geschichtenwelt-Express bezahlt hatten, verabschiedete Artemis sich bei beiden mit einem höflichen Kuss auf die Wangen und stieg aus.

»Ich habe mich gefreut, euch kennenzulernen«, sagte sie. »Ich hoffe, ihr könnt erfolgreich mit Horatio zusammenarbeiten und dabei helfen, die Welt der Geschichten zu retten. Kommt bald zurück und berichtet mir, was ihr herausgefunden habt. Und …«

In dem Moment wurde sie von einem ganz jämmerlichen Schrei unterbrochen. Eine Gestalt stürmte durch das goldene Tor und blieb, die Hände auf die Knie gestützt, nach Luft schnappend stehen.

»Wartet!«, rief sie völlig außer Atem. »Ich will auch mit!«

Es war Will.

33

KÜHNHEIT IST MEIN FREUND

Alle blieben wie angewurzelt stehen und beobachteten, wie Will sich mit hochrotem Kopf und zerzausten Haaren die letzten Meter bis zum Zug schleppte. Tilly bemerkte ein Lächeln in Artemis' Gesicht, als ginge gerade ein Plan wie gewünscht auf, und sie fragte sich, ob sie ihnen alles sagte, was in ihr vorging.

»Wahrlich, so sehr habe ich mich seit Jahren nicht mehr angestrengt«, keuchte Will, bevor er ihre erschrockenen Gesichter sah. »Starrt mich nicht so an. Tilly, du kannst doch etwas mit aus Geschichten herausnehmen – richtig?«

»Ja«, antwortete Tilly zögerlich.

»So etwas wie … mich, möglicherweise?«

»Wie bitte?«

Will nahm ihre Hand und kniete sich vor sie. Tilly war sich sicher, ein unterdrücktes Lachen von Oskar zu hören. »Ich bin fest davon überzeugt«, sagte Will, »dass du die Macht besitzt, die es mir – der ich bis jetzt ohne Hoffnung in den tiefsten Tiefen der Geschichten gefangen war – erlaubt, dich von diesem üblen Ort hinfortzubegleiten. Nichts für ungut, Lady Artemis«, fügte er hinzu und verbeugte sich kurz in Artemis' Richtung.

»Schon gut, Will«, antwortete sie. »Ich war sogar so frei, ein paar deiner persönlichen Habseligkeiten zusammenzusuchen, während du mit Tilly und Oskar durchs Archiv gegangen bist.«

Sie reichte Will eine kleine Ledertasche, und er sah sie halb entzückt, halb misstrauisch an.

»Wie ich sehe, habt Ihr mit dieser Möglichkeit gerechnet«, stellte er fest. »Womöglich darf ich sogar so kühn sein zu behaupten, dass es kein Zufall war, dass Ihr mich mit diesen beiden Abenteurern zusammengebracht habt.«

Artemis lächelte nur.

»Dann kann es gelingen?«, fragte Will. »Wenn Tilly mich begleitet, werde ich frei sein?«

»Ich weiß es nicht genau«, antwortete Artemis. »Natürlich ist es ein Risiko, hier fortzugehen, aber logisch gedacht, könnte es so funktionieren, wie du es dir erhoffst. Alle Figuren sind in der Lage, ihre Bücher zu verlassen, für unterschiedlich lange Zeit, allerdings. Und ich frage mich, Tilly, ob du nicht größeren Einfluss auf diesen Vorgang hast als andere, wenn du es übst.«

»Aber ich bin keine Figur«, widersprach Will gereizt. »Ich bin ein Mensch.«

»Selbstverständlich«, sagte Artemis. »Dennoch hält die Geschichtenwelt dich fest, und Tilly hat bewiesen, dass sie die Grenzen dieser Welt mehr als andere beeinflussen kann. Und wer weiß? Vielleicht kannst du dich bei ihr revanchieren und ihr bei ihrem Vorhaben helfen. Schließlich verdankst du es ihr, dass du diesen Ort hoffentlich verlassen kannst, wie du es dir schon so lange wünschst.«

»*Hoffentlich?*«

»Wie ich schon sagte, sicher ist bei dieser Unternehmung nichts«, antwortete Artemis. »Aber wenn du kühn genug bist, können es hier viele bestimmt kaum erwarten, zu sehen, wie du dich schlägst.«

»Kühnheit ist mein Freund«, sagte Will und warf sich in die Brust. »Es gibt keine Dunkelheit, nur Unwissenheit, und mich verlangt danach, zu sehen, was außerhalb dieser Mauern liegt. Wenn Tilly zustimmt, mich mitzunehmen, schwöre ich, dass ich ihr helfen will – wie klein mein Beitrag auch sein mag.«

Tilly nahm Oskar beiseite. »Was meinst du?«

»Ich finde ihn eigentlich ziemlich nervig, aber einen Versuch ist es wert«, antwortete Oskar. »Ehrlich gesagt traue ich ihm mehr als Horatio. Und stell dir bloß mal die Gesichter zu Hause vor, wenn wir mit dem echten Shakespeare auftauchen! Allein schon Archies Blick ist die Sache wert.«

Beiden Argumenten konnte Tilly nicht widersprechen, und so wandten sie sich wieder den Erwachsenen zu.

»Also gut, vorausgesetzt, wir dürfen ab jetzt Du zu dir sagen, und du versprichst, nicht auf grausame Weise zu sterben, wenn es nicht klappt«, sagte Tilly zu Will. »Ich will auf keinen Fall für Shakespeares Tod verantwortlich sein.«

»Moment, Moment, Moment«, meldete sich Horatio zu Wort. »Es ist ja schön und gut, wenn du einverstanden bist, Kind, aber die Entscheidung über diese Frage liegt nicht bei euch beiden. Ich allein befinde darüber, wer diesen Zug besteigt.« Er wandte sich an Artemis. »Was, wenn das mit ihrer besonderen Fähigkeit nicht funktioniert? Ich übernehme nicht die Verantwortung dafür, wenn dieser Narr – ein zweites Mal – zu Tode kommt.«

»Will ist erwachsen«, erklärte Artemis. »Es ist sein Risiko, nicht Tillys oder Ihres. Niemand wir es Ihnen zur Last legen, wenn es schiefgeht. Versprochen.«

»Kann er überhaupt zahlen?«, fragte Horatio.

»Was ist der Fahrpreis?«, fragte Will. »Denn ich besitze weder Geld noch Ländereien noch sonst etwas von Wert.«

»Da haben Sie Glück, mit so etwas werden die Dinge hier auch nicht geregelt.« Horatio lächelte. »Sie zahlen mit Gedanken, und ich wette, Ihre sind besonders schön. Mit Ihren geistigen Ergüssen fährt der Geschichtenwelt-Express bestimmt wie geschmiert.«

»Danke, sehr schmeichelhaft«, freute sich Will. »Gerne tausche ich ein oder zwei Gedanken dafür ein, in einem so wunderbaren Fahrzeug mitzureisen. Hätten Sie es gerne in Prosa oder lieber in Gedichtform?«

»Weder noch«, antwortete Horatio, nahm eine Kugel und warf sie Will zu. Der ließ sie fallen und musste auf dem Boden herumkriechen, um sie wiederzufinden. »Nehmen Sie hier vor mir Platz, den Rest werden Sie dann schon sehen.«

Will zuckte mit den Schultern und stieg in den Waggon, doch nachdem Horatio ihm erklärt hatte, was zu tun war, und die Sanduhr aufgestellt hatte, rieselte kein Sand hindurch.

»Leider«, sagte Artemis, die vom Bahnsteig aus zusah, »werden Sie wohl feststellen müssen, dass Will nicht auf die Art und Weise bezahlen kann, wie Sie sich das wünschen. Vermutlich ist er nicht, nun ja, *real* genug, im Sinne von menschlich. Er besteht aus reiner Buchmagie, wenn Sie ihn also nicht komplett in den Brenner werfen wollen, werden Sie daher wohl wenig von ihm bekommen.«

Horatio sah Will abwägend an.

»Aber mein Herr«, sagte Will und wich erschrocken zurück. »Machen Sie Scherze?«

»Natürlich, Sie Narr«, antwortete Horatio. »So schlimm sind die Zeiten doch noch nicht, dass wir darauf zurückgreifen müssten, Schriftsteller zu verbrennen.«

»Vielleicht könnte ich als Gegenleistung irgendetwas für Sie signieren«, bot Will an. »Falls das etwas wert ist. Zu meiner Zeit war es das.«

»Darauf kann ich…«, begann Horatio, doch dann hielt er inne. »Wissen Sie, Mr Shakespeare, ich besitze ein paar hübsche Originalausgaben von einigen Ihrer Werke, die förmlich danach rufen, signiert und mit einer Widmung versehen zu werden.«

»Moment mal«, sagte Tilly, der einfiel, was Orlando ihr gesagt hatte. »Originalausgaben? Du lieber Himmel, Sie haben also die Primärwerke von Shakespeares Stücken? Deshalb können wir immer noch hineinwandeln. Weil sie hier bei Ihnen sind.«

»Zwar nicht alle«, sagte Horatio stolz, »aber die meisten. Und es klingt, als wäre jedes Buch hier an Bord sicherer als in eurer Underlibrary. Also Mr Shakespeare«, fügte er freundlich hinzu, »wenn Sie mir folgen würden. Ich bin sicher, wir finden eine Einigung, mit der wir beide zufrieden sind.«

34

Enden und Anfänge

Horatio streckte den Kopf aus dem Waggon. »Milo!«, rief er. »Bist du so weit?«

»Ja!«, rief Milo aus der Lokomotive weiter vorne zurück.

»Dann heize ihr ein!«, rief Horatio. »Ihr könnt zu ihm gehen und zusehen, wenn ihr wollt«, sagte er zu Tilly und Oskar. »Danach soll Milo mit euch zum Speisewagen kommen, dann können wir sehen, wo wir stehen. Schnell, rauf mit euch und rüber, bevor wir Geschwindigkeit aufnehmen.« Er deutete auf die Tür.

Eine Leiter mit silbernen Sprossen wurde seitlich an den Waggon gestellt, und sie kletterten darauf auf den Zug. Lemmi rollte erst ganz langsam, aber es kam ihnen schrecklich gefährlich vor, zuerst aufs Dach und dann wieder nach unten in den nächsten Waggon, den Führerstand, zu kraxeln. Im Unterschied zu einer normalen Dampflok, die einen großen Tender für den Kohlevorrat hat, besaß Lemmi nur einen Korb, in dem die mit Buchmagie aufgeladenen Holzkugeln gesammelt wurden, die aus dem Waggon, aus dem sie gerade kamen, herübertransportiert worden waren.

»Ich hätte nicht gedacht, dass ich euch zwei noch mal wiedersehe«, begrüßte Milo sie breit grinsend und schlang sich seinen gelben Schal noch ein zusätzliches Mal um den Hals, damit er nicht zwischen die Kolben geriet. Kleine Wölkchen funkelnder Buchmagiedampf quollen am Rand aus der Feuertür und der kleinen runden Öffnung, die offensichtlich dazu da war, um die Holzkugeln hineinzuwerfen.

»Wie weit kommt man denn mit einer?«, fragte Oskar, als Milo eine Kugel aus dem Korb nahm und ins Feuer warf.

»Je nachdem, wessen Vorstellungen sie enthält«, antwortete Milo. »Aber normalerweise schaffen wir es ziemlich weit damit. Pro Fahrt brauchen wir meistens nur ein oder zwei Kugeln, deshalb können wir die Lokomotive auch manchmal unbewacht lassen, wenn wir erst einmal rollen. Sie fährt in der Regel ohne unsere regelmäßige Überwachung, und wir haben jetzt schon unsere Höchstgeschwindigkeit drauf.«

»Dein Onkel hat übrigens gesagt, du sollst uns zum Speisewagen bringen, wenn du hier fertig bist«, sagte Oskar. »Ich bin auch schon am Verhungern.«

»Einen kleinen Moment noch.« Milo überprüfte rasch den Dampfdruck in Lemmis Feuerbüchse. »So, jetzt können wir.«

Die drei kletterten wieder aus dem Führerstand und auf das Dach des Waggons. Tilly hatte damit gerechnet, heftigem Fahrtwind ausgesetzt zu werden, doch als sie den Kopf über den Dachüberstand streckte, spürte sie keinerlei Widerstand, nur eine sanfte Brise, als wären sie auf einem gemütlichen Spaziergang auf dem Land und nicht bei rasender Fahrt auf dem Dach eines Zuges. Und noch merkwürdiger war es, dass sich während der Fahrt die Welt um sie herum nach und nach in Finsternis auflöste. Die roten Backsteine des Archivs schienen sich zuerst in den gleichen weißen Marmor zu verwandeln, aus dem das Labyrinth bestand, und anschließend in tiefschwarze Leere. Bald war um sie herum nichts mehr zu sehen, bis auf langsam verblassendes Licht. Es war, als blickte man in einer klaren Nacht zur Milchstraße hinauf.

»Sind das etwa die Nachsatzblätter?«, fragte Oskar erstaunt. »Hast du nicht gesagt, da fahrt ihr gewöhnlich nicht durch?«

»Die Nachsatzblätter sind das genau genommen nicht«, antwortete Milo, »aber das, woraus sie bestehen. Das ist der Stoff, aus dem Geschichten sind. Damit bewegen wir uns fort.«

»Es ist... wunderschön«, sagte Tilly, während sie auf dem Zugdach stand und das alles genoss. »Irgendwie angsteinflößend und gleichzeitig schön. Als wäre man im Weltraum.«

»Ja, es macht schon was her«, fand auch Milo. »All die Enden und Anfänge und Erinnerungen. Und die halb gedachten Gedanken, die alle darauf warten, benutzt und zu etwas geformt zu werden – und unser kleiner Geschichtenwelt-Express braust von Fantasie angetrieben mitten hindurch. In Augenblicken wie diesem bin ich jedes Mal froh, hier zu sein. Man sieht alles aus einem anderen Blickwinkel, stimmt's? Oh, verflixt – bleibt ganz ruhig –, gleich fahren wir um eine überraschende Wendung!«

Der Zug machte einen abrupten Schlenker, und es kostete Tilly und Oskar größte Mühe, nicht vom Dach zu purzeln. Nachdem sie wieder Halt gefunden hatten, saßen alle drei für einen Moment einfach da und glitten weiter durch die weite, sanft leuchtende Finsternis. Es war atemberaubend, und Tilly fühlte sich herrlich, bis sie plötzlich etwas Merkwürdiges zwischen den Fingerspitzen spürte. Als sie nach unten blickte, sah sie, dass zarte Spiralen funkelnden Buchmagiequalms über ihre Finger zogen. Sie schüttelte gerade heftig die Hände, um sie loszuwerden, als Horatio vorne den Kopf aus dem Zugfenster streckte.

»Matilda!«, rief er. »Du musst schnell herkommen – es geht um Will!«

Oh nein. Den hatte sie ja ganz vergessen. Was, wenn Artemis sich irrte und er sich doch nicht so einfach vom Archiv entfernen konnte? Was würde mit ihm passieren, wenn sie es in diesem Fall nicht schafften, ihn rechtzeitig zurückzubringen? Sie sah Milo und Oskar an, dass ihnen genau dieselben Gedanken durch den Kopf schossen.

»Wir müssen uns beeilen«, sagte sie, während sie schon Richtung Leiter rannten.

35

EINE ÄUSSERST UNHÖFLICHE FRAGE

So schnell sie konnten, kletterten die drei wieder in den Zug und rannten durch mehrere Waggons. Anders als die Lokomotive, die mit zwei Ketten am Zug selbst befestigt war, sodass man eine Lücke überspringen musste, um hineinzugelangen, waren diese durch überdachte Plattformen miteinander verbunden. Milo lief voran durch eine große Flügeltür, die in ein lang gezogenes, vornehmes Speisezimmer führte. Die Tische darin waren mit edlen Kristallgläsern, glänzendem Silberbesteck und weißen Damastservietten gedeckt. Doch es blieb ihnen keine Zeit, die luxuriöse Ausstattung des Speisewagens zu bewundern, denn Will lag zwischen zwei Tischen auf dem Boden und war offenbar bewusstlos.

Tilly und Oskar eilten zu ihm und gingen neben ihm auf die Knie. Zu ihrem Entsetzen schienen seine Konturen irgendwie zu verschwimmen, als würde er sich wie ein Stück Würfelzucker im Kaffee langsam von außen nach innen auflösen.

»Will!?«, rief Tilly und fasste ihn vorsichtig an der Schulter. In dem Moment, als sie ihn berührte, holte Will einmal tief und zitternd Luft.

»Tilly?«, sagte er schwach. »Du bist zurück?«

»Ich bin hier«, antwortete Tilly. »Geht es dir... gut?« Während sie ihre Hand weiter auf Wills Schulter ruhen ließ, konnten sie beobachten, wie seine Konturen sich langsam wieder festigten. Innerhalb von Minuten fand er in seinen Normalzustand zurück, wenn auch noch schwer atmend und ziemlich blass.

»Ich bin... wiederhergestellt«, sagte er und schnappte nach Luft.

»Ein Glück«, sagte Oskar. »Wie hätten wir das sonst deinem Grandad erklären sollen, Tilly?«

Tilly blitzte ihn nur an. Hieß das etwa, dass Will von jetzt an die ganze Zeit bei ihr bleiben musste?

Will setzte sich auf. Obwohl die Farbe langsam in sein Gesicht zurückkehrte, lehnte er sich theatralisch gegen einen Tisch und genoss offensichtlich die Zuwendung, die ihm zuteilwurde.

»Das Archiv zu verlassen, klappt ja prima«, stellte Horatio trocken fest. »Sieht allerdings so aus, als dürftest du ihm nicht mehr von der Seite weichen, Tilly, sonst schafft er es womöglich nicht bis nach London.«

Ein paar Minuten später saßen sie zu viert an einem der Speisewagentische, während Milo hoffnungsvoll danebenstand. Will rieb sich die Hände, als wären sie ihm eingeschlafen und als wollte er wieder Gefühl hineinbekommen.

»Tilly, bitte versichere mir, dass du dich nicht mehr so weit von mir entfernst«, bat er. »Das war äußerst beängstigend.«

»Was glaubst du, wie lange wir zusammenbleiben müssen?« Tilly war ein bisschen beunruhigt. Vielleicht hatten sie das Ganze nicht richtig durchdacht. »Wenn wir die Geschichtenwelt verlassen, wird es sich doch normalisieren, oder? Ich war auch nicht die ganze Zeit in der Nähe des Schlüssels, und er ist trotzdem noch da.«

»Ich weiß es nicht«, jammerte Will. »Aber wir sollten sehr vorsichtig sein, bis wir ganz sicher sind, und hoffen, dass es sich gibt, sobald wir den Fängen der Geschichtenwelt entkommen. Es war wirklich ein grauenhaftes Gefühl, als würde mein tiefstes Wesen ausgelöscht. Und diesen Schmerz in den Knochen bin ich immer noch nicht los.

»Das klingt ja schrecklich, Mr Shakespeare«, sagte Milo und starrte Will an wie ein Fan, dem unverhofft sein Lieblingsschauspieler über den Weg gelaufen ist.

»Verzieh dich.« Horatio winkte ihn fort.

»Kann er nicht hierbleiben und mit uns essen?«, fragte Tilly.

»Natürlich nicht«, antwortete Horatio. »Er hat seine

Pflichten zu erledigen. Der Speisewagen ist zahlenden Passagieren vorbehalten.«

»Ich hätte wirklich gerne, dass er bleibt«, sagte Tilly und hoffte, mutiger zu klingen, als sie war. »Wenn Sie wollen, dass wir Ihnen helfen, dann soll Milo auch dabei sein.«

»Ich glaube nicht, dass es dir zusteht, irgendwelche Forderungen zu stellen, Kind«, erwiderte Horatio wenig erfreut.

»Sie brauchen mich aber, um die verschollenen Bücher zurückzuholen«, erwiderte Tilly. »Ohne mich bekommen sie die nicht aus den Geschichten heraus. Also tut es das, glaube ich, doch.«

Horatio sah sie einen Moment lang an, dann seufzte er. »Darauf kommen wir zurück, nachdem wir bestellt haben«, sagte er. »Und meinetwegen, er kann er vorerst hierbleiben. Aber glaub nicht, dass das immer so läuft.«

Milo hatte vor Aufregung ganz rote Wangen, als er neben Tilly und Oskar auf die Bank glitt.

»Können Sie überhaupt essen?«, wandte Oskar sich an Will und versuchte, das Thema zu wechseln, um von Milo abzulenken.

»Was für eine äußerst unhöfliche Frage«, antwortete Will. »Besitze ich einen Mund? Zähne? Einen Magen?«

»Okay, okay, das reicht«, sagte Oskar. »Versteh schon. Ich frag ja bloß. Artemis sagte, Sie bestehen aus Buchmagie. Ich versuche nur, ein bisschen Konversation zu machen.«

»Es gibt, das muss ich zugeben, allerdings einen Unterschied zwischen dem Verlangen und den Bedürfnissen eines Körpers«, erklärte Will. »Achte darauf, dass du das erfragst, was du wirklich meinst, Oskar. Ich brauche zwar keine Nahrung, ich bin aber trotzdem in der Lage zu essen und erfreue mich daran. Das Speisen war eines der angenehmen Vergnügen, durch die wir im Archiv etwas Trost finden konnten – und ich habe ziemlich gute Fertigkeiten im Backen erlangt. Scott war immer sehr neidisch auf meine Leckereien, hat sich aber dennoch dazu herabgelassen, mir ein Rezept für etwas namens Zimtschnecken zu geben, für die ich über die Jahre eine wahre Vorliebe entwickelt habe.«

»Wohin reisen Sie denn, Mr Shakespeare?«, erkundigte sich Milo höflich. »Wenn ich fragen darf.«

»Wohin immer es Tilly zieht, nehme ich an«, antwortete Will. »Denn wie es scheint, verdanke ich es ihrer Anwesenheit, das ich mich so weit vom Archiv entfernen kann. Ich hoffe jedoch sehr, dass ich London wiedersehen werde.«

»Sie können aber nicht ewig einfach bei mir bleiben«, sagte Tilly.

»Ewig ist so ein schrecklich großes Wort«, entgegnete Will. »Wir gehen die Sache ganz vorsichtig an, würde ich vorschlagen. Und sehen dann, wie es sich verhält, sobald wir aussteigen.«

»Aber Sie werden uns auch helfen, nicht wahr, Will?«, fragte Tilly. »Mit den verschollenen Büchern und den Underwoods und der Underlibrary?«

»Was könnte ich schon für eine Hilfe sein?« Will lehnte sich nachdenklich zurück. »Vermutlich bin ich in der Lage, die Wünsche und Schwächen meiner Mitmenschen zu erkennen, vielleicht könnte ich, was das betrifft, zu Diensten sein. Fürwahr, es könnte sogar sein, dass das Universum mir eine letzte Gelegenheit bietet, um meine Größe zu beweisen. Ich sage mir schon immer: Will, scheue dich nicht vor Größe und Hoheit, wenn sie sich dir bieten wie ein Umhang, der dir über die Schultern gelegt wird. Einige werden hoch geboren, einige erwerben Hoheit, und einigen wird sie zugeworfen

Und da ich von nun an euer steter Begleiter sein werde, akzeptiere ich den Weg, der mir bestimmt ist.«

»Also … ja?«, fragte Oskar.

»Ja«, antwortete Will und sah Oskar entschieden an. »Ich helfe euch.«

36

GRÜNES EI MIT SPECK

Horatio deutete auf den Stapel Speisekarten, der neben den edlen Gläsern und dem silbernen Besteck auf dem Tisch lag. »Bitte«, sagte er. »Stärkt euch mit etwas zu essen. Mit ausgehungerten Kindern kann ich nichts anfangen.«

Auf der Speisekarte fand sich eine endlose Auflistung aller erdenklichen Gerichte aus allen erdenklichen Büchern. So gab es zum Beispiel eine Muschelsuppe aus *Moby Dick* oder ein Picknick mit allem Pipapo aus einem der *Fünf Freunde*-Bände. Anschließend konnte man Apfelkuchen aus *Die Eisenbahnkinder* und Turkish Delight aus *Die Chroniken von Narnia* bestellen. Darauf folgte eine ganze Seite Fünfuhrtee-Leckereien aus Alice im Wunderland, und als Getränke gab es unter anderem Himbeerlimonade aus *Anne auf Green Gables*, und wenn man alt genug war, konnte man Gin-Cocktails aus *Der große Gatsby* ordern. Außerdem war auf der Speisekarte auch so etwas wie eingelegte Limetten aus *Little Women* zu finden, was jedoch, fand Tilly, nicht allzu appetitlich klang.

»Wer bereitet denn die ganzen Sachen zu?«, fragte Oskar.

»Madeleine, unsere Köchin«, antwortete Horatio. »Unsere Gäste erwarten ein gewisses Maß an Luxus, den ich ihnen gerne biete. Und dazu ein bisschen Extravaganz… für die… nun ja… die Leute gerne bezahlen.«

»Wir haben Madeleine aus einem Buch ausgeliehen«, erklärte Milo.

»Dann ist sie…«, begann Oskar.

»Eine erfundene Figur, ja«, sagte Horatio und warf Milo einen verärgerten Blick zu. »Üblicherweise hängen wir das nicht an die große Glocke. Ah, da kommt sie schon.«

Eine Frau mit roten, zu einem festen Knoten gesteckten Haaren kam zu ihnen an den Tisch, um ihre Bestellung aufzunehmen.

»Wie originell«, sagte Will, von Horatios illegalem Verpflegungsbetrieb offenbar unbeeindruckt. »Also, ich hätte gern ein paar von den Marmeladentörtchen der Herzkönigin und eine Tasse Hutmachertee.«

Tilly entschied sich für den Apfelkuchen aus *Die Eisenbahnkinder* und ein Glas von Annes Lieblingslimonade.

Oskar schwankte. Er hatte ziemliche Lust auf ein großes Stück Schokoladentorte aus Roald Dahls *Matilda*, entschied sich am Ende jedoch für grünes Ei mit Speck aus *Dr. Seuss*.

Milo wollte auch etwas bestellen, erntete aber einen verärgerten Blick von Horatio. »Der Junge bekommt eine Portion Haferbrei«, sagte er. »Aus *Oliver Twist*.«

Madeleine nickte und verschwand. Milo starrte nur auf seinen Teller und vermied den Blickkontakt mit Tilly und Oskar.

»Fällt denn niemandem auf, dass Madeleine in ihrem Buch fehlt?«, fragte Tilly. »Wenn sie sich so lange außerhalb ihrer Geschichte aufhält, ist sie bestimmt eine Primärfigur, oder?«

»Dir entgeht auch nichts, was?«, antwortete Horatio widerwillig beeindruckt. »Aber nein, keiner wird es merken. Sie kommt aus einem Buch, das so gut wie niemand gelesen hat. Madeleine war der geniale Fund meiner Vorgängerin. Ich besitze gar keine Primärausgabe, in die ich sie zurückschicken könnte, selbst wenn ich es wollte. Die steht sicher in irgendeiner verstaubten Ecke in der Underlibrary oder ist sonst wo gut versteckt.«

»War Ihre Vorgängerin auch eine Bücherschmugglerin?«, fragte Oskar, und Horatio zuckte zusammen.

»Das S-Wort benutzen wir an Bord dieses Zuges nicht«, erwiderte er. »Wir führen ein respektables, wenn auch diskretes Unternehmen. Wenn irgendetwas nicht den Wünschen der Leser entspricht, dann sind es die Buchwandelregeln, nicht das, was wir tun. Meine Vorgängerin ist die Sache nur etwas anders angegangen. Sie hat das alles als Attraktion verkauft: ein Trip durch die Welt der Geschichten, Menüs aus Lieblingsbüchern, die Gelegenheit, mit seinen Lieblingsfiguren zu verkehren, solchen Kokolores.«

»Aber das ist doch sicher nicht erlaubt?«, fragte Tilly.

»Natürlich nicht«, antwortete Horatio. »Alles völlig illegal, wenn man die Vorschriften der Underlibrary als in Stein gemeißelt betrachtet. Und deutlich glanzvoller und glamouröser als das, was ich mache. Daher war es unvermeidlich, dass sie unerwünschte Aufmerksamkeit auf sich zog. Und als sie irgendwann in der Klemme saß, war ich zur Stelle, um ihr zu helfen, dem Arm des Gesetzes zu entkommen. Damals habe ich den Geschichtenwelt-Express übernommen. Ich nehme allerdings an, dass er, schon bevor sie ihn gekauft hatte, in Betrieb gewesen ist.«

Nach überraschend kurzer Zeit kam Madeleine mit einem Servierwagen zurück und brachte alles, was sie bestellt hatten.

»Grünes Ei ist in der Theorie wahrscheinlich besser als in der Praxis, oder?«, fragte Oskar leicht beunruhigt, als er auf seinen Teller blickte, auf dem sich ein riesiges Stück Schinkenspeck samt Knochen und ein ganzer Berg knallgrünes Rührei befanden. Er steckte eine Gabel voll in den Mund und schloss die Augen beim Kauen. »Oh, gar nicht schlecht«, stellte er fest. »Schmeckt irgendwie nach Pesto.«

Vor Milo stellte Madeleine eine Schüssel Haferbrei ab. Er bedankte sich höflich und wollte gerade anfangen zu essen, da schob Tilly die Schüssel wortlos weg.

»Komm, wir teilen«, sagte sie. »Ich schaffe sowieso nicht das ganze Stück.«

»Bist du sicher?« Milo blickte sehnsüchtig auf den Apfelkuchen.

»Klar«, antwortete Tilly. Oskar nickte, den Mund voll grüner Eier, ebenfalls und schob seinen riesigen Teller in die Mitte des Tisches.

Horatio schüttelte nur den Kopf, als könnte er das überhaupt nicht verstehen, und trank einen Schluck von seinem schwarzen Kaffee. Will futterte seine Marmeladentörtchen, und die drei Kinder genossen eine vorzügliche, wenn auch ziemlich bunt zusammengewürfelte Mahlzeit.

37

ES SCHADET NIE, EIN PAAR GEFALLEN IN RESERVE ZU HABEN

Seid ihr fertig?«, fragte Horatio mit einem Blick auf die leeren Teller auf dem Tisch. »Na, dann mal zur Sache.« Er klingelte, um zu signalisieren, dass abgeräumt werden sollte. »Artemis glaubt, die Geschehnisse in der Underlibrary haben etwas mit dem Verschwinden der Bücher zu tun.«

»Ja und…«, begann Tilly.

»Das war keine Frage«, unterbrach Horatio sie. »Deshalb hat sie mich bezahlt, um euch zu helfen, diese Bücher zu finden. Sollte Artemis' Theorie stimmen, sind sie zwischen den Ebenen der Geschichten verborgen, und du müsstest aufgrund deiner besonderen Fähigkeiten in der Lage sein, sie von dort wieder in diese Welt zu bringen?«

Keiner von ihnen antwortete.

»*Das* war eine Frage«, sagte Horatio.

»Ja«, antwortete Tilly. »Obwohl ich die Verbindung zu den Underwoods nicht wirklich sehe.«

»Artemis geht wohl davon aus, dass die Tatsache, dass jemand Chaos verursacht, indem er Bücher versteckt, und der Umstand, dass die Underwoods auf andere Weise für Probleme sorgen, auf einen Zusammenhang hindeuten. Zumindest erscheint es nicht unmöglich, dass sie wissen, was es mit diesen verschollenen Büchern auf sich hat. Aber was sie in den Unterbibliotheken anstellen, ist meine geringste Sorge. Wo zum Teufel bleibt denn Madeleine, um diese Schweinerei hier endlich abzuräumen?«

Er klingelte erneut und warf einen verärgerten Blick zu der Tür, durch welche die Köchin hinausgegangen war. Aber Madeleine tauchte nicht wieder auf.

»Milo, sieh mal nach, wo sie steckt«, sagte er. »Mach dich dabei nützlich und nimm schon mal etwas von dem Geschirr mit.«

Milo stapelte so viele schmutzige Teller übereinander, wie er tragen konnte, und machte sich auf die Suche nach der Köchin.

»Also«, fuhr Horatio fort, nachdem Milo fort war, »ich will nicht lange drum herumreden, Tilly. Deine Fähigkeiten sind von großem Interesse für mich, falls es stimmt, was du angeblich zu tun vermagst. Zum einen wegen der Suche nach den Büchern auf Artemis' Liste, aber auch für zukünftige Aufgaben. Ich könnte dich dafür bezahlen, dass du mir hilfst, Dinge zu beschaffen, die bisher … unzugänglich für mich sind.«

»Sie bieten mir einen Job an?«, fragte Tilly erstaunt.

»So was in der Art«, antwortete Horatio. »Es wäre eher freiberuflich.«

»Aber ich bin zwölf!«, erwiderte Tilly. »Und ich will keinen Job. Ich will herausfinden, wie ich den Underwoods das Handwerk legen und dafür sorgen kann, dass alle wieder buchwandeln können. Ich dachte, genau das tun wir. Und danach will ich einfach wieder in mein normales Leben zurück und in die Schule gehen und zu Hause sein und keine Abenteuer mehr erleben und irgendwas oder irgendwen retten müssen.«

»Also auf die Schule könnte ich verzichten«, sagte Oskar. »Was den Rest betrifft, bin ich ihrer Meinung.«

»*Dir* habe ich gar keine Anstellung angeboten«, sagte Horatio.

»Uns gibt's aber nur im Doppelpack«, erwiderte Oskar.

»Und wir wollen keinen Job«, wiederholte Tilly.

»Behalt es einfach mal im Hinterkopf«, sagte Horatio. »Außerdem muss ich mich überzeugen, dass du auch kannst, was du zu können behauptest. Würdest du es mir bitte einmal demonstrieren?«

»Das kann ich demonstrieren, wenn wir die Bücher gefunden haben, die Sie für Artemis suchen sollen«, antwortete Tilly entschieden. Sie sehnte sich plötzlich sehr zu Pages & Co. zurück, um mit ihren Großeltern und ihrer Mum zu beratschlagen, was sie als Nächstes tun sollten.

»Ich mache folgenden Vorschlag«, sagte sie und versuchte, möglichst geschäftsmäßig zu klingen. »Sie bringen

266

uns jetzt zurück nach London. Morgen sammeln Sie uns dann im Buchladen wieder ein, und wir machen uns auf den Weg, um die Bücher zu holen. So haben Sie Gelegenheit, ein bisschen nach ihnen zu forschen, oder was immer Sie normalerweise tun, um Bücher aufzuspüren.«

»Interessanter Vorschlag«, sagte Horatio. »Und ich bin ihm nicht abgeneigt. Dummerweise ist nur der Fahrpreis bis nach London inzwischen gestiegen.«

»Das ist nicht fair!«, rief Oskar.

»Von fair habe ich nie etwas gesagt«, entgegnete Horatio.

»Was wollen Sie?«, fragte Tilly nervös. »Noch mehr Gedanken?«

»Einen Gefallen.« Horatio grinste wie die Grinsekatze aus *Alice im Wunderland*.

»Was denn für einen Gefallen?«

»Nun ja, es schadet nie, ein paar Gefallen in Reserve zu haben«, antwortete Horatio. »Wenn ich jetzt schon wüsste, was ich genau für einen brauche, würde ich darum bitten, aber ich sammele Gefallen von nützlichen Menschen gern auf Vorrat.«

»Und ich bin ein nützlicher Mensch?«, fragte Tilly, die sich unsicher war, ob das ein Kompliment sein sollte.

»Jeder, der eine Fähigkeit besitzt, die kein anderer besitzt, ist nützlich«, antwortete Horatio.

Tilly hatte irgendwie das Gefühl, dass sich etwas Ungutes hinter Horatios schönen Worten verbarg. »Will? Kannst du nichts tun?«

»Was sollte ich denn tun?«, fragte Will. »Der Mann hat seinen Preis genannt. Was schadet schon ein Gefallen?«

»Ist es dir denn egal, ob wir das Buchwandeln retten?«, fragte Oskar.

»Ach Junge. Horch, was ich dir sage. Kurz und vergänglich sind diese Augenblicke in der Geschichte. Alles wird wieder gut werden, da bin ich mir sicher. Ich lasse mich nicht mehr in die politischen Kämpfchen der Buchwandler verstricken, denn zu oft wurde ich enttäuscht.«

»Aber es geht doch gar nicht um Politik«, erwiderte Tilly enttäuscht. »Ich meine, nur ein bisschen wahrscheinlich. Hauptsächlich geht es ums Lesen, um Freiheit und um Fantasie.«

»Ach Kind, ich wünschte, ich wäre nicht derjenige, der dir die Wahrheit enthüllt«, sagte Will. »Aber du wirst sowieso bald merken, dass dazu die Geschichten nicht da sind. Diejenigen, die nach Macht und Kontrolle streben, werden sie immer so verdrehen, dass es ihnen nutzt.«

»Da liegst du falsch«, widersprach Oskar vehement.

»Tilly, Oskar«, fuhr Will etwas behutsamer fort. »Ich sage das nicht aus Grausamkeit oder um euch zu verletzen. Ich habe die Welt erlebt, als Mensch, als Autor und sehr lange als Archivar. Ich habe dieselben Schwierigkeiten und verzwickten Situationen immer wieder gesehen, und Lesen ist nichts weiter als eine Ablenkung davon. Ein Weg, den Problemen und Sorgen zu entkommen, aber nicht, sie zu lösen. Ich wünschte, es wäre anders.«

»Das stimmt nicht«, sagte Tilly. »Und ich werde es dir beweisen.« Wütend und mit dem Gefühl, keinem Erwachsenen trauen zu können, wandte sie sich wieder Horatio zu. Wenn sie ihm einen Gefallen schuldete, würde er sie wenigstens nicht abservieren, bevor sie die Bücher von Artemis' Liste gefunden hatten. »Also gut – einen Gefallen«, sagte sie. »Und jetzt bringen Sie uns nach Hause.«

»Hast du etwa gerade zugestimmt, ihm einen Gefallen zu gewähren?«, fragte Milo ziemlich beunruhigt, als er zurück in den Wagen kam.

»Das geht dich gar nichts an«, blaffte Horatio. »Also, wo ist Madeleine?«

»Sie ist weg.«

»Weg? Was meinst du mit weg?«

»Ich meine, dass sie im Zug nirgends zu finden ist. Sie ist wie vom Erdboden verschluckt.«

»Das … das ist unmöglich«, sagte Horatio. Er runzelte die Stirn. »Nun, eine Sorge mehr. Aber bevor ich mich darum kümmere … wo in London wollt ihr denn abgesetzt werden, ihr zwei? Pages & Co.? Was auch immer in der Geschichtenwelt gerade vor sich geht, erschwert es, Lemmi abzustellen. Wir brauchen ein bisschen Vorlauf, wenn wir die Fahrt unterbrechen sollen. Und vor meiner nächsten Auslieferung muss ich noch einen weiteren Stopp einlegen, um ein paar Bücher für einen Kunden ausfindig zu machen. Anschließend muss ich Madeleine suchen, und erst *dann* kann ich anfangen, nach diesen verschollenen

Büchern für euch zu forschen. Ich schlage vor, ihr lasst mich schnellstmöglich wissen, wo genau ihr hinwollt. Meine Geduld geht langsam zur Neige.«

Tilly hatte schon vor, ihn zu bitten, sie so nah wie möglich bei Pages & Co. abzusetzen, da fiel ihr Blick auf Will, der die Stirn an das Zugfenster gelehnt hatte, und ihr kam eine andere Idee. Sie stand auf und gab Horatio ein Zeichen, sich ein paar Schritte mit ihr vom Tisch zu entfernen. Sie versicherte sich, dass Will ihnen nicht zuhörte, dann beugte sie sich vor und flüsterte ihm ihr neues Ziel ins Ohr.

»Für mich macht das keinen Unterschied«, sagte Horatio, als er hörte, wohin sie gebracht werden wollte. »Aber vergesst eins nicht«, sagte er jetzt wieder an Tilly und Oskar gewandt. »Wenn ich mitbekomme, dass ihr irgendwem außer eurer unmittelbaren Familie etwas von diesem Zug erzählt, dann bin ich nicht mehr bei eurer Suche dabei – verstanden?«

Tilly und Oskar nickten, und in dem Moment ertönte die Zugpfeife.

38

ALS SCHWEBTE MEIN GEIST
IM HIMMEL

Der Zug hielt an einem sehr kurzen Bahnsteig unter einer Themse-Brücke.

»Achtet auf die Bahnsteigkante«, sagte Horatio.

Tilly und Oskar sprangen von der Stufe am Ausstieg über einen funkelnden Spalt auf das Pflaster. Dann schauten sie Lemmi hinterher, wie er davonzuckelte und wie sich ein Waggon nach dem anderen in einer Wolke aus glitzernder Buchmagie auflöste. Als Letztes verschwand Milo in der Abendluft. Er saß am Ende des Zuges, genau da, wo sie ihn zum ersten Mal gesehen hatten, und winkte ihnen zum Abschied zu.

Und damit waren sie eindeutig zurück in der realen Welt – gemeinsam mit William Shakespeare.

Als Erstes holten Tilly und Oskar ihre Handys hervor und schalteten sie ein.

»Wie lange waren wir weg?«, fragte Oskar. Wir waren so tief drin in der Geschichtenwelt, dass ich das Gefühl habe, es könnte zwischen einer Stunde und einem Jahr alles gewesen sein. Hoffentlich nicht Letzteres.« Ihm wurde ein bisschen übel bei dem Gedanken.

Tilly sah auf ihr Handydisplay. »Wir sind nicht mal einen Tag fort gewesen«, stellte sie fest und deutete auf das Datum. »Heute früh sind wir nach Amerika aufgebrochen.«

»Ich werd mich nie daran gewöhnen, wie das mit der Zeit abläuft, wenn wir buchwandeln«, sagte Oskar und rieb sich den Kopf. »Na ja, wenigstens macht meine Mum sich dann noch keine Sorgen.«

Tilly wusste, dass man das von ihren Großeltern nicht behaupten konnte. Sie schrieb ihnen, dass sie wieder gut in London angekommen wären und dass sie sich bald melden würde. Kaum hatte sie die Nachricht abgeschickt, leuchtete schon das Display auf, weil ihr Grandad versuchte, sie anzurufen. Doch vor lauter schlechtem Gewissen drückte Tilly den Anruf weg und schaltete ihr Handy aus.

»Wo sind wir?«, fragte Oskar und blickte sich um.

»In London«, sagte Tilly. »Southwark, genauer gesagt. Wir sind hier, um Will ein paar Dinge in Erinnerung zu rufen.«

»Der Fluss riecht immer noch genauso übel wie früher«, sagte Will. »Wenn nicht übler. Wohnt hier deine Familie?«

»Nein«, antwortete Tilly und nahm ihn an der Hand. Sie führte ihn um die Ecke, wo ein rundes weißes Gebäude mit Fachwerkbalken und reetgedecktem Dach am Ufer stand.

272

»Oh«, flüsterte Will. »Es steht noch immer hier? Ich dachte, es wäre längst dem Fluss zum Opfer gefallen oder einem Feuer, wie schon einmal. Oder dem Verfall und der Bedeutungslosigkeit.« Tilly spürte, wie Will ihre Hand fester umschloss, als er zum Globe Theatre aufblickte.

»Es ist nicht wirklich dasselbe Gebäude«, musste sie zugeben. »Aber es steht wohl an ziemlich genau demselben Platz, und ich glaube, es sieht auch genauso aus wie das Original. Hast du es so in Erinnerung?«

»Ja, exakt so«, antwortete Will und legte staunend die freie Hand aufs Herz. »Es ist, als schwebte mein Geist im Himmel und beobachtete diesen Augenblick von oben. Können wir hineingehen?«

»Wir können es versuchen«, antwortete Tilly. »Ich weiß nicht genau, ob gerade etwas aufgeführt wird oder ob sie uns ohne Eintrittskarte reinlassen, aber wir können mal schauen.«

Sie überquerten die Straße, gingen die Treppe hinauf und durch das Tor in der Mauer, die das Theater umgab. Abgesehen von ein paar Touristen, die Fotos machten, war es menschenleer, und die Eingangstür des Globe war fest verschlossen.

»Ach, niemand hier«, stellte Will fest. »Es ist nur noch ein Denkmal.

»Nein, Sir«, widersprach da ein Mann, während er Wills Outfit kritisch musterte. Es war ein Platzanweiser, der auf einem Klappstuhl neben einem der Eingänge saß. »Es fin-

det gerade eine Vorstellung statt, und die Leute sind alle drin.«

»Würden Sie uns vielleicht erlauben hineinzugehen?«, fragte Will leise.

»Tut mir leid, das geht nicht«, antwortete der Mann. »Wenn die Aufführung einmal begonnen hat, bleiben die Türen geschlossen.«

»Ich würde sie liebend gerne sehen«, sagte Will, und Tilly sah dem Platzanweiser an, dass er ihn für einen dieser verrückten Fans hielt, die es immer übertrieben und auf die er gern verzichten konnte.

»Es ist wirklich ein ganz besonderer Anlass«, versuchte Tilly, ihn zu überreden. »Unser Freund ist nur kurz in London, und dieser Ort bedeutet ihm sehr viel.«

»Er bedeutet vielen Leuten sehr viel«, antwortete der Mann. Er sah Will und Oskar an und seufzte. »Na schön«, sagte er. »Demnächst ist Pause. Einlassen kann ich euch nicht, aber ihr dürft einen Blick hineinwerfen, sobald die Türen aufgehen. Ungefähr in fünf Minuten, wenn sie pünktlich angefangen haben.«

»Welches Stück wird denn gespielt?«, fragte Tilly und hoffte, dass es auch tatsächlich eins von Shakespeare war.

»*Ein Sommernachtstraum*«, antwortete der Platzanweiser.

»Perfekt.« Tilly lächelte.

Sie warteten vor der Tür, Will in Gedanken versunken und Tilly und Oskar mühsam ihr Gähnen unterdrückend.

»Tilly, hast du Geld dabei?«, fragte Oskar und schielte auf den Eisstand, wo in Erwartung des Ansturms in der Vorstellungspause gerade die Eiscreme nachgefüllt wurde. Tilly nahm ihr Portemonnaie aus dem Rucksack. Darin waren immer noch die Dollars, die ihre Mum ihr gegeben hatte, aber von ihrem englischen Geld hatten sie das meiste für das Frühstück am Flughafen ausgegeben; eigentlich erst an diesem Morgen, aber gefühlt schon vor Wochen.

Oskar nahm die zwei Pfund, die Tilly noch aus ihrer Geldbörse schütteln konnte, und schlenderte zu der Eisverkäuferin hinüber. Kurz darauf kehrte er jedoch mit leeren Händen wieder zurück.

»Vier Pfund fünfzig!«, sagte er. »Für ein Eis. Und es scheint noch nicht mal die Sonne.« Bevor er sich allerdings weiter empören konnte, gingen die Holztüren des Theaters auf, und eine Flut Menschen strömte auf den Hof und schnurstracks zu den Toiletten oder zu den Essensständen.

»Komm, Will«, sagte Tilly und zog ihn aufgeregt vorwärts. Sie stellten sich alle drei an die Tür und spähten, unter dem wachsamen Blick des Platzanweisers, in das Theater.

Dort erhob sich in der Mitte eine hölzerne Bühne, vor der unter freiem Himmel, in der sogenannten »Grube«, ein paar Zuschauer standen, die ihre Hände nach oben streckten und hofften, es würde nicht anfangen zu regnen.

276

Nur die hölzernen Sitzplätze und Logen, die sich rund um den Theaterraum erstreckten, waren überdacht. Die Bühne selbst war mit Blätterranken und Blüten dekoriert, und um die Säulen am Bühnenrand waren Lichterketten gewickelt. Tilly war schon zwei Mal im Globe gewesen – einmal bei einem Schulausflug, als sie eine Führung durch das Gebäude bekommen hatten, und einmal mit ihren Großeltern und ihrer Mutter. Damals hatten sie ein Stück über eine Frau namens Emilia gesehen, die Shakespeare angeblich inspiriert haben sollte. Als Tilly sich vornahm, Will später nach ihr zu fragen, wurde ihr bewusst, dass es sicher jede *Menge* Fragen gab, die die Leute Shakespeare gern stellen würden, wenn sie die Gelegenheit dazu hätten.

Im Moment starrte Will allerdings nur wie gebannt auf das, was er vor sich sah. »Das ist, als wäre ich in der Zeit zurückgereist«, sagte er. »Alles sieht noch genau so aus, wie ich es in Erinnerung hatte. Ach! Wir haben schöne Stunden hier verbracht.« Er stand Richtung Bühne gewandt da und schloss die Augen, rief die Geister und Schatten früherer Schauspieler herbei, füllte in Gedanken die Ränge mit Wohlhabenden, Honoratioren und Königen und die »Grube« mit den Armen und dem einfachen Volk.

Als auch Tilly die Augen schloss, fühlte sie sich beinah selbst ins elisabethanische London zurückversetzt. Das Geplauder des Publikums hatte sich damals bestimmt kaum von dem heute unterschieden, genauso wenig wie der Geruch der

Themse, die kühle Brise, die durchs offene Dach zog, und die Frische der abendlichen Frühlingsluft.

Das Klingeln zum Beginn des zweiten Teils der Vorstellung katapultierte sie zurück in die Gegenwart. Will, der näher an der Bühne gestanden hatte als sie und Oskar, wurde rasch von der Flut Menschen erfasst, die wieder hereinströmten, um zu ihren Plätzen zurückzukehren.

»Will!«, rief Tilly, der plötzlich siedend heiß einfiel, dass sie noch nicht ausprobiert hatten, ob er nicht ständig dicht bei ihr bleiben musste, nachdem sie die Geschichtenwelt verlassen hatten. Doch während er weiter bis ganz nach vorne geschoben wurde, konnte sie ihn, immer noch vom Anblick der Bühne verzückt, deutlich erkennen. Sie und Oskar fingen an, sich durch die Zuschauer zu drängen, um zu ihm zu gelangen.

»He!«, rief der Platzanweiser, als er sie im Gedränge aus den Augen verlor. »Hat jemand einen Kerl in Shakespeare-Kostüm und zwei Kinder gesehen?«

Tilly hörte ihn rufen, aber niemand beachtete ihn, weil alle in der »Grube« damit beschäftigt waren, den besten Platz zu ergattern. Also schnappte sie Oskar und ließ sich mit ihm von der Menschenmenge mitziehen, bis sie in Wills Nähe standen. Kurz darauf kamen alle zur Ruhe, und ein hochgewachsener Mann trat auf die Bühne.

»Mich wundert's, ob Titania erwachte,
Und welch Geschöpf ihr gleich ins Auge fiel,
Worein sie sterblich sich verlieben muss.«

Will sprach die Verse stumm mit dem Schauspieler mit, der den Oberon spielte. Und während die Aufführung weiterging und die Zuschauer lachten, weinten und klatschten, stand Will mitten unter ihnen, als hörte er seine eigenen Worte zum ersten Mal auf der Bühne. Für einen Moment teilten sich die Wolken am Himmel, und der Frühlingsmond schien auf ihn und sein Publikum herab, und Tilly sah, wie er sich eine Träne aus dem Auge wischte.

Tilly hatte ein schlechtes Gewissen, weil sie keine Eintrittskarten gekauft hatten, aber Shakespeare in eine Aufführung seines eigenen Stückes zu schmuggeln, galt wahrscheinlich als Entschuldigung, vor allem, wenn es für die Sache der Rettung des Buchwandelns war. Denn dabei wäre das Globe bestimmt mit an Bord, ob die Verantwortlichen nun davon wussten oder nicht.

Nachdem das Stück zu Ende war und die Zuschauer langsam Richtung Ausgang strömten, ging Will zur Bühne und berührte die Bretter sanft mit den Fingerspitzen.

»Dass all das noch da ist«, sagte er leise zu sich selbst. »Dass diese Stücke noch immer aufgeführt werden und diese Bühne noch hier steht. Dass die Menschen noch immer herkommen und meine Worte sie noch immer berühren.«

Er beugte sich vor und legte die Stirn auf das Holz, wie im Gebet. Dann atmete er einmal tief durch und ging zu Tilly und Oskar zurück.

»Wird dieses Stück häufig gespielt?«, fragte er ein bisschen nervös, was Tilly wohl antworten würde.

»Ja«, antwortete Tilly. »Es wird aufgeführt und gelesen und auf der ganzen Welt studiert, Will. Kinder nehmen es in der Schule durch, Schauspieler proben es an der Universität, und es gibt Filme und Bücher, die nach deinen Werken entstanden sind. Nicht nur nach diesem, nach allen. Ich glaube, in New York gibt es sogar eine Aufführung, bei der die Zuschauer mitmachen können. Die ganze Welt kennt deine Worte, und vielen Menschen bedeuten sie unglaublich viel. Wie kannst du nur sagen, dass nichts davon eine Rolle spielt? Es *muss* doch eine Rolle spielen, Will.«

»Jetzt verstehe ich, warum du mich hergebracht hast«, sagte Will und lächelte Tilly an. »Ich … ich hätte mir nicht vorstellen können, dass das möglich ist. Ich danke dir aufrichtig. Du hast das sicherlich getan, weil du meine Hilfe suchst, aber was auch immer mich hergeführt hat, ich bin sehr froh und dankbar. Zu wissen, dass ich noch heute einen Platz im Herzen der Menschen habe, nachdem ich schon so lange tot bin … Das ist ein Geschenk von unschätzbarem Wert. Ich stehe in deiner Schuld.«

»Super«, sagte Oskar und zeigte Tilly ein Daumen-hoch. »Will ist dabei. Aber wobei eigentlich? Was unternehmen wir jetzt?«

»Als Erstes müssen wir nach Hause«, antwortete Tilly. »Zu Pages & Co.«

39

Deutlich weniger normal als der Rest

Hätte Tilly ihre Großeltern angerufen, hätten sie bestimmt darauf bestanden, dass sie sich auf der Stelle ein Taxi nach Hause nehmen. Sie wollte aber lieber mit der U-Bahn fahren, um sich erst einmal wieder daran zu gewöhnen, aus den tiefsten Ebenen der Geschichtenwelt zurück in London zu sein.

»Kommt es dir nicht auch so vor, als wären wir Tage oder Wochen fort gewesen?«, fragte sie Oskar, als sie auf den vertrauten Sitzen in der Northern Line saßen. Will hatten sie zwischen sich platziert, damit er sich nicht vom Fleck rührte.

»Ich kann auch nicht glauben, dass wir noch denselben Tag haben«, sagte Oskar. »Kein Wunder, dass ich so platt bin, aber ich bin froh, dass meine Mum sich so nicht sorgt.«

Es dauerte nicht lange, bis ihre Köpfe auf Wills Schultern sanken und sie beide einschliefen.

Tilly wachte wieder auf, als sie in Camden Town hielten und eine Horde Touristen hereinströmte.

»Tilly, hast du vielleicht eine Feder und etwas Papier zur Hand?«, flüsterte Will ihr zu. »Mit jedem Augenblick, den ich hier bin und das jetzige Leben beobachte, habe ich neue Einfälle.«

Tilly nahm ein Notizbuch und einen Stift aus ihrem Rucksack und amüsierte sich kurz darauf köstlich darüber, wie Will sich mit dem Kugelschreiber abmühte, während er – von einer Hand verdeckt, damit niemand etwas lesen konnte – seine Gedanken notierte. Trotz seiner unübersehbaren Ähnlichkeit mit dem berühmtesten Stückeschreiber der Welt zuckte bei seinem Anblick nicht einmal jemand mit der Wimper. Man war es gewohnt, in der U-Bahn den unterschiedlichsten Menschen in den unterschiedlichsten Aufzügen zu begegnen, und die Fahrt nach Nordlondon verlief reibungslos.

Als die Bahn hielt, stiegen sie aus und liefen Richtung Hauptstraße, an der Pages & Co. lag. Obwohl sie erst an diesem Morgen aufgebrochen waren, kam es Tilly und Oskar vor, als wäre eine Ewigkeit vergangen. Tilly sah noch einmal auf ihr Handy und stellte fest, dass sie mehrere Textnachrichten von ihren Großeltern bekommen hatte. Sie öffnete keine davon, um noch eine kleine Atempause zu haben, bevor sie sich mit ihren Fragen und Sorgen auseinandersetzen musste. Hoffentlich hatte Bea ihnen alles erklärt, und sie waren nicht allzu böse auf Oskar und sie. Sie bereitete sich innerlich darauf vor, ihnen zu sagen, dass sie zwar recht gehabt hatte, was die Existenz der Archivare anbelangte, dass die aber keine so große Hilfe gewesen waren, wie sie gehofft hatte. Und dass Oskar und sie nichts als ein paar weitere Hinweise und eine Menge neue Probleme mitgebracht hatten, die nun gelöst werden mussten.

Die Normalität in ihrer Straße wirkte wohltuend. Sie liefen an all den Geschäften und Cafés vorbei, die ihr so vertraut waren und die sie liebte: an dem italienischen Feinkostladen, wo man ihnen immer übrig gebliebene Puddingtörtchen schenkte, an dem Bistro, in dem es die größte Frühstücksauswahl gab, die man sich vorstellen konnte, und natürlich am Café Crumble, das von Mary geführt wurde. Alles war so herrlich normal, dass Tilly ganz überwältigt war, während sie auf den Buchladen zusteuerten.

Will, der an diesem Ort natürlich deutlich weniger normal wirkte als der Rest, löcherte Oskar mit Fragen. Er wollte wissen, wie dies und jenes funktionierte und warum alle möglichen Dinge hier so oder so waren. Zwischendurch schrieb er ab und zu etwas in Tillys Notizbuch; die Sache mit dem Kuli hatte er mittlerweile im Griff.

Bis Tilly irgendwann »Da sind wir« sagte und stolz auf Pages & Co. deutete.

Die großen Schaufenster sahen aus, als wollten sie sie zu Hause willkommen heißen, und dahinter lag, nach Ladenschluss ruhig und dunkel, die Buchhandlung. Tilly wurde es ganz eng ums Herz, ein Gefühl, das sich, sobald sie in Pages & Co. war, normalerweise schnell legte. Jetzt aber war es heftiger als sonst und irgendwie schwerer im Zaum zu halten. Sie nahm ihren Schlüssel aus dem Rucksack und schloss die Ladentür, die sich mit dem Klingeln der Glocke über ihrem Kopf öffnete.

»Tilly!«, rief sofort jemand, und Grandma und Grandad eilten auf sie zu. Sie zogen Tilly und Oskar in eine feste Umarmung, bevor sie Will bemerkten.

Grandad legte den Kopf zur Seite und fragte sich offenbar, warum er ihm so bekannt vorkam. »Kennen wir uns?«, fragte er.

»Grandad«, sagte Tilly und kostete den Augenblick kurz aus, »darf ich vorstellen: William Shakespeare. Er ist einer der Archivare, und er ist hier, um uns zu helfen.«

»Ah«, sagte Grandad. »Alles klar.«

»Das ist wirklich *Shakespeare*, Archie«, sagte Oskar aufgeregt. »Du scheinst ja nicht sonderlich begeistert zu sein.«

»Doch… schon«, antwortete Grandad. »Es ist bloß… Tilly, wir müssen dir etwas sagen. Deine Mum… die Underwoods haben sie.«

40

Heisser Toast mit Butter

Tilly wurde blass. »Wie meinst du das, sie *haben sie*?«

»Sie ist zur Underlibrary gefahren und hat sich freiwillig in ihre Hände begeben – um dich zu schützen«, erklärte Grandad und sah dabei aus, als litte er dabei körperliche Schmerzen. »Sie hat uns nicht vorgewarnt, sonst hätten wir sie natürlich davon abgehalten, Tilly. Wir wussten weder, dass sie dich und Oskar zum Flughafen gebracht hat, noch, dass sie in der Underlibrary ist, bis sie uns von dort aus angerufen hat. Wahrscheinlich ist sie von Heathrow aus gar nicht mehr nach Hause gekommen.«

»Aber was könnte sie den Underwoods denn nützen?«, fragte Tilly. »Ich verstehe nicht, warum sie das tut.«

»Wir wissen nicht, was sie ihnen angeboten hat«, sagte Grandma. »Sie hat nur angerufen, um uns mitzuteilen, wo sie ist und wo ihr beide seid. Sie sagte, ihr wärt in Sicherheit bei Freunden ... in Amerika. Wie kommt ihr überhaupt her? Wart ihr wirklich in Washington?«

»Ja«, antwortete Tilly besorgt, erschöpft und verwirrt zugleich. »Aber von da aus sind wir weiter, um die Archivare zu suchen. Mitten in die Welt der Geschichten, und ihr wisst ja, wie das mit der Zeit bei Buchwandeln ist. Und jetzt sind wir hier.« Tilly wurde leicht schwindelig, weil das alles etwas zu viel für sie war.

»Kommt, setzt euch erst mal«, sagte Grandma und führte die drei in die Küche. »Ihr braucht alle eine Tasse starken, süßen Tee, und dann erzählt ihr uns, was passiert ist.«

»Nein«, sagte Tilly, während sie versuchte, klar zu denken. »Wir müssen Mum zurückholen. Und zwar sofort.«

»In diesem Zustand kannst du ihr nicht helfen«, entgegnete Grandma. »Wenn du jetzt aufbrichst, bringst du sie nur noch mehr in Gefahr. Ich verspreche dir, dass wir sie zurückholen, heute Nacht noch, wenn möglich. Aber ihr beide müsst jetzt etwas essen und trinken und duschen. Und dann«, sagte sie und musterte Will von oben bis unten, »überlegen wir uns noch, was wir mit *Ihnen* machen.«

»Sehr erfreut, Sie kennenzulernen«, sagte Will, verbeugte sich tief und ergriff Grandmas Hand, um sie zu küssen. »Diese beiden Kinder machen Ihnen und Ihrem Geschäft alle Ehre.«

»Das kann man wohl sagen«, sagte Grandad stolz. »Ach übrigens, Oskar, deine Mum geht davon aus, dass du bis morgen bei uns bleibst. Möchtest du also hier übernachten?«

»Als müsstest du das noch fragen«, antwortete Oskar.

Kurz darauf saßen sie, die Hände um Becher mit heißem Tee geschlungen und eine Platte heißen Toast mit Butter vor sich, an ihrem vertrauten Küchentisch. Tilly und Oskar erzählten Grandma und Grandad alles, was passiert war, und als sie zu dem Teil mit der Library of Congress kamen, fröstelte es Tilly.

»Oje«, sagte sie, als sie daran dachte. »Orlando und Jorge – sie werden bestimmt noch immer von dem amerikanischen Bibliotheksdirektor festgehalten.«

»Dem amerikanischen Bibliotheksdirektor?«, wiederholte Grandad. »Du meinst den Bibliothekar, der die Library of Congress leitet?«

»Nein«, antwortete Oskar. »Viel schlimmer. Es ist der Direktor der amerikanischen Unterbibliothek, Jacob Johnson. Er arbeitet mit den Underwoods zusammen. Und er hält Orlando und Jorge gefangen.«

»Nun gut«, sagte Grandad und legte den Kopf in die Hände. »Also noch ein Problem, um das wir uns kümmern müssen. Elsie.« Er sah Grandma an. »Wen kennen wir in der amerikanischen Unterbibliothek, der uns helfen könnte? Weiß Amelia vielleicht jemanden? Könntest du sie anrufen und fragen, ob sie vielleicht herausfinden kann, wo die beiden – Orlando und Jorge – sind?«

Tilly nickte zustimmend. »Wo sie sind und wie man sie befreien kann, falls sie noch nicht in Sicherheit sind?«

288

Grandma nickte mit fest entschlossener Miene und machte sich auf den Weg, um Amelia anzurufen.

Oskar und Tilly beendeten derweil den Bericht über ihre Reise zu den Archivaren und erzählten von Artemis' Theorie über die verschollenen Bücher und Horatio.

»Tut mir leid, dass die Archivare keine große Hilfe waren«, sagte Tilly. »Und das, wo ich so einen Aufstand gemacht habe, um sie suchen zu dürfen.«

»Aber sie waren eine Hilfe«, erwiderte Grandad. »Allein schon dadurch, dass es sie gibt – dieser Beweis ist ein toller Erfolg, Tilly. Ich kann mich nur dafür entschuldigen, dass ich dir nicht geglaubt habe. Ich hätte dir von Anfang an vertrauen sollen. Selbst wenn sie uns keine einfache Lösung liefern konnten, so hat diese Artemis uns doch geholfen. Sie hat uns gezeigt, wie das alles zusammenhängt – nämlich durch das Verschwinden der Bücher. Das ist schon mal ein Anfang. Falls die Underwoods damit zu tun haben, was wir annehmen müssen, und wir herausfinden können, was sie mit den Büchern vorhaben, dann bringt uns das auf jeden Fall weiter.«

»Aber wie lange soll das dauern?«, fragte Tilly. »Vor morgen wird Horatio sich nicht melden. Und wann holen wir Mum zurück?«

»Wir brauchen irgendein Druckmittel«, antwortete Grandad. »Und wir müssen wissen, was Bea ihnen vorgeschlagen hat. Außerdem müssen wir für deine Sicherheit sorgen, Tilly.«

»Aber ich will …«

»Deine Mum hat sich entschieden, ihre Freiheit zu opfern, um dich zu schützen, das müssen wir respektieren. So schwer es auch ist. Wir erreichen nichts, indem wir euch beide in Gefahr bringen. Ohne weitere Fakten zu kennen und ohne einen Plan einfach dort aufzutauchen, ist zu gefährlich. Immerhin sehen wir jetzt schon mal klarer – die Underwoods sind vermutlich darin verwickelt, Bücher zu verstecken und so den Fluss der Fantasie zu unterbrechen«, sagte er. »Jetzt müssen wir erst einmal überlegen, was wir mit Mr Shakespeare machen«, fuhr er fort und beäugte Will ein bisschen nervös. »Du hast gesagt, er müsste wahrscheinlich die ganze Zeit in deiner Nähe bleiben?«

»Möglicherweise«, antwortete Tilly. »Wir hatten noch keine Gelegenheit, das außerhalb der Geschichtenwelt zu überprüfen.«

»Ich möchte mich für die Unannehmlichkeiten entschuldigen, die meine Anwesenheit bereitet«, sagte Will. »Ich gebe zu, dass mein Tun einzig und allein von meinem Wunsch gesteuert war, dieses gottverdammte Archiv zu verlassen. Ich war ganz trunken von dem Wunsch nach Freiheit und sehe erst jetzt, dass ich Ihrer Familie in dieser schwierigen Zeit nur noch mehr Erschwernis bringe. Aber ich schwöre Ihnen, ich bin auf Ihrer Seite. Tilly und Oskar haben mir gezeigt, wie wichtig Ihre Ziele sind, und ich würde mich geehrt fühlen, gemeinsam mit Ihnen kämpfen zu dürfen. Unter Umständen kann ich mit einem weisen Ratschlag dienen, wenn die Lage etwas übersichtlicher geworden ist. Ich habe über die Jahrzehnte mit vielen Buchwandlern gesprochen und hoffe aufrichtig, dass ich von Nutzen sein werde.«

»Ähm, danke, Mr Shakespeare«, sagte Grandad.

»Nennen Sie mich Will«, antwortete Will, worauf Grandad nur nickte. Offenbar hatte es ihm die Sprache verschlagen.

»Gibt es eine Möglichkeit, Kontakt zu Mum aufzunehmen?«, fragte Tilly. »Hat sie ihr Handy dabei?«

»Wenn ja, dann geht sie nicht ran«, antwortete Grandad. »Und ich will nicht riskieren, ihr etwas über unsere Pläne in einer Textnachricht zu schicken, solange sie bei den Underwoods ist, vor allem weil sie dich bei ihren amerikanischen Freunden in Sicherheit wähnt. Die Underwoods dürfen auf keinen Fall mitbekommen, dass du zurück in London bist. Ich weiß, wie schwer es dir fällt, aber du musst deine Mum vorerst tun lassen, wozu sie sich entschieden hat.«

»Ich weiß«, sagte Tilly, die versuchte, trotz ihrer Sorge und Erschöpfung vernünftig zu bleiben. »Was sollen wir also deiner Meinung nach tun?«

Sie besprachen ihre Optionen, und als der Toast aufgegessen war, hatten sie einen Plan. Am folgenden Morgen würden sie sich in zwei Gruppen aufteilen. Grandma würde Tilly und Oskar zu Horatio begleiten und anfangen, mit ihnen nach den verschwundenen Büchern zu suchen. Grandad und Amelia würden sich auf den Weg machen, um Bea zurückzuholen. So groß Tillys Wunsch war, ihrer Mum zu helfen, ihr war auch klar, dass sie mit Horatio zusammenarbeiten musste und dass Grandad und Amelia als ehemalige Bibliotheksdirektoren die beste Wahl waren, um Bea zu finden und unversehrt aus der Bibliothek zu bringen. Es war noch nicht die Lösung. Aber es war zumindest

ein

Anfang.

41

WELCH FREUDE,
WIEDER BUCHZUWANDELN

Es kam ihr vor, als hätte sie den Kopf erst ein paar Minuten zuvor aufs Kissen gelegt, doch als Tilly wach gerüttelt wurde und auf ihren Wecker sah, war es mitten in der Nacht.

»Nicht schon wieder«, stöhnte Oskar und drehte sich auf seiner Luftmatratze herum. »Wer ist es denn dieses Mal?«

»Ich habe mir einen Plan zurechtgeträumt«, sagte Will, der am Fußende auf Tillys Bett saß, als wäre es die normalste Sache der Welt, von William Shakespeare geweckt zu werden.

»Kann der nicht bis morgen früh warten?« Oskar gähnte.

»Vielleicht«, antwortete Will. »Aber ich glaube, dass ihr ihn sicher schon jetzt hören wollt. Mir ist klar geworden, auf welche Weise wir deine liebe Mutter retten können, Tilly.«

Tilly war sofort hellwach. »Wie denn?«, fragte sie.

»Ich werde mich selbst diesen Underwoods im Austausch für sie anbieten«, verkündete Will stolz.

»Hä?«, fragte Oskar.

»Ich habe darüber nachgedacht, was ihr mir bisher erzählt habt«, fuhr Will fort. »Bitte klärt mich auf, wenn ich etwas falsch verstanden habe. Worauf immer sie hinauswollen, diese Underwood-Geschwister haben es auf Tillys Blut abgesehen, weil es halb aus dieser Welt und halb aus der Welt der Geschichten stammt, richtig?«

»Stimmt«, bestätigte Tilly.

»Wenn sie also die Unsterblichkeit der Geschichten stehlen wollen, von der sie glauben, dass sie durch deine Adern fließt, wäre dann nicht jemand, der aus reiner Geschichte besteht, ihrem Ziel noch viel dienlicher? Ich bin kein Mensch wie ihr, ich bin aus Geschichte und Erinnerung und Fantasie gemacht. Und würde deshalb ihren Anforderungen bestimmt eher gerecht als du, Tilly.«

»Ich will nicht, dass du das tust«, sagte Tilly leise. »Ich will nicht, dass sich irgendwer statt meiner in ihre Hände begeben muss.«

»Tilly«, sagte Will sanft. »Sie begehren zwar das, *was* du bist, aber bestimmt nicht, *wer* du bist. Wenn ich ihnen geben kann, wonach sie verlangt, dann ist das kein Unterschied für sie. Und du sollst wissen, dass ich nicht vorhabe, mich ihnen wirklich auszuliefern, ich will sie nur ablenken und deine Mutter befreien. Dann machen wir weiter, wo wir aufgehört haben.«

»Was ist, wenn du dich zu weit von mir entfernst?«, fragte Tilly. »Und wieder anfängst, dich… aufzulösen?«

»Im Globe Theatre konnte ich auch ein bisschen weiter von dir fort. Vielleicht lässt das Phänomen nach«, antwortete Will. »Ich bin auf jeden Fall bereit, das Risiko einzugehen. Soll ich etwa bei dir bleiben, bis du alt und grau bist? Lange habe ich nach einer Bestimmung gesucht. Jetzt wurde mir ein edler Pfad gewiesen. Ich bitte dich inständig, lass mich ihn beschreiten.«

»Grandma und Grandad werden das nicht zulassen«, sagte Tilly. »Sie wollen, dass wir uns gemeinsam etwas überlegen und zuerst nach den verschwundenen Büchern suchen. Dass Shakespeare sich opfert, erlauben sie nie.«

»Dann unterrichten wir sie eben nicht über unseren Plan«, sagte Will. »Hast du mir nicht erzählt, man könnte über einen Geheimweg in die Underlibrary gelangen?«

»Theoretisch kann Tilly mit uns durch die Nachsatzblätter gehen«, erklärte Oskar. »Aber wir können im Moment nicht buchwandeln, schon vergessen?«

»Doch, wir können«, sagte Tilly. »Wenn wir das richtige Buch dafür nehmen. Shakespeares Primärausgaben stehen in keiner Unterbibliothek – sie sind im Geschichtenwelt-Express. Wir müssen nur bis ans Ende eines deiner Stücke wandeln, Will, dann befördern die Nachsatzblätter uns direkt in die Underlibrary.«

»Ob die Underwoods wohl mitten in der Nacht dort sind?«, fragte Oskar.

»Wahrscheinlich schon«, meinte Tilly. »Zumindest in ein paar Stunden. Am besten, wir brechen morgen gleich ganz früh auf, bevor Grandma und Grandad wach werden. Stell den Wecker mal auf sechs, Oskar.«

Oskar tat stöhnend wie geheißen, zog sich das Kissen über den Kopf und legte sich wieder schlafen.

»Bist du dir sicher?«, fragte Tilly Will.

»Es ist mir eine Ehre«, antwortete er.

Als ihr Wecker klingelte, war es draußen noch dunkel. Tilly und Oskar quälten sich unter ihren warmen Decken hervor. Will saß immer noch am Fußende von Tillys Bett.

»Hast du etwa die ganze Nacht da gesessen?«, fragte Tilly.

»Oh, ich nehme es an«, antwortete Will und schüttelte sich. »Ich brauche keinen Schlaf, aber ich kann... meinen Geist ruhen lassen. So lässt es sich am besten beschreiben. Ich schlafe nicht, wach bin ich jedoch auch nicht.«

»Wie ein Computer auf Stand-by«, bemerkte Oskar.

»Ich weiß nicht, was dieses Stand-by bedeutet, von dem du sprichst«, sagte Will.

»Nicht so wichtig.« Oskar streckte sich und steuerte auf das Badezimmer zu.

»Gibst du mir bitte einen Augenblick, um mich anzuziehen?«, fragte Tilly etwas verlegen.

»Ich bitte um Verzeihung«, sagte Will, erhob sich und ging zur Tür. »Man vergisst so schnell, wie es ist, menschlich zu sein. Ich kehre gleich zurück, dann können wir unseren Ausflug beginnen.«

Fünf Minuten später hatten sich alle drei unten im Buchladen versammelt. Vor ihnen lag, auf der letzten Seite aufgeschlagen, die Ausgabe von *Ein Sommernachtstraum*, die Orlando Tilly geschenkt hatte. Für Grandma und Grandad hatte Tilly einen Zettel auf ihrem Bett hinterlassen, auf dem stand, dass sie Bea zurückholen würden – mehr nicht.

»Was passiert, wenn du in ein Buch hineinwandelst, Will?«, fragte Oskar und nahm ihn fest am Arm.

»Das weiß ich nicht«, antwortete Will vergnügt. »Vom Archiv aus ist das ganz und gar unmöglich. Welch Freude, endlich wieder buchzuwandeln. Ich hätte nicht gedacht, dass ich dieses Glück noch einmal haben werde.«

»Also dann«, sagte Tilly und las die letzten Verse des Stücks laut vor.

Pages & Co. wurde unter ihren Füßen weggesaugt, und sie befanden sich wieder im verzauberten Wald von *Ein Sommernachtstraum*. Zum Glück waren Titania und Oberon nirgends zu sehen. Nur Droll stand auf einer Lichtung, und aus einiger Entfernung drangen Musik und Gelächter von einem Fest durch die Bäume.

»Wie kann es sein, dass wir durch die Nachsatzblätter Zutritt zur Underlibrary erlangen?«, flüsterte Will, während Droll seine Abschlussworte vortrug.

»Wir warten einfach ab«, antwortete Tilly leise. »Fass uns beide an den Händen, und wenn das Stück zu Ende ist, wirst du schon sehen.«

Sie wappnete sich für das merkwürdige Gefühl, das sie gleich überkommen würde.

Als Droll verstummte, fing plötzlich die Luft an zu schimmern und zu funkeln, dann sprach er von Neuem, allerdings rückwärts, und danach verschwamm alles und rauschte in Windeseile an ihnen vorbei. Das ganze Stück lief um sie herum rückwärts ab, und sie hielten sich ganz fest, während die Blätter in der Luft tanzten und sie von kurz aufblitzenden Lichtern und Bewegungen umgeben waren, bis alles in Dunkelheit versank.

Einen Moment lang stand plötzlich Titania vor ihnen, und Tilly hätte schwören können, dass sie ihr in die Augen sah. Dann wurde ihr schwindelig, und sie tastete vorsichtig mit den Fingerspitzen umher, um festzustellen, ob sie auf festem Boden standen. Erleichtert atmete sie auf, als sie hölzerne Dielen fühlte, und schob sich langsam weiter, bis sie zuerst eine Wand, dann eine Tür und dann einen Lichtschalter fand.

Sie waren wieder in demselben tristen Büro, in dem die Nachsatzblätter sie schon einmal ausgespuckt hatten, nur dass es dieses Mal nicht leer war. Decima Underwood saß hinter dem Schreibtisch.

»Wir haben uns schon gefragt, wann ihr kommen würdet«, sagte sie mit einem kalten Lächeln. »Und ihr habt noch einen Gast mitgebracht. Wie nett.«

42

WIR WAGEN DIESEN VORSTOSS NICHT UNÜBERLEGT

Wo ist meine Mum?«, fragte Tilly, doch Decima ignorierte ihre Frage.

»Folgt mir«, war alles, was sie antwortete, und damit stand sie auf, verließ das Büro und sah noch nicht einmal nach, ob sie ihr gehorchten. Etwas anderes blieb ihnen wahrscheinlich sowieso nicht übrig.

»Gute Frau«, sagte Will, während sie hinter ihr her durch die vertrauten langen Korridore der Underlibrary liefen, »wärt Ihr bitte so freundlich, Euch vorzustellen?«

Decima ignorierte auch Will und lief einfach weiter, bis zu einer Tür, die in einen großen Raum führte, in dem ein Kaminfeuer brannte. Irgendwie kam der Kamin Tilly bekannt vor, und sie hatte ein ungutes Gefühl. Aber vielleicht lag das auch an der Person, die davor stand: Decimas Zwillingsbruder Melville.

Decima stellte sich neben ihn.

Als Tilly die Underwoods das letzte Mal gesehen hatte,

war ihre Haut von Tätowierungen übersät gewesen. Das waren die Stellen, an denen sie versucht hatten, Buchmagie direkt in ihren Körper einzubringen, um Unsterblichkeit zu erlangen. Einige der Hautmuster waren immer noch zu sehen, lugten aus Decimas Ärmeln oder krochen unter Melvilles Hemdkragen hervor. Noch gruseliger war es, dass sie deutlich jünger erschienen als damals – beide sahen erschreckend jugendlich und gesund aus. Sie hatten eindeutig Fortschritte bei ihren Buchmagie-Experimenten gemacht.

»Matilda«, begrüßte Melville sie übertrieben freundlich. »Was für eine Freude, dich wiederzusehen. Und dich auch«, wandte er sich an Oskar. »Und…« Er musterte Will von oben bis unten und war offenbar irritiert von seiner… Shakespearemäßigkeit.

»William Shakespeare«, stellte Will sich vor. »Und ich würde ja sagen, die Freude sei ganz meinerseits, aber es wird sich vermutlich anders erweisen.«

»Ich verstehe nicht ganz«, sagte Melville. »Ihr habt einen abgehalfterten Schauspieler mitgebracht, der vorgibt, Shakespeare zu sein?«

»Abgehalfterter Schauspieler?«, entgegnete Will empört. »Wie könnt Ihr es wagen! Ich bin William Shakespeare, ehemals Stratford-upon-Avon, derzeit direkt aus dem Archiv, um diesen jungen Buchwandlern zur Seite zu stehen.«

»Sicher nicht«, flüsterte Decima und kam Will auffällig nah, um festzustellen, ob er real war. »Das ist unmöglich.«

»Ich versichere euch, es ist möglich«, sagte Will.

»Ihr habt das Archiv gefunden?«, wandte Melville sich an Tilly und Oskar. »Aber ihr seid Kinder. Wie kann das …« Er verstummte, offenbar verblüfft darüber, wie sie das geschafft hatten. »Wo ist es?«, fragte er dann.

»Das kann ich nicht sagen«, antwortete Tilly. »Man braucht eine Karte.«

»Und wo ist eure Karte?«

»Die haben wir nicht mehr«, erwiderte Tilly.

»Ich weiß, warum du gekommen bist, Matilda«, sagte Melville. »Nachdem deine Mutter hier aufgetaucht ist, war uns klar, dass du bald schon nachfolgen würdest. Und mit deinem Anhängsel haben wir auch gerechnet. Er ist ja nie weit, wenn du irgendwo bist.«

»Frechheit«, murmelte Oskar vor sich hin.

»Aber dass du einen Archivar mitbringst«, sagte Decima. »Zu uns? Das soll einer verstehen. Es zeigt mal wieder, warum deine Familie immer erfolglos damit droht, uns in die Quere zu kommen. Wir machen große Fortschritte, und nun überlasst ihr uns auch noch diese … Rohstoffquelle.« Sie starrte Will weiter an, als wäre er irgendein Forschungsobjekt, aber kein Mensch.

»Eine Quelle, Madam?«, fragte Will entrüstet.

»Natürlich«, antwortete Decima. »Sie sind offensichtlich nicht aus demselben Stoff gemacht wie wir, hab ich recht? Denn sind Sie nicht im Jahr… wann war es, 1616, glaube ich, gestorben?«

»Richtig«, antwortete Will. »Mein früheres Leben ging damals zu Ende.«

»Also aus was bestehen Sie sonst, wenn nicht aus Buchmagie?«, fragte Decima. »Dem Stoff, den wir erforschen wollen.«

»In der Tat«, antwortete Will. »Wir dachten uns, dass das Euer Interesse weckt. Und Ihr billigt uns nicht einmal zu, dass wir einen vernünftigen Grund für unser Handeln haben. Wir wagen diesen Vorstoß nicht unüberlegt. Ich bin bereit, mich im Austausch anzubieten, wenn Ihr diese beiden hier unversehrt ziehen lasst – zusammen mit Tillys Mutter.«

»Ein großzügiges Angebot«, sagte Melville. »Aber wo ihr nun alle hier seid, warum sollten wir da irgendwen gehen lassen, bevor wir genauer überprüft haben, wie ihr uns nützen könnt?«

Tilly wurde klar, dass der Wunsch, ihre Mum zu befreien, sie dazu verleitet hatte, den Underwoods in die Hände zu spielen. Sie blickte nervös zu Oskar und Will.

Da trat Will einen Schritt vor, während seine Hände unübersehbar Buchmagiefunken versprühten.

»Vielleicht kann ich Euch hierdurch überzeugen«, sagte er und berührte Decimas Hand mit dem Finger.

Die Berührung war nur ganz leicht, doch Decima erstarrte, und dort, wo seine Haut auf ihre getroffen war, flogen plötzlich Funken. Entsetzt starrte sie auf ihre Hand, die in dem Moment anfing zu altern, und ihre Haut verwandelte sich von glatt und makellos zu faltig und altersgefleckt.

»Was haben Sie getan?!«, rief Decima und umklammerte ihre Hand vor der Brust. »*Was haben Sie da getan?*«

43

Eine Wendung des Schicksals

Wie Ihr richtig vermutet, bestehe ich aus Buchmagie«, sagte Will. »Und ich fordere einen Teil davon von Euch zurück, weil Ihr sie unangemessen benutzt. Das ist schließlich nur fair.«

»Wie können Sie es wagen, sie mir zu stehlen?«, rief Decima und hielt den Blick weiter entsetzt auf ihre Hand gerichtet.

»Sie gehört Euch nicht«, erwiderte Will. »Die Archivare wurden lange nicht darum gebeten, das Buchwandeln zu schützen, aber nun sind wir zurück. Ich bin gekommen, um die Geschichten zu retten, nachdem Ihr Euch daran vergriffen habt. Also, wollen wir nun eine Übereinkunft treffen?«

»Geben Sie sie zurück!«, sagte Decima mit wutverzerrtem Gesicht.

»Das kann ich nicht«, antwortete Will. »Seid froh, dass ich nicht mehr genommen habe. Ich könnte, wenn ich wollte.«

»Wir überlassen Ihnen Beatrice«, sagte Melville schnell

und wich einen Schritt vor Will zurück. »Die brauchen wir nicht.«

»Was hat sie Ihnen angeboten?«, fragte Tilly.

»Sie hat gesagt, dass sie durch die Schwangerschaft mit dir ein kleines bisschen Buchmagie in sich trägt«, antwortete Decima und versteckte ihre Hand hinter dem Rücken. »Eigentlich wollten wir ihre Anwesenheit hier auch nutzen, um herauszufinden, ob das stimmt. Schließlich lassen wir uns keine Möglichkeit entgehen. Doch wir haben uns entschieden, sie zunächst zu verschonen, weil wir wussten, dass du irgendwann auftauchen würdest, um sie zu suchen. Wir sind davon ausgegangen, dass allein schon die Drohung, sämtliche Kinder am Buchwandeln zu hindern, dich herlockt, aber das hat dem Ganzen natürlich noch mehr Nachdruck verliehen. Et voilà, du hast dich genauso verhalten wie erwartet. Nun ja«, sagte sie und sah Will unsicher an. »Nicht ganz wie erwartet, das gebe ich zu.«

»Genau«, sagte Will. »Sie wären gut beraten, daran zu denken, dass ich ziemlich versiert im Geschichtenerzählen bin. Man muss immer etwas bis zum Schluss für sich behalten, denn eine Wendung des Schicksals verleiht den Abläufen eine gewisse Spannung. Und es wäre natürlich auch klug, sich in Erinnerung zu rufen, dass die Bösen niemals siegen. Also, sollen wir uns nun irgendwie einigen?«

»Sie wollen freien Abzug für Beatrice und die beiden?«,

fragte Melville. »In Ordnung, wir stimmen zu. Wir stimmen zu.«

»Nein«, sagte Will. »So einfach ist es nicht. Ich habe nicht vor, mich Euch in einer Weise zu opfern, die Eure Pläne noch voranbringt. Meine zweite und letzte Forderung ist, dass wir uns zusammensetzen und über die Zukunft der British Underlibrary und die Einschränkung des Buchwandelns sprechen.«

»Und dafür bekommen wir Sie?«, fragte Decima. »Als Gegenleistung für ein Gespräch, mehr nicht?«

»Ja«, bestätigte Will. »Sehen wir zunächst, was wir durch Worte erreichen können.«

»Gerne«, sagte Melville und grinste. »Schauen wir doch mal, wie weit wir mit Worten kommen.«

»Unterschätzt sie nicht«, sagte Will. »Versprechungen zu machen ist einfach, aber man sollte seine Worte stets mit Bedacht wählen. Wärt Ihr nun so freundlich, Beatrice herzubringen, damit wir uns vergewissern können, dass sie unversehrt ist. Dann können wir fortfahren.«

Sie warteten schweigend, während Melville kurz telefonierte. Kurz darauf flog die Tür auf, und Bea rannte direkt zu Tilly.

»Du tapferes, wunderbares Mädchen«, flüsterte sie ihr ins Ohr. »Ich wusste, dass du sie finden würdest. Sind sie hier?«

»Gewissermaßen«, antwortete Tilly, die nicht vor allen Anwesenden erklären wollte, dass die Archivare nicht die

Lösung gewesen waren, auf die sie gehofft hatten. »Ähm, Mum, darf ich vorstellen: William Shakespeare.«

Will machte eine Verbeugung vor Bea, die kurz stockte, dann aber rasch verstand.

»Zufrieden?«, fragte Melville. »Sollen wir jetzt reden? Ich schlage vor, wir begeben uns dazu an einen weniger öffentlichen Ort.«

Die Gruppe ging durch die Flügeltür, die in den Hauptlesesaal der Underlibrary führte. Normalerweise versetzte dieser Raum Tilly in Staunen und Begeisterung, aber jetzt war er leer und dunkel, und ihre Schritte hallten gespenstisch bis zur hohen Decke. Nur wenige Bibliothekare hatten Dienst. Sie vermieden den Blickkontakt mit den Besuchern und schwiegen.

Statt durch den Saal zu dem Gang auf der anderen Seite zu gehen, wo Tilly und Oskar schon früher gewesen waren, liefen sie zu dem riesigen runden Tisch in der Mitte des Raumes, der den alten Zettelkatalog umgab – einen Schrank mit lauter kleinen Schubladen, in denen auf Karteikarten sämtliche Bücher verzeichnet waren. Decima klappte einen Teil des Tisches nach oben und signalisierte ihnen, ihr zu folgen. In den hölzernen Katalogschrank war eine Tür eingebaut. Decima löste einen zierlichen goldenen Schlüssel von einer Kette, die sie um den Hals trug, und steckte ihn in das passende Schlüsselloch. Als sie die grifflose Tür aufschob, konnte Tilly dahinter eine Wendeltreppe erkennen, die abwärts in die Dunkelheit führte.

»Wieso ist alles immer so unnötig gruselig?«, flüsterte Oskar und verdrehte die Augen.

Wie auf Befehl streckte Decima die Hand aus und schaltete ein Licht an, das die steinernen Stufen beleuchtete.

»Geht doch«, sagte Oskar. »Muss wohl an Ihnen liegen, dass es so creepy ist.«

»Warum bist du eigentlich schon wieder hier, Junge?«, fragte Melville.

»Weil ich ein Hauptmitglied dieses Teams bin«, antwortete Oskar.

»Wenn Sie das bis jetzt noch nicht mitbekommen haben«, sagte Bea, »dann sind Sie wirklich ein Narr.«

44

DIE PRIMÄRBIBLIOTHEK

Die Stufen wanden sich abwärts, und Tilly, Oskar, Will und Bea folgten den Underwoods schweigend. Die Treppe endete in einem kleinen Vorraum, der von einer riesigen schwarzen Tür mit zahlreichen Riegeln und Schlössern dominiert wurde.

»Willkommen in der Primärbibliothek«, sagte Melville. »Ihr könnt euch glücklich schätzen, dass ihr sie sehen dürft. Diese Gelegenheit erhalten nur sehr wenige Buchwandler und Buchwandlerinnen.«

Das ist er also, dachte Tilly. Der Ort, an dem die einmaligen Primärausgaben fast aller englischsprachiger Bücher aufbewahrt werden. Die Bücher, die besonders geschützt werden müssen, damit niemand die Geschichten darin dauerhaft verändern kann, die allerdings jetzt von den Underwoods gesichert wurden, um das Buchwandeln weiter zu reglementieren. Die Primärbibliothek war geheimnisumwoben, und es war schwer, keine Ehrfurcht vor dieser riesigen, schwarzen, verschlossenen Tür zu haben.

Tilly erwartete, dass Melville irgendeinen alten, verros-

teten Schlüssel hervorholen würde, doch stattdessen ging
er zu einer kleinen Luke neben der Tür, schob sie auf und
offenbarte ein hochmodernes Tastenfeld.

»Unsere neueste Errungenschaft«, erklärte er süffisant
über die Schulter.

Er tippte ein paar Zahlen ein, die Tilly und Oskar nicht
erkennen konnten, und plötzlich glitten rund um die riesige Tür sämtliche Verriegelungen auf. Kaum waren sie
offen, packte Melville den Türgriff und schob die Tür auf.

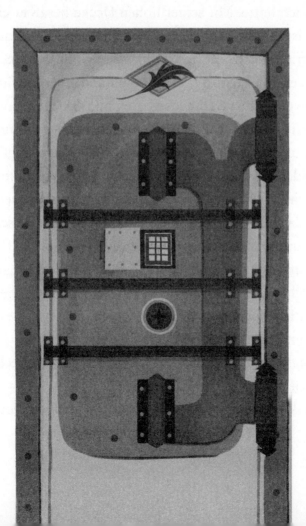

Durch den Mangel an Licht und den Eindruck der gewaltigen Metalltür hatte Tilly das Gefühl, als wären sie unter Wasser und beträten gerade ein U-Boot. Sie wusste nicht genau, was sie erwarten würde, wenn sie diese Tür durchschritten, doch kaum hatten sie es getan, reihte sich vor ihnen Regal an Regal; in einem Saal, der ebenso düster aussah, wie das Archiv hell gewesen war. Die Regalreihen erstreckten sich scheinbar endlos in alle Richtungen, und es war unmöglich zu erkennen, welche Größe der Raum eigentlich hatte. Mit seiner hohen Decke besaß er eine gespenstische Atmosphäre und wirkte verlassen und kalt. Tilly fragte sich, ob das wohl schon immer so gewesen war oder ob es daran lag, dass die Bände hier im Zuge der underwoodschen Machenschaften alle gesichert und weggesperrt worden waren. Reihenweise Bücher vermittelten Tilly normalerweise das Gefühl grenzenloser Möglichkeiten. Jedes davon ein Tor zu einer anderen Welt, ein neuer Blickwinkel auf die Dinge, das Kennenlernen neuer Figuren – aber diese Bände schienen das Abenteuer verschluckt und seine Verheißungen erstickt zu haben.

Decima schaltete ein paar weitere Lichter an, die der Dunkelheit kaum etwas von ihrer Tiefe nahmen, die ihnen bis in die Knochen zu kriechen schien, je länger sie sich in der Primärbibliothek aufhielten.

»Folgt mir«, sagte sie und führte die Gruppe rechts am Rand des weitläufigen Raumes entlang.

»Ich kann nicht direkt behaupten, dass ich ein gutes Gefühl bei der Sache hätte«, flüsterte Oskar Tilly zu. »Immerhin ist es schon das zweite Mal, dass wir mit den beiden in irgendeinem gruseligen Keller landen. Und wer dich einmal reinlegt… du weißt schon.«

»Zum Glück ist wenigstens Mum bei uns und in Sicherheit. Vorerst jedenfalls«, sagte Tilly.

»Und Will«, ergänzte Oskar.

»Wer hätte gedacht, dass wir das einmal sagen?« Tilly bekam mühsam ein Lächeln hin.

»Ist schon ein Ding, dass er einfach für sich behalten hat, was er mit der Buchmagie anstellen kann«, bemerkte Oskar. Sie warfen einen Blick auf Will, der durch all die dunklen Regale um ihn herum ziemlich beunruhigt schien.

»Vielleicht war ihm bis gestern noch nicht klar, dass ihm die Sache wichtig genug ist, um diese Fähigkeit zu nutzen«, sagte Tilly.

Die Underwoods geleiteten sie bis ans andere Ende der langen Wand, wo eine unscheinbare Tür in einen Vorraum führte. Dort stand eine hölzerne Druckerpresse, momentan still, aber die frische Druckerschwärze auf den Druckplatten war noch zu erkennen. Außerdem befand sich in dem Zimmer eine weiterentwickelte Version des Labors, das Decima sich in dem Märchenbuch eingerichtet hatte, in das Tilly und Oskar an Weihnachten mit Gretchen gewandelt waren. In der Ecke brodelte ein großer Bottich mit schwarzer, zäher

313

Flüssigkeit. Es war Buchmagie – allerdings der teerartige Glibber, der das Licht in sich aufsog und der austrat, wenn Geschichten zerstört wurden. Das völlige Gegenteil von der schönen funkelnden Substanz, die sie im Geschichtenwelt-Express gesehen hatten. Es war wirklich schwer zu glauben, dass es sich im Grunde genommen um denselben Stoff handelte. Noch unheilvoller als der Bottich mit Buchmagie wirkte die Vorrichtung, die darüber angebracht war. Sie ähnelte den Schrottpressen, die Autos zu kleinen Metallwürfeln knautschten.

»Du wirst dich sicher erinnern, Matilda«, sagte Decima, »dass wir uns bei unseren letzten Zusammentreffen damit beschäftigt haben, wie man sich einige der natürlichen Eigenschaften der Buchmagie ausleihen kann.«

»Stehlen, meinen Sie wohl«, erwiderte Tilly knapp.

»Wir stehlen sie nicht, wir nutzen sie nur effektiver«, erklärte Melville.

»Nun«, fuhr Decima fort, ohne ihren Bruder oder Tilly weiter zu beachten, »du wirst sicher auch noch wissen, dass wir ein paar Startschwierigkeiten hatten. Unsere Experimente funktionierten nur innerhalb von Geschichten und nicht in der Realität. Aber dir wird vermutlich aufgefallen sein, dass wir derzeit gesund und munter in London residieren und den unangenehmen Auswirkungen des Alterns entgangen sind. Bis du angefangen hast, dich einzumischen – wieder einmal.« Sie sah mit gerunzelter Stirn auf ihre Hand. »Aber sogar das lässt sich wieder hinkriegen, wie du gleich sehen wirst. Wir haben große Fortschritte gemacht – bemerkenswert, nicht?«

Decima hielt inne, wie eine stolze Chemielehrerin, die auf die Fragen ihrer eifrigen Schüler wartete. »Macht mir die Freude«, sagte sie mit künstlichem Lächeln. »Fragt mich, wie wir das geschafft haben.«

Doch noch immer sagte keiner etwas, bis Melville sich zu Wort meldete.

»Sprich schon weiter, Decima«, sagte er und sah die anderen böse an.

»Wäre Matilda etwas kooperationsbereiter gewesen«, fuhr Decima fort, »hätte ihre... sagen wir, Körpersubstanz den gleichen Effekt gehabt. Aber ihr werdet sehen, dass wir uns weiterentwickelt haben, anstatt uns nur auf ein widerspenstiges Kind zu verlassen. Schließlich brauchten wir lediglich eine wirksamere Form von Buchmagie. Märchen waren einfach zu unberechenbar, genau wie ihre Magie. Und den Büchern, die wir eigens für unsere Experimente gedruckt haben, fehlten ausreichend starke Wurzeln. Sie besaßen nicht die übliche Macht der Geschichten, offenbar weil sie nicht dazu gemacht worden waren, um gelesen und weitererzählt zu werden. Schließlich begriffen wir, was wir nicht bedacht hatten – und dass die Lösung direkt vor unseren Füßen lag. Hier in der Primärbibliothek.«

Decima nahm ein Buch vom Tisch neben der Presse und schob es zwischen die Klemmbacken der seltsamen Vorrichtung. Dann drückte sie auf einen Knopf, woraufhin diese zum Leben erwachte und das Buch so lange von allen Seiten zusammenpresste, bis schwarze Flüssigkeit daraus in den Bottich tropfte.

»Aber das sind Primäreditionen!«, rief Tilly und wurde bleich. »Wenn Sie die zerstören, hören sämtliche Ausgaben dieses Buchs auf der Welt auf zu existieren. Oh nein…«

Während sie einen Blick mit Oskar und Will wechselte, dämmerte allen dreien gleichzeitig die schreckliche Wahrheit.

»Das ist der Grund, warum die Bücher verschwinden«, sagte Oskar. »Sie werden nicht versteckt, sie werden zerstört. Endgültig.«

45

Die Verbindung zwischen Autor und Leser

Aber... aber das ist ungeheuerlich!«, rief Bea.

»Ach tu doch nicht so scheinheilig«, erwiderte Decima, während die letzten Tropfen Buchmagie aus dem Band in der Presse gequetscht wurden. »Wir haben uns das reiflich überlegt, und wir beginnen mit den Büchern, die am unbedeutendsten sind.«

»Sie denken wohl, dann merkt es keiner«, sagte Oskar.

»Irgendwer wird es merken«, sagte Tilly. »Jedes Buch hat seine Leser. Und selbst wenn niemandem sofort auffällt, dass ein Buch fehlt, kappen sie die Verbindung.«

»Die Verbindung?«, wiederholte Melville abschätzig.

»Die Verbindung zwischen Autoren und Lesern«, erklärte Tilly. »Sie entfernen Gedanken aus der Welt, und das hat auf jeden Fall eine Auswirkung, selbst wenn von einem bestimmten Buch noch nie jemand etwas gehört hat. Sie haben überhaupt keine Ahnung, was passiert, wenn Sie ein Buch zerstören! Sie können doch gar nicht wissen, wer es vielleicht gelesen hat und was es ihm womöglich bedeutet.«

»Was, wenn durch ein Buch ein gebrochenes Herz geheilt wurde?«, fragte Bea mit wütender Stimme. »Was wird dann aus dem Herzen? Was passiert mit dem Paar, das sich verliebt hat, weil beide dasselbe Lieblingsbuch hatten, wenn Sie dieses Buch aus ihrer Erinnerung reißen?«

Tilly und Oskar sahen sich an und dachten an das Paar auf dem Flughafen, das von einer Sekunde auf die andere von verliebten Flitterwöchnern auf Getrennte-Wege-Gehen geschaltet hatte.

»Sie behaupten, Sie hätten es reiflich überlegt, aber Sie haben keine Ahnung, was Sie da anrichten!«, schrie Bea. »Das ist einfach scheußlich. Wer weiß, wen Sie schon alles unglücklich gemacht haben.«

»Mit jedem Buch, das Sie zerstören, rauben Sie der Welt einen Tropfen Fantasie«, sagte Will. »Kaum vorzustellen.«

»Was für ein Unsinn«, entgegnete Melville. »Es gibt keine Verbindung. Nicht alles muss eine größere Bedeutung haben. Das Ganze ist bei Weitem nicht so dramatisch, wie ihr alle denkt. Und wenn ihr irgendwie Mitleid erregen wollt, dann vergesst es. Keines der Bücher, die wir verwenden, wird oft gelesen – niemand interessiert sich für sie.«

»*Jedes* Buch, das jemals geschrieben wurde, liegt mindestens einem Menschen am Herzen«, sagte Bea. »Selbst wenn es nur der Autor ist. Sie unterschätzen die Macht der Geschichten – wie Sie es schon immer getan haben. Keiner kann die Auswirkungen einschätzen, die ein Buch auf der Welt hat.«

»Und sogar wenn Ihnen das alles egal ist«, fügte Oskar hinzu, »müsste Ihnen doch wenigstens klar sein, dass Sie auf die Leute angewiesen sind, denen was an Büchern liegt. Wenn sich keiner ums Lesen schert, gibt es auch keine Buchwandler; und keine Underlibrary.«

»Ich sehe keinen vernünftigen Grund, zu glauben, was ihr da sagt«, erwiderte Decima und versuchte vergeblich, das Zittern in ihrer Stimme zu verbergen. »Fantasie rauben! Ihr seid alle verrückt. Völlig verblendet von dem Blödsinn, der in eurem kleinen Buchladen kursiert. Ich kenne Archie Pages und sein Geschwafel über die Bedeutung des Lesens.«

Tilly holte tief Luft. »Sie irren sich. Es ist genau wie meine Mum sagt: Es gibt kein Buch da draußen, das nicht irgendwem irgendwann etwas bedeutet hat. Ohne eine Bedeutung zu haben, würde eine Geschichte nicht erzählt werden. Hat es denn noch nie ein Buch gegeben, das Ihnen wichtig war?«, fragte sie. »Nicht mal, als sie noch klein waren?«

»Auf derartige Gefühlsduseleien lassen wir uns nicht ein«, erwiderte Melville.

»Aber irgendwann müssen Sie die Geschichten doch auch einmal geliebt haben«, sagte Tilly ruhig. »Sonst wären Sie keine Buchwandler. Erinnern Sie sich gar nicht mehr daran, wie es war, Bücher zu lieben, anstatt sie nur stehlen zu wollen?«

»Nein«, antwortete Decima knapp, obwohl ihr immer noch mulmig zu sein schien. »Es ist eine Ewigkeit her, seit ich so naiv gewesen bin, was Geschichten betrifft. Inzwischen sind wir erwachsen geworden. Das solltet ihr auch tun.«

Damit ging sie zu dem Bottich mit Buchmagie, hob ihren Arm, dem Will die Magie entzogen hatte, und tauchte ihn bis zum Ellbogen hinein. Einen Augenblick später zog sie ihn zufrieden wieder heraus.

»So gut wie neu«, sagte sie. »Das muss ich später noch einmal wiederholen, damit es länger hält, aber fürs Erste reicht das. Jetzt seht ihr hoffentlich, dass ihr nichts zu bieten habt als billige Tricks und selbstgerechtes Gerede. Weit entfernt von wissenschaftlichen Erkenntnissen und entschlossenem Handeln. Und wir sind sehr entschlossen, das versichere ich euch. Bald schon werdet ihr zu uns kommen und um ein Tröpfchen von dem Zeug bitten, garantiert.«

»Wie ihr gehen wir den Weg des aufgeklärten Denkens.« Melville lächelte kalt. »Wir stecken nicht mehr in der dunklen Vergangenheit fest und scheuen den Fortschritt.«

»Es gibt keine Dunkelheit, nur Unwissenheit«, sagte Will. »Nur damit das klar ist.«

»Selbst wenn Sie weiter leugnen, dass Ihr bisheriges Tun schon schrecklichen Schaden angerichtet hat«, sagte Bea,

»was wollen Sie dann machen, wenn die Bücher aufgebraucht sind, die Sie für so unbedeutend halten? Das kann schließlich nicht ewig so weitergehen. Mag sein, dass Sie die Mehrheit der Bibliothekare im Haus überzeugen konnten – obwohl ich bezweifle, dass irgendwer da oben die Menge der Bestände kennt, die Sie hier versteckt haben –, aber sobald sich das alles unter den gewöhnlichen Buchwandlern herumspricht, kommen Sie doch damit nicht mehr durch.«

»Wenn ich Sie in einer Sache korrigieren dürfte«, entgegnete Melville. »Sie wären wahrscheinlich überrascht, wie viele der Mitarbeiter oben wissen, was wir tun, und uns sogar dabei helfen. Bei Weitem nicht alle hier teilen Ihren Glauben; eine nicht geringe Anzahl der geschätzten Kollegen oben sind zu hundert Prozent mit unserem Vorhaben einverstanden. Es liegt ihnen ebenfalls am Herzen, das Buchwandeln wieder zu kontrollieren. Und unsere guten Beziehungen reichen sogar noch weit über die British Underlibrary hinaus.«

»Das können wir bestätigen«, bemerkte Oskar. »Wir haben mit Jacob Johnson gesprochen.«

»Wie überaus rührig von euch«, sagte Decima. »Und ich versichere euch, wir wissen alles über euren kleinen Ausflug in die Library of Congress.«

»Erlauben Sie ihm etwa auch, Buchmagie zu benutzen?«, fragte Oskar.

»Wir sind noch dabei, die Nebenwirkungen zu untersuchen«, antwortete Decima ausweichend.

»Ah, verstehe«, sagte Tilly. »Sie teilen nicht.«

»Wir wollen keinen der Kollegen übermäßig belasten. Indem wir die Nebenwirkungen der Buchmagie an uns selbst erforschen, tun wir allen einen großen Gefallen – zukünftige Buchwandler werden uns dankbar für unseren Einsatz und unsere Opfer sein.«

»Das Einzige, was hier geopfert wird, sind die Geschichten, die der Allgemeinheit gehören«, erwiderte Bea.

»Oh, würdest du aufhören, uns mit deinem selbstgerechten Gerede zu nerven!«, schimpfte Melville, dem jetzt der Geduldsfaden riss. »Ich wurde als Bibliotheksdirektor gewählt, um die British Library in ein neues Zeitalter des Buchwandelns zu führen, und genau das habe ich vor.« Er strich sich die Haare glatt und holte tief Luft. »Ich blicke in eine Zukunft, in der unsere Primärquellen sinnvoll genutzt werden und die Führungsebene eine einheitliche, dauerhafte Botschaft aussendet. Bücher sind nicht nur dazu da, dass man es sich mit einem von ihnen und einer Tasse Tee auf dem Sofa gemütlich macht.«

»Sie haben recht, Bücher sind zu viel mehr in der Lage«, sagte Tilly. »Aber nicht zu dem, an was Sie denken. Und Sie haben immer noch nicht gesagt, was Sie machen wollen, wenn Ihnen die Primärwerke ausgehen.«

Die Blicke, die Melville und Decima angesichts dieser Frage austauschten, beunruhigten sie ziemlich.

»Ich bin mir sicher, dass wir das mit unserer Druckerpresse bis dahin im Griff haben«, antwortete Melville.

»Bald schon werden wir Primärwerke drucken, die ihren Zweck angemessen erfüllen. Und bis dahin verfügen wir über genügend Bücher, die bei ihrer Nutzung lediglich kaum spürbare Unregelmäßigkeiten verursachen werden. Sollen doch hier und da ein paar Herzen brechen, das nehmen wir für die Sache in Kauf. Nichts von deiner Theorie über die Verbindung zwischen Leser und Autor fußt auf wissenschaftlichen Erkenntnissen. Außerdem... werden sich uns in naher Zukunft die unterschiedlichsten, spannendsten... Möglichkeiten eröffnen, wie die Anwesenheit von Mr Shakespeare hier zum Beispiel.«

»Ah«, sagte Will und blickte etwas nervös auf die Bücherpresse, von der noch die letzten Reste Magie aus dem Buch tropften, das sie gerade zerquetscht hatte.

»Sie sehen aus, als könnten Sie es gar nicht erwarten, zwischen diese Klemmbacken zu gelangen«, sagte Decima und lachte.

»Das haben Sie doch wohl nicht vor?«, erwiderte Will. »Ohne erhebliche Gegenwehr würde das nicht abgehen, da seien Sie versichert.«

»Wir sind doch keine Unmenschen«, sagte Melville und klang beinah etwas entnervt, weil er sich dauernd verteidigen musste.

»Ein sehr gebildeter Mann sagte einmal, dass der Narr sich für weise hält, aber der Weise weiß, dass er ein Narr ist«, entgegnete Will. »Diese Worte würde ich im Hinterkopf behalten.«

»Ich weiß überhaupt nicht, wovon Sie reden«, erwiderte Melville und machte eine wegwerfende Handbewegung. »Glauben Sie mir, dass ein Autor zu Tode kommt, ist nicht unser Anliegen ... Obwohl, ich vermute, bei Ihnen gelten nicht dieselben Maßstäbe wie bei uns, was Tod und ... *Lebendigkeit* betrifft.«

»Ja, das könnte wohl stimmen«, bestätigte Will.

»Sie auf Ihrem hohen Ross«, sagte Decima verächtlich. »Was unterscheidet Sie denn großartig von uns? Soweit jeder weiß, sind Sie 1616 gestorben, und damit hatte es sich. Aber dann haben Sie sich offenbar entschieden, ewig zu leben – was gibt Ihnen dieses Recht, aber nicht uns?«

»Dieses Schicksal habe ich nicht selbst gewählt«, antwortete Will. »Das Archiv hat mich zu sich geholt, wegen des Erfolgs meiner Werke, ja man könnte sagen, meines Vermächtnisses – etwas, das Sie zwar anstreben, aber nie erreichen werden. Ich würde eher sagen, der Wunsch nach ewigem Leben sollte denjenigen, der ihn hat, davon ausschließen. Zu bekommen, was man will, ist eine gefährliche Sache, denn ...« In dem Moment klopfte es an der Tür.

»Großartig«, sagte Melville. »Endlich können wir dieses Theater beenden. Wir drehen uns im Kreis, dabei ist unser Gast bereits da. Einer, der auch die Frage beantworten kann, wo wir mehr Nachschub an Primärausgaben herbekommen. Herein!«

Die Tür ging auf, und Seb stand davor – in Begleitung von Horatio und Milo Bolt.

46

DER FUCHS UND DER MOND

Was machen Sie denn hier?«, fragte Oskar Horatio verdutzt. »Ich dachte, Sie stehen auf Artemis' Seite?«

»Und ich dachte, ihr beiden hättet inzwischen kapiert, dass ich auf keiner Seite stehe, außer auf meiner eigenen«, antwortete Horatio. »Nehmt es nicht persönlich; es geht nur ums Geschäft. Ich habe kein Problem damit, euch bei der Sache zu helfen, für die Artemis mich bezahlt hat, und gleichzeitig diesen Auftrag zu erledigen.«

»Ihr kennt diesen Mann?«, fragte Melville.

»Wir sind uns schon mal begegnet«, antwortete Tilly ausweichend, um den Underwoods keine weiteren Informationen über das Archiv zu liefern.

»Ihr zwei habt wirklich ein Talent, eure Nasen in alles zu stecken, was euch nichts angeht«, sagte Decima. »Ich wäre fast beeindruckt, wenn es nicht so verdammt ärgerlich wäre.«

Während sie sprach, hatte Seb sich neben Tilly gestellt. Obwohl er sie nicht direkt ansehen konnte, damit keiner merkte, dass er ein Spion war, der Amelia und der Familie Pages berichtete, was in der Underlibrary vor sich ging. Er hatte beim Hereinkommen keine Reaktion gezeigt, als er sie alle zusammen dort stehen sah, also vermutete Tilly, dass ihre Großeltern die Nachricht gelesen hatten, die sie ihnen hinterlassen hatte, und er sie suchen sollte. Grandad und Grandma wussten also, wo sie waren, und Seb war eingeweiht.

»Was bringen Sie da?«, wandte Tilly sich an Horatio und warf einen misstrauischen Blick auf den großen Karton, den Milo trug.

»Bücher offensichtlich«, beantwortete Melville ihre Frage. »Mr Bolt hier, den du ja von irgendwoher zu kennen scheinst, ist Experte darin, diese aufzuspüren. Wir haben ihn engagiert, um Primäreditionen für uns zu suchen, die sich momentan außerhalb des Einzugsgebietes der Unterbibliotheken befinden.

»Und Sie behaupten, es gäbe kein Problem?«, fragte Oskar aufgebracht Horatio. »Sie müssen doch schon die ganze Zeit gewusst haben, was mit den Büchern passiert! Unsere ganz Suche wäre nur ein Fake gewesen.«

»Ich hätte selbstverständlich alles getan, was in meiner Macht steht, um die von Artemis gewünschten Bücher aufzuspüren«, entgegnete Horatio. »Allerdings wären einige davon unauffindbar gewesen…. Oder die Spur hätte tatsächlich hierhergeführt.«

Melville wandte sich an Horatio. »Woher kennen Sie diese Kinder? Und wer ist Artemis?«

»Das hat nichts mit Ihrem Auftrag zu tun«, antwortete Horatio. »Deshalb werde ich auf diese Frage nicht antworten. Ihre Bücher sind hier; wozu mich andere Auftraggeber engagiert haben, ist vertraulich.«

»Ich hoffe, Sie waren erfolgreich?«, fragte Melville immer noch sichtlich beunruhigt darüber, dass Horatio Tilly und Oskar schon einmal begegnet war.

»Wie immer«, sagte Horatio, »wenn die Bezahlung stimmt. Bitte schön. Ein Karton verschollener Primäreditionen zu Ihrer freien Verfügung. Was Sie damit anfangen, interessiert mich nicht.«

»Aber haben Sie nicht gesagt, es läge in Ihrem Interesse, für das Wohl des Buchwandelns zu sorgen?«, fragte Tilly.

»Es liegt ebenso in meinem Interesse, für mein eigenes Wohl zu sorgen«, erwiderte Horatio. »Kein Mensch schert sich um diese Bücher. Sie tangieren weder mein Geschäft noch meinen Zug oder meine Kunden, und deshalb biete ich meine Dienste gerne an. Ich war vorsichtig bei meinen Beschaffungen, das versichere ich euch.« Er wandte sich wieder den Underwoods zu. »Wir haben diesen Karton und noch einen weiteren draußen, den wir hereinbringen, sobald wir angemessen entlohnt wurden.«

Horatio gab Milo ein Zeichen, woraufhin er den Karton vor Melvilles und Decimas Füßen abstellte und schnell wieder hinter Horatios Rücken huschte. Er vermied es, Tilly und

Oskar anzusehen. Melville bückte sich und schlitzte den Karton säuberlich mit einem Taschenmesser auf, das er aus seiner Hosentasche holte. Er nahm die obersten Bücher heraus, warf jedoch kaum einen Blick auf die Umschläge.

»Und das sind ganz sicher Primäreditionen?«, fragte er Horatio.

»Ganz sicher.«

»Woher haben Sie die?«

»Das ist ein Betriebsgeheimnis«, antwortete Horatio. »Tut mir leid, meine Arbeitsmethoden kann ich nicht offenlegen. Vor allem nicht dem Direktor der Underlibrary. Das verstehen Sie sicher.«

»Pah.« Melville schnaubte verächtlich. »Ich denke, es wird Zeit, dass Sie gehen. Aber vorher prüfe ich Ihre Ware noch auf Echtheit.« Bevor jemand ihn aufhalten konnte, steckte er eins der Bücher in die Presse, und kurz darauf war eine weitere Primärausgabe zu klebrigem, schwarzem Glibber geworden.

»Oh!« Als die Buchmagie von der Maschine in den Bottich tropfte, zuckte Decimas Hand plötzlich an ihr Herz, und sie fing an zu keuchen. Sie stolperte rückwärts und tastete an der Wand hinter sich nach Halt. Hilfe suchend sah sie Melville an, doch auch der war ganz blass geworden und ins Schwanken geraten.

»Spürst du das auch, Decima?«, fragte er und hielt sich die Brust. »Mir ist… plötzlich so kalt. Und ich habe solche Schmerzen. So schlimme Schmerzen.«

»Ich komme mir vor, als hätte ich gerade eine furchtbare Nachricht erhalten«, sagte Decima, während sie versuchte, sich zusammenzunehmen.

Und dann fing zum Erstaunen aller Anwesenden Melville plötzlich an zu weinen. Sichtlich beschämt darüber, seine Schwäche zu zeigen, wischte er sich mit dem Hemdsärmel rasch über die Wangen. »Ich bin nur sehr erschöpft«, sagte er. »Die Underlibrary zu leiten, ist eine enorm anstrengende Aufgabe, aber keiner versteht das. Ich fühle mich auf einmal so ... leer.«

»Es liegt an ihm.« Decima zeigte auf Will. »Was haben Sie mit uns gemacht?«

»Ich habe Sie nicht angerührt«, verteidigte sich Will. »Dieses Mal nicht.«

»Na ja, was immer es ist, mit einer Portion Buchmagie kriegen wir das leicht wieder hin«, verkündete Decima und schnappte sich ein weiteres Buch aus der Kiste, die Horatio mitgebracht hatte. Sie steckte es in die Presse und drückte auf das Tastenfeld daneben.

Doch kaum war das nächste Buch zermalmt, verstärkte sich die Auswirkung noch, und Decima brach in Tränen aus. »Sie haben uns schadhafte Bücher geliefert!«, schrie sie Horatio an. »Was sind das für Dinger? Sind das überhaupt Primärausgaben?« Sie zog einen weiteren Band aus dem Karton und sah ihn argwöhnisch an. »Oh ...« Sie hielt inne und fing an zu schluchzen. »Es ist ... es ist *Der Fuchs und der Mond*.«

»Woher … woher kenne ich dieses Buch?«, fragte Melville mit feuchten Augen. »Sind wir schon einmal hineingewandelt?«

»Das haben wir als Kinder immer zusammen gelesen«, antwortete Decima. »Aber irgendwann hat Mutter gesagt, wir seien zu alt für Geschichten, und hat es weggeworfen. Ich hatte es ganz vergessen. Wir haben die Geschichte oft nachgespielt, erinnerst du dich? Du hast immer die Rolle des Mondes bekommen, damit ich der Fuchs sein konnte.«

»Was war denn das andere für ein Buch?«, fragte Melville. »Das, was vorher zerquetscht wurde.«

»Das lässt sich jetzt nicht mehr sagen.« Decima fasste sich wieder, und ihre Stimme wurde eisig. »Und es spielt auch keine Rolle. Mir ist klar, was du da tust«, sagte sie an Tilly gewandt. »Ich weiß zwar nicht, wie du das gemacht hast, aber es wird nicht funktionieren.«

»Wie ich was gemacht habe?«, fragte Tilly, die ebenso verwirrt war wie die Underwoods.

»Du hast dir irgendwie Zugang zu unserem Verzeichnis im Archiv beschafft und herausgefunden, welche Bücher wir als Kinder gelesen haben, und jetzt willst du uns dazu bringen, sie zu zerstören, um irgendeine dumme Theorie zu beweisen.«

»Ich habe absolut keine Ahnung, welche Bücher Sie als Kinder gelesen haben!«, rief Tilly. »Das ist bloß ein Zufall! Aber jetzt sehen Sie, was Sie da Schreckliches tun.«

»Ich glaube dir kein Wort«, sagte Melville. »Zwei Bücher, die so eine Wirkung auf uns hatten – da kannst nur du dahinterstecken.«

»Ich schwöre, ich kann nichts dafür«, widersprach Tilly. »Niemals würde ich zwei Primärausgaben zerstören, um irgendwas zu beweisen. Wer würde denn so etwas tun! Wer sollte...« Sie stockte und drehte sich zu Horatio um. Einen kurzen Moment dachte Tilly, er hätte ihr zugezwinkert, aber im Halbdunkel war es nicht richtig zu erkennen. Melville und Decima folgten ihrem Blick, doch da war Horatio schon eifrig mit seinem Notizbuch beschäftigt.

»Habe ich etwas verpasst?«, fragte er und sah sie unschuldig an.

Melville und Decima wurden immer nervöser.

»Egal, wie das passiert ist«, sagte Bea, »Melville, Decima, jetzt verstehen Sie doch sicher, warum uns so viel daran liegt, dass Sie Ihren Plan ändern? Jedes Mal, wenn eine Primärquelle vernichtet wird, fühlt sich jemand genau so, wie Sie sich eben gefühlt haben. Ist es das wert?«

»Für den höheren Zweck, ja«, antwortete Decima, aber sie klang verunsichert.

»Wir kommen drüber weg«, erklärte Melville. »Und alle anderen werden auch drüber wegkommen. Unser Anliegen ist wichtiger als ein kurzer Moment Wehmut.«

»Es ist kein *Anliegen*!«, rief Tilly, die nun wirklich die Geduld verlor. »Sie wollen nur Macht. Könnten Sie mal einen Augenblick aufhören, so egoistisch zu sein!?«

331

»Das reicht«, entgegnete Decima. »Ihr habt uns lange genug abgelenkt. Seb, bring unsere Gäste nach oben und begleite sie an einen sicheren Ort – Mr Bolt und den anderen Jungen eingeschlossen. Sobald wir die Lieferung fertig überprüft haben, müssen wir uns wohl unterhalten. Und sorge dafür, dass sie in getrennten Räumen warten. Wir schicken ein paar Wachen zur Hintertür der Eingangshalle. Verstanden?«

Seb nickte. Etwas anderes blieb ihm nicht übrig, wenn er nicht auffliegen wollte.

»Gut«, sagte Melville. »Es wird Zeit, dass ihr langsam alle kapiert, wer hier das Kommando hat.«

47
JEDES BUCH EIN ORIGINAL

Tilly ließ sich bereitwillig an Sebs Arm mitziehen. Er brachte sie in den großen Saal zurück, wo er fest die Tür hinter ihnen schloss. Sie liefen wieder am Rand zurück, Tilly in ständiger Sorge, sich zu weit von Will zu entfernen und ihn in den Händen der Underwoods zurückzulassen, auch wenn es seine Idee gewesen war, dieses Risiko einzugehen.

»Haben Sie es gewusst?«, fragte sie Horatio leise, während sie die unzähligen Reihen dunkler Bücherregale passierten.

»Was gewusst?«, fragte er.

»Dass diese Bücher den Underwoods etwas bedeutet haben.«

»Wie hätte ich das denn wissen sollen?«, fragte er zurück und schaute bewusst geradeaus. »Da müsste jemand schon ganz besondere Fähigkeiten haben, um das in Erfahrung zu bringen, nicht wahr? Oder Zugang zu einem ganz besonderen Archiv.«

»Sie konnten doch gar nichts von den Underwoods wissen, bis... oh...« Tilly verstummte, als ihr klar wurde, dass sie Horatio nicht mal einen Bruchteil davon erzählt hatte, was er offenbar wusste. »Offensichtlich doch.«

»Lass dir eins gesagt sein.« Horatio lächelte. »Unterschätze niemals, was ich weiß. Oder wen ich kenne. Mein Geschäft beruht ebenso auf Fakten wie auf Fantasie.«

»Aber Sie helfen den Underwoods, indem Sie ihnen Bücher liefern«, erwiderte Tilly verwirrt.

»Wenn du einen Helden suchst, such weiter«, antwortete Horatio. »Ich habe den Job erledigt, für den ich engagiert wurde. Normalerweise lasse ich die Leute auch tun, was immer sie wollen. Wenn sie allerdings anfangen, mir in meine Geschäfte zu pfuschen, und plötzlich Angestellte von mir verschwinden, nun ja, dann kann ich nicht länger wegschauen.«

»Angestellte von Ihnen?«, fragte Tilly,

»Madeleine«, erklärte Milo. »Unsere Köchin. Ihr wisst doch noch, dass sie einfach von der Bildfläche verschwunden war. Wir haben sie nicht wiedergefunden, also glaubt mein Onk… also glaubt Horatio, dass ihre Primärausgabe zerstört wurde.«

»Dann ist sie einfach… weg? Für immer?«

»Ja«, antwortete Horatio knapp, und Tilly merkte ihm an, dass er wütend war oder bestürzt oder beides.

»Das tut mir leid«, sagte sie.

»Ehrlich jetzt, ich glaube, Primärausgaben erzeugen mehr Probleme, als sie nutzen«, bemerkte Oskar. »Wer hat sie sich bloß ausgedacht?«

»Ich weiß nicht genau«, antwortete Seb. »Es gibt sie schon ewig.«

»Und sie dienen dazu, die Geschichten zu schützen«, fügte Bea unwillkürlich hinzu.

»So richtig scheint das aber nicht zu klappen«, erwiderte Oskar. »Von den Geschichten werden nämlich dauernd welche zerstört, und die Underwoods nutzen die Macht der Primärausgaben für ihre eigenen Zwecke. Das ist genau das Gegenteil von dem, wie es sein sollte. Sie stehlen die ganze Buchmagie!«

»Die wahre Magie der Geschichten und der Fantasie überdauert die Primäreditionen, zu denen die beiden Zugang haben«, erklärte Horatio. »Trotzdem hast du recht. Wenn man bedenkt, was sie anrichten, ist die Menge, die sie verbrauchen, besorgniserregend.«

»Aber, Milo, hast du nicht gesagt, die Magie der Geschichten geht niemals zur Neige?«, fragte Tilly.

»Ich glaube, ich habe gesagt, es ist genügend da, wenn sie gerecht aufgeteilt wird«, antwortete Milo. »Das ist nicht dasselbe.«

»Wenn sie gerecht aufgeteilt wird…«, wiederholte Tilly und verlangsamte ihre Schritte. Sie waren fast wieder an der Tür, und sie brauchte ein bisschen Zeit, um etwas zu durchdenken, das ihr gerade in den Sinn kam. »Ich frage mich… Man kann keine *neuen* Primärausgaben herstellen, stimmt's, Mum?«

»Soweit ich weiß, nicht«, bestätigte Bea.

»Das ist richtig«, sagte Horatio. »Wenn eine verschollen ist, jedoch noch irgendwo existiert, dann ist es unmöglich. Und wenn sie zerstört wurde, natürlich auch, denn damit verschwindet jede Spur der Geschichte, und es ist nichts mehr da, woraus man eine neue machen könnte.«

»Und wenn ein Buch verschwunden ist, ohne vorher gesichert zu werden, wie die Shakespeare-Bände in Ihrem Besitz…« Tilly hielt inne und sah Horatio mit erhobener Braue an. »Dann kann immer noch jeder hineinwandeln.«

»Klar«, sagte Oskar und versuchte, ihr zu folgen. »Aber wir können nicht alle Primärausgaben irgendwo verstecken – wo sollten wir denn damit hin? Hier stehen Tausende davon.«

»Und was, wenn es erst gar keine Primärausgaben gäbe?«, fragte Tilly leise.

»Man kann eine Primärausgabe nicht einfach in normale Bücher umwandeln«, erklärte Bea.

»Warum nicht?«, fragte Tilly. »Wie entstehen Primärausgaben denn ursprünglich?«

»Anfangs sind es ganz normale Bücher«, antwortete Seb. »Doch dann werden sie mit Buchmagie markiert und werden Bestandteil der Primärbibliothek. Du wirst die Bibliothekare nie dazu bringen, diesen Vorgang einzustellen.«

»Sie sind einfach zu scharf darauf, Verantwortung zu tragen«, warf Horatio ein, was ihm einen bösen Blick von Seb bescherte.

»Das ist die normale Buchmagie, richtig?«, fragte Tilly.

»Nicht dieses schwarze Zeug, das austritt, wenn Geschichten zerstört oder vernichtet werden. Was laut den Underwoods der einzige Weg ist, um an sie ranzukommen. Aber was ist mit der Magie, die Sie benutzen, Horatio?« Tilly wandte sich zu Bea um. »Mum, als wir mit Horatios Zug, dem Bücherwelt-Express, durch die Ebenen der Geschichten gefahren sind, war Buchmagie ganz anders. Das schwarze, klebrige Zeug kommt nur dabei heraus, wenn man sie stiehlt – die echte Buchmagie ist wunderschön. Sie glitzert und funkelt und ist luftig und leicht.«

»Es ist quasi gepimpte Buchmagie«, sagte Oskar. »Sie besteht aus Gedanken und Fantasie – und hat nichts mit Papier und Druckerschwärze zu tun – daraus sind Geschichten nämlich in Wirklichkeit gemacht.«

»Wissen die Underwoods das?«, erkundigte Bea sich bei Seb und Horatio.

»Ich glaube nicht«, antwortete Seb. »Ihr habt sie ja gehört, es ist ihnen gar nicht gelungen, mit ihrer Druckerpresse Bücher herzustellen, die Buchmagie enthielten.«

»Trotz all der Show, die sie abziehen, haben sie im Grunde keine Ahnung, wie Geschichten funktionieren«, stellte Horatio fest.

»Und wenn sie es wüssten, hätten sie von diesem Wissen sicher schon längst Gebrauch gemacht«, sagte Seb. »Dann müssten sie keine Primäreditionen zerstören, um an die Magie zu kommen. Das birgt Risiken, die sie nicht eingehen würden, wenn es sich vermeiden ließe.«

»Also, was unternehmen wir?«, fragte Oskar, dessen Augen bei der Aussicht auf einen Plan anfingen zu leuchten.

»Na schön, wenn die Primärausgaben mit gestohlener Buchmagie aus zerstörten Geschichten gemacht werden«, überlegte Tilly laut, »könnte man dann vielleicht annehmen, dass reine Buchmagie sie zurückverwandeln kann? Ich meine, dass reine Buchmagie wieder normale Bücher aus ihnen macht, sodass sie keine Primärausgaben mehr sind? Wenn die Underwoods nicht mehr an die Magie kommen, die sie aus den Primärbüchern holen, dann haben sie ein Problem, oder? Die anderen Unterbibliotheken werden nicht zulassen, dass sie einfach ihre Primärausgaben vernichten. Wenn er wüsste, was Sache ist, würde sicher nicht mal jemand wie Jacob Johnson ihnen freie Hand lassen.«

Horatio wirkte widerwillig beeindruckt. »Daran… daran habe ich noch nie gedacht«, musste er zugeben. »Aber es scheint mir bis zu einem gewissen Grad logisch, obwohl es bisher nie erprobt wurde.«

»Können wir denn davon ausgehen, dass es funktioniert?«, fragte Bea. »Könnte es nicht sein, dass es dieselben Auswirkungen hat? Was wäre, wenn sämtliche Ausgaben aller Geschichten plötzlich verschwänden?«

»Aber wir entfernen doch nicht die Buchmagie«, antwortete Tilly. »Wir entfernen nur die Markierungen und die Beschränkungen. Die echte Buchmagie, die in allen Büchern steckt, könnten wir ihnen gar nicht entziehen, selbst wenn wir wollten. Es sei denn, wir würden die Bücher komplett vernichten, wie die Underwoods es tun.«

»Und wie soll das gehen?«, fragte Oskar. »Wie sollen wir an solche Mengen Buchmagie kommen, um das machen zu können? Ihr habt gesehen, wie viele Primärausgaben unten stehen. Außerdem schaffen wir es nie und nimmer, in so kurzer Zeit so viel Magie in all den Büchern zu verteilen.«

»Du hast recht, wir brauchen mehr davon«, sagte Tilly und versuchte, schneller zu denken. »Horatio, wie könnten wir das anstellen? Wie funktioniert das mit diesen Holzkugeln?«

»Holz nimmt Fantasie besonders gut auf«, antwortete Horatio, als müsste das eigentlich jeder wissen. »Deshalb stellen wir Bücher aus Papier her.«

»Seid ihr beide nicht durch den Papierwald gekommen?«, fragte Milo Tilly und Oskar. »Der besteht aus euren eigenen Vorstellungen.«

»Ich bin nicht ganz sicher, ob ich dir folgen kann, Tilly«, sagte Seb nervös. »Du glaubst, wenn du einem Buch diese reine Geschichtenmagie beifügst – von der du sagst, sie unterscheidet sich von der Buchmagie, die wir nutzen –, dann ist dieses Buch keine Primärausgabe mehr?«

»Ich weiß nicht, ob es funktioniert«, antwortete Tilly, »aber ja, so habe ich mir das ungefähr gedacht. Als würde man die Herstellung einer Primärausgabe genau umdrehen.«

»Also ich finde, einen Versuch ist es wert«, sagte Oskar. »Wenn die Underwoods keine Primärausgaben mehr haben, geht ihnen die Puste aus. Abgesehen davon, dass mir noch keiner überzeugend erklärt hat, wozu wir diese Primärdinger überhaupt brauchen.«

»Sie beschützen die Existenz eines Buches«, sagte Seb. »Sie sorgen dafür, dass niemand in die Originalgeschichten wandelt und darin Änderungen vornimmt – deshalb werden sie dort unten aufbewahrt.«

»Das ist nicht wirklich die Antwort auf die Frage«, wandte Bea ein. »Denn wenn es keine Primärausgaben gäbe, könnte auch niemand die Geschichten abändern – jedes Buch wäre ein Original.«

»Aber… aber…«, stammelte Seb, sichtlich perplex, dass die Grundsätze seines Berufs infrage gestellt wurden. »Aber es muss doch einen Grund für ihre Existenz geben. Sie können ja nicht einfach… überflüssig sein.«

»Man sollte stets darüber nachdenken, wer die Regeln macht«, sagte Horatio. »Und für wen. Machtmenschen wollen stets alles kontrollieren – das heißt nicht, dass es immer das Beste ist. Tatsächlich ist es das selten.«

Die sechs sahen sich an, wobei jeder von ihnen die neue Erkenntnis mit einem unterschiedlichen Begeisterungsgrad verarbeitete.

»Also gut, probieren wir es«, sagte Tilly aufgeregt. »Um uns herum stehen lauter Primäreditionen, worauf warten wir noch? Wir könnten probehalber irgendwo eine Kleinigkeit verändern und sehen, ob es so bleibt, wenn wir das Buch wieder verlassen.«

Bea nickte. »Dann wissen wir, ob wir es gefahrlos auch mit den anderen Büchern so machen können.«

»Ein winziges Problem gäbe es da noch«, wand Seb ein. »Um uns herum stehen lauter *gesicherte* Primärausgaben.«

»Kannst du die etwa nicht wieder freigeben?«, fragte Oskar. »Du bist doch schließlich Bibliothekar.«

»Nun ja, theoretisch müsste es gehen, denke ich«, antwortete Seb leicht nervös. »Reicht mir mal einen Band herüber. Ich habe allerdings kein gutes Gefühl bei der Sache, muss ich sagen.«

Tilly nahm ein Buch aus dem nächstgelegenen Regal. »Hier, bitte. Wir versuchen es mit … Ah, gut. Also, das hier ist ein Sherlock-Holmes-Roman.«

Kurzes Schweigen. Dann streckte Seb die Hand aus und nahm das Buch entgegen.

»Meinetwegen«, sagte er. »Was soll schon Schlimmes passieren?«

»Na ja, es ist ein Klassiker«, sagte Oskar. »Wir könnten also eine Story ruinieren, die die Leute seit Generationen lieben.«

»Das war eine rhetorische Frage«, sagte Seb und verdrehte die Augen. »Aber was soll's, fangen wir an.«

48

Buchwandeln verboten

Seb schlug das Sherlock-Holmes-Buch auf. Auf der Titelseite befand sich ein schwarzer Stempel mit dem Logo der British Underlibrary. Es war ein aufgeschlagenes Buch, ähnlich wie bei dem der amerikanischen Unterbibliothek, nur mit einem Schlüsselloch in der Mitte. **Ausgewählte Primärausgabe. Buchwandeln verboten** stand darunter. Seb blätterte zur ersten Textseite. Dort verdeckte ein fetter, schwarzer Klecks Buchmagie das erste Wort.

»Wer immer das gemacht hat, ist dabei nicht besonders sorgfältig vorgegangen«, stellte Seb fest. »Die Underwoods haben ihre Lakaien hier unten die schmutzige Arbeit machen lassen, und zwar nicht wirklich gewissenhaft. Sie haben ziemlich gepfuscht. Wer weiß, wer zwischenzeitlich alles in diesen Büchern ein und aus gegangen ist. Genügend Schlupflöcher gab es offensichtlich. Aber das erleichtert es mir hoffentlich, das Buch wieder freizugeben.

»Wie funktioniert das?«, fragte Oskar fasziniert.

»Du lässt die Geschichte wissen, dass du sie lesen möchtest«, erklärte Seb.

»Entschuldigung, was?«, fragte Horatio.

»Es ist tatsächlich relativ unkompliziert, Sir«, antwortete Seb. »Das größte Hindernis, diese Bücher freizugeben, ist, dass sie durch Schloss und Riegel gesichert sind – und durch Angst. Bücher wollen *immer* gelesen werden.«

Er legte sanft die Hand auf den Buchdeckel, schloss die Augen und holte tief Luft. Als er die Hand kurz darauf wegnahm, war einen Moment lang ein goldener Handabdruck zu sehen, der aber sofort wieder verschwand.

»Das ist Geschichtenmagie«, sagte Tilly. »Du besitzt sie schon die ganze Zeit.«

»Jeder Leser besitzt welche«, erklärte Milo. »Du musst nur wissen, wie du sie nutzt.«

Als Seb das Buch erneut aufschlug, verschwand die schwarze, klebrige Magie vor ihren Augen, und obwohl kein Lüftchen ging, flatterten die Seiten ein wenig, fast so, als stieße das Buch einen Seufzer der Erleichterung aus.

»Nur noch … ein paar Tausend von der Sorte …« Oskar blickte sich um.

»Zuerst müssen wir ausprobieren, ob es funktioniert.« Tilly schaute in die Runde. »Nachdem das Buch jetzt freigegeben ist, müssen wir sehen, ob wir es wirklich befreien können – und sämtliche seiner Ausgaben, wo immer auf der Welt sie sind. Seid ihr so weit?«

Die anderen nickten, und Tilly nahm etwas verlegen das Buch zur Hand. »Soll ich einfach …?« Sie wollte schon fragen, wie sie es anfangen sollte, aber natürlich war es ihre Idee gewesen, und keiner wusste eine Antwort. Also schloss sie die Augen und dachte an Pages & Co. und an Anne und Alice und an Oskar, an ihre Familie und an alles, was sie entdeckt hatte, seit sie buchwandeln konnte. Plötzlich begannen ihre Finger Funken aus glitzernder Buchmagie zu sprühen, die allerdings schnell wieder verloschen, wie eine feucht gewordene Wunderkerze.

»Das hat bestimmt nicht gereicht«, sagte sie enttäuscht. »Es ist eine Primärausgabe. Wahrscheinlich braucht sie ein bisschen mehr... Schmackes. Vielleicht sollten wir es mal alle zusammen versuchen?«

Also fassten sie alle sechs das schmale Buch an. Tilly wusste zwar nicht, an was jeder von ihnen dachte oder was die Geschichten ihm bedeuteten, aber innerhalb von Sekunden glitzerte die Luft um das Buch herum vor Magie, und das Buch selbst leuchtete hell, während sie reine Fantasie in die Primärausgabe leiteten.

»Wie überprüfen wir jetzt, ob es funktioniert hat?«, fragte Milo.

Seb schlug das Buch auf und stieß einen leisen Pfiff aus. Er hielt es etwas von sich weg, damit alle die erste Seite gut sehen konnten, und da, vor ihren Augen, fing das **BUCHWANDELN VERBOTEN** an zu verblassen, bis es ganz von dem Papier verschwand.

»Aber woher wissen wir, dass die Geschichte darin noch immer geschützt ist?«, fragte Oskar. »Dass wir nicht... na ja, alles kaputt gemacht haben?«

»Wahrscheinlich müssen wir nachsehen«, antwortete Tilly und sah Horatio fragend an, der kurz nickte.

»Ja, man muss in das Buch wandeln, etwas verändern und sehen, ob es so bleibt«, erklärte er. »Aber wirklich nur eine Kleinigkeit, falls es nicht geklappt hat und man sonst eine dauerhafte Änderung verursachen würde.«

»Gehen wir alle zusammen?«, fragte Milo ungeduldig.

»Nein«, antwortete Seb entschieden und schielte nervös zu der Tür, die zurück in die Underlibrary führte. »Wir können nicht riskieren, noch größeren Schaden anzurichten, falls es nicht funktioniert hat. Eigentlich dürfte ich euch das überhaupt nicht gestatten.« Er wirkte ernsthaft beunruhigt und fingerte nervös an seiner Fliege herum.

»Ich gehe«, sagte Tilly. »Schließlich war es meine Idee.«

»Was bedeutet, dass ich natürlich mitkomme«, verkündete Oskar.

»Zwei sind mehr als genug«, sagte Seb, bevor Horatio sich auch noch melden konnte. Aber man sah ihm an, dass er am liebsten selbst nachgeschaut hätte. »Wir bleiben hier und halten Wache. Ihr dürftet nicht länger als ein paar Sekunden unserer Zeit fort sein. Nur schnell rein und sofort wieder raus, denkt daran. Und nur ein winziges Detail verändern.«

Tilly nickte, schlug das Buch auf einer zufälligen Seite auf, hakte sich bei Oskar ein und las sie zur 221B Baker Street.

49

Spielt gut Geige

Ich zählte im Geist alles auf, was er offenbar mit besonderer Gründlichkeit studiert hatte. Ich nahm sogar einen Stift zur Hand und notierte es mir. Unwillkürlich musste ich lächeln, als ich meine Liste anschließend noch einmal durchlas.«

Um sie herum erschien ein angenehm luftiges Wohnzimmer mit bequem aussehenden Sesseln und großen Fenstern. Es sah ziemlich eindeutig nach dem berühmten Wohnsitz des berüchtigten Detektivs aus. Auf verschiedenen Tischen stapelten sich Bücher und Zeitungen, und auf dem Kaminsims lag eine Pfeife, allerdings wirkte es enttäuschend normal und wenig geheimnisvoll. Von irgendwoher hörte man Stimmen, aber Tilly war klar, dass jetzt nicht der richtige Zeitpunkt für Erkundungen war – ganz sicher hatten sie keine Zeit, Sherlock Holmes zu erklären, warum sie sich in seiner Wohnung aufhielten. Wenn irgendeine fiktionale Figur Rückschlüsse ziehen konnte, was hier vor sich ging, dann er.

Tilly und Oskar blickten sich suchend nach etwas um, das sie verändern konnten. Sie verglichen die einzelnen Dinge im Zimmer mit dem Text des Buches – es musste etwas sein, das dort geschrieben stand, damit das Experiment funktionierte. Und es musste unbedeutend sein, für den Fall, dass es *nicht* funktionierte.

»Guck mal da!«, rief Oskar und zeigte auf ein Tagebuch, das aufgeschlagen auf einem Tisch lag. Darin war eine Liste der Beobachtungen zu sehen, die John Watson über Sherlock Holmes gemacht hatte, und genau die fand sich auch in der Primärausgabe, die Tilly in der Hand hielt. Da stand:

SHERLOCK HOLMES:
seine Kenntnisse und Fähigkeiten und ihre Grenzen

1. Literatur – null
2. Philosophie – null
3. Astronomie – null
4. Politik – schwach
5. Botanik – unterschiedlich. Gute Kenntnisse über Tollkirsche, Opium und pflanzliche Gifte und dergleichen. Pflanzenkenntnisse im Allgemeinen keine vorhanden.
6. Geologie – praktische Erfahrungen, aber begrenzt. Unterscheidet verschiedene Bodenarten auf einen Blick. Zeigte mir, von Spaziergängen zurückgekehrt, Spritzer

auf seiner Hose und konnte anhand ihrer Farbe und
Konsistenz bestimmen, aus welchem Teil von London
sie stammten.

7. *Chemie – umfassend*
8. *Anatomie – präzise, aber unmethodisch*
9. *Sensationsliteratur – enorm. Er scheint alle Einzel-*
   heiten über jede Gräueltat zu kennen, die in diesem
   Jahrhundert verübt wurde.
10. *Spielt gut Geige*
11. *Ist ein gewandter Boxer und Fechter*
12. *Besitzt gründliche Kenntnisse der britischen Gesetze*

»Lass uns doch hier irgendwas ändern«, schlug Oskar
vor. »Das scheint mit nicht superwichtig zu sein, oder?
Ich habe die Bücher allerdings nicht gelesen, du?«

»Nein«, musste Tilly zugeben. »Und im Nachhinein
muss ich sagen, wir hätten für unser Experiment lieber etwas nehmen sollen, das wir kennen. Und das nicht so beliebt ist.«

Die Stimmen, die sie hörten, wurden zweifelsfrei lauter.
»Egal, wir werden das nehmen müssen«, sagte sie und
schnappte sich den Füller, der auf dem Tagebuch lag. Sie
überflog die Liste und suchte etwas, das so aussah, als
würde es keine große Auswirkung auf die Geschichte haben.

»Das da«, sagte sie, strich das Wort *Geige* durch und
schrieb *Klavier* darüber. »Welchen Unterschied sollte das
schon machen?«

»Lass uns hier verschwinden«, sagte Oskar und klappte die Primärausgabe auf der letzten Seite auf, damit Tilly sie zurück in die Underlibrary las. Doch genau in diesem Moment ging die Zimmertür auf, und zwei Männer kamen herein.

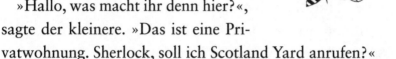

»Hallo, was macht ihr denn hier?«, sagte der kleinere. »Das ist eine Privatwohnung. Sherlock, soll ich Scotland Yard anrufen?«

Der größere Mann mit dem stechenden Blick musterte sie jedoch von oben bis unten.

»Mädchen von ungefähr zehn«, sagte er zu sich selbst. »Tinte an den Fingern – nicht an Umgang mit Füllfederhaltern gewohnt, Halskette mit Bienenanhänger, wahrscheinlich von ihrer Mutter oder Großmutter. Junge im gleichen Alter, agiert wie Bruder des Mädchens, hält Buch in der Hand mit … meinem Namen … Beide sehen aus, als fühlten sie sich ertappt.«

»Mir scheint, Sherlock«, sagte der andere Mann, »sie sind hier eingebrochen.«

Doch statt zu antworten, neigte Sherlock nur den Kopf zur Seite, als würde er nicht recht aus ihnen schlau werden. Er machte einen Schritt auf sie zu.

»Abflug, Tilly!«, drängte Oskar.

»Das sieht aus wie Latein oder so«, sagte Tilly, als sie auf die letzte Zeile des Buches blickte.

»Lies es einfach irgendwie!«, rief Oskar. »Schnell!«

»Populus me sib...sibilat, at mihi plaudo, ipso, no ipse, domi simul ac nummos contemplor in... arca«, las Tilly laut vor, und zu ihrer Erleichterung löste sich 221B Baker Street um sie herum in Luft auf, und sie waren wieder in der Primärbibliothek, ehe Sherlock ihr das Buch entreißen oder John Watson Scotland Yard herbeirufen konnte.

Bea, Horatio, Seb und Milo warteten dort auf sie.

»Kaum wart ihr fort, seid ihr schon wieder da«, sagte Bea erleichtert. »Wie ist es gelaufen?«

»Sehen wir nach«, antwortete Tilly und blätterte wieder an den Anfang des Buches, um die Seite mit der Liste aufzuschlagen. Sie fuhr mit dem Finger nach unten bis zur entsprechenden Stelle. »Schaut mal!«, rief sie triumphierend. »Es ist unverändert.«

»Gott sei Dank!« Seb stieß die Luft aus, die er angehalten hatte.

»10 – spielt gut Geige«, las Oskar freudestrahlend. »Es ist noch exakt dasselbe. Wir haben Sherlock Holmes nicht ruiniert. Und noch wichtiger, das ist keine Primärausgabe mehr...«

Bevor sie sich jedoch entschließen konnten, was als Nächstes zu tun war, schallte ein Getöse durch den Saal.

»Das sind die Wachen.« Seb wurde ganz blass. »Wir haben sie zu lange warten lassen.«

»Also gut, hört mir zu«, sagte Horatio und übernahm das Kommando. »Milo, du und ich gehen mit Seb. Hof-

fentlich haben sie den Wachen nicht mitgeteilt, mit wie
vielen von uns sie rechnen sollen, dann wird mir schon irgendeine Ablenkung für sie einfallen. Matilda braucht hier
sicher noch ein bisschen Zeit, denke ich.«

»Um Will zu retten?«, fragte Tilly.

»Nun ja, das zu versuchen, kann nicht schaden«, antwortete er. »Aber eigentlich meinte ich, um deinen Plan
auszuführen, die Primärquellen wieder freizugeben.«

»Ach ja«, sagte Tilly. »Natürlich.«

»Wir müssen gehen«, drängte Seb Horatio und Milo zur
Eile.

»He, Milo«, sagte Oskar, gerade als sie ihnen den Rücken zukehrten. »Können wir irgendwie Kontakt zu dir
aufnehmen? Hast du ein Handy … oder einen Computer,
damit wir dir mal eine E-Mail schicken können?«

Horatio verdrehte die Augen, doch Milos Gesicht erhellte sich.

»In unserem Zug gibt es keine Handys und Computer«,
antwortete er. »Die funktionieren in der Geschichtenwelt
nicht. Aber ihr könnt mir schreiben.«

»Und wohin schicken wir unseren Brief?«

»Wenn ihr ihn an Milo Bolt, Geschichtenwelt-Express,
adressiert und ihn zwischen die letzte Seite und den Umschlag eines Buches steckt – ganz nah an den Nachsatzblättern –, dann erreicht er mich.«

»Er zaubert sich einfach zu dir?«, fragte Oskar skep-
tisch.

»Geht dir das jetzt etwa einen Schritt zu weit mit der ganzen Magie?« Milo lachte.

»Nö, alles klar!«, antwortete Oskar und grinste.

»Was das In-Kontakt-Bleiben betrifft, würde ich mich an eurer Stelle nicht sorgen«, sagte Horatio mit einem verschmitzten Lächeln. »Schließlich schuldest du mir noch einen Gefallen, Matilda. Du wirst von mir hören.«

50

AUSERWÄHLTE

Hinter den Regalen in dem frostigen Bibliothekssaal verborgen hörten Bea, Oskar und Tilly, wie die riesige Tür aufging und sich hinter Milo, Horatio und Seb wieder schloss.

Tilly kam die Entfernung zum anderen Ende des Saales unheimlich groß vor; sie hoffte, Will würde, ohne sich in der Geschichtenwelt zu befinden, so weit weg von ihr existieren können.

»Ihr habt mir sicher eine Menge zu berichten, wenn wir das hier erledigt haben«, sagte Bea.

Tilly nickte in der Hoffnung, dass es in nicht allzu ferner Zukunft einen Zeitpunkt geben würde, an dem sie alle bei einer Tasse heißer Schokolade zusammensitzen würden, um sich Geschichten über Zauberzüge und geheimnisvolle Archive zu erzählen – und über was immer hier noch passieren würde.

»Eine Frage können wir immerhin auf der unendlichen Liste aller Fragen abhaken«, sagte Oskar. »Warum in dem Papierwald lauter Dinge von Orten waren, an die wir schon mal buchgewandelt sind.«

»Daran denkst du jetzt gerade?«, fragte Tilly.

»Ja«, antworte Oskar. »Das hat uns nie jemand erklärt. Ich hasse es, wenn irgendwelche Dinge einfach so ungeklärt in der Luft hängen. Jedenfalls wissen wir jetzt, warum das Piratenschiff aus *Die Schatzinsel* da war und die Straßenlaterne aus *Narnia* – das stammte alles aus unserer Fantasie. Und deshalb hatten wir auch das Gefühl, wieder in *Ein Sommernachtstraum* zu sein, weil wir dort kurz vorher hingewandelt waren.«

»*Ein Sommernachtstraum*«, wiederholte Tilly.

»Was meinst du?«, fragte Oskar verwirrt.

»Das letzte Puzzleteil«, antwortete Tilly. Sie blickte auf die Regalreihen, um sich zu orientieren, bevor sie die anderen zurück in die Tiefen der Primärbibliothek führte. »Ich habe eine Idee, wie wir die Freigabe der Primäreditionen beschleunigen können. Das schaffen wir bloß nicht alleine. Aber Horatio ist nicht der Einzige, dem jemand einen Gefallen schuldet. Es wird Zeit, dass ich selbst einen einfordere. Vertraut mir einfach, ja? Auch wenn ihr seht, wen ich meine.«

Oskar grinste. »Du weißt schon, dass ich es ursprünglich war, der dich überredet hat, solche abgedrehten Sachen zu machen. Aber wahrscheinlich muss ich mich langsam dran gewöhnen, dass die meisten verrückten Ideen inzwischen von dir kommen.«

»Bist du dann etwa ab jetzt der Vernünftige von uns beiden?«, fragte Tilly.

»Vergiss es!«

»Einer muss schließlich der Vernünftige sein«, sagte Tilly.

»Die Rolle übernehme ich gerne«, kam es von Bea.

»Du hast mitten in der Nacht zwei Kinder zum Flughafen gebracht und in ein Flugzeug nach Amerika gesetzt, Bea«, erwiderte Oskar. »Damit hast du dich eindeutig disqualifiziert.«

»Stimmt!« Bea lachte. »Da hast du recht.«

»Also ehrlich, die Zeiten zum Vernünftigsein sind doch lange vorbei«, sagte Tilly. »Vielleicht muss einfach keiner von uns mehr diesen Part übernehmen.«

»Aber eigentlich ist klar, wer die Auserwählte ist, was, Tilly?«, fragte Oskar und pikste sie in den Rücken.

»Also dann erkläre ich uns hiermit alle zu Auserwählten«, verkündete Tilly.

»Dann sind wir alle außergewöhnlich?«, fragte Oskar.

»Oder wir sind alle normal«, antwortete Tilly.

»Vielleicht ist das ja letzten Endes dasselbe«, sagte Bea.

»Wohin gehen wir denn?«, flüsterte Oskar, während er und Bea Tilly durch die Regalreihen folgten und zusahen, wie sie die Aufschriften auf den Buchrücken las.

»Wir brauchen ein bisschen Verstärkung«, antwortete Tilly und blieb stehen, um ein Buch herauszuziehen. »Und jetzt, wo wir wissen, wie man die Bücher wieder freigibt, können wir ein paar Freunde darum bitten.«

Sie zeigte Oskar und Bea den Umschlag des Buches in ihrer Hand.

»*Anne auf Green Gables*«, las Oskar vor. »Natürlich.«

»Du willst Anne aus ihrem Buch holen?«, fragte Bea. »Das geht doch nicht.«

»Mum, ich hab jetzt keine Zeit, dir das lange zu erklären«, antwortete Tilly, »aber weißt du noch, was Horatio darüber gesagt hat, wer sich die Regeln ausdenkt. Na ja, jetzt ist es jedenfalls an der Zeit, noch ein paar davon zu brechen. Es ist nämlich genau, wie Milo gesagt hat: In uns allen steckt Buchmagie, wenn wir sie nur zu nutzen wissen.«

Tilly machte des Gleiche, was Seb mit der Sherlock-Holmes-Ausgabe gemacht hatte, und legte die Hand auf das Buch. Sie kam sich zwar ein bisschen albern vor, doch sie dachte ganz fest daran, wie sehr sie sich wünschte, es zu lesen, und bat es, sie einzulassen, woraufhin sofort das schwarze Zeichen über dem ersten Wort verschwand.

Sie blätterte rasch bis zu einer Seite relativ am Anfang, auf der Anne beschrieben wurde, und las die Stelle, so leise sie konnte, vor. Nichts passierte.

»Lass dich nicht entmutigen, Liebling«, sagte Bea. »Es war eine schöne Idee, aber ich fürchte, nicht einmal du kannst die Regeln des Buchwandelns völlig umgehen. Also, was hattest du…«

»Was für eine seltsame, unangenehme Atmosphäre dieser Ort besitzt«, sagte da plötzlich jemand mit heller Stimme und kanadischem Akzent hinter ihren Rücken.

Die drei wirbelten herum.

Vor ihnen stand Anne Shirley und schauderte leicht. »Tilly«, sagte sie erfreut. Dann machte sie einen Knicks vor Bea. »Schön, Sie kennenzulernen«, fügte sie hinzu. »Mein Name ist Anne. Mit einem e.«

Tilly merkte wieder einmal, wie viel Glück sie hatte, dass die Figuren sich noch an sie erinnern konnten, wenn sie ihr Buch schon wieder verlassen hatte. Ein Umstand, der hoffentlich bald hilfreich für sie sein würde.

»Aber warum um Himmels willen seid ihr hier, und...« Tilly presste ihr rasch den Zeigefinger auf die Lippen, damit sie still war. »Wir müssen noch ein paar andere herholen, dann erkläre ich euch alles«, sagte sie.

Sie liefen weiter, vom Buchstaben M wie Montgomery bis zum Buchstaben C für Caroll, was sie ziemlich nah an den Raum führte, in dem sich die Underwoods mit Will aufhielten. Tilly zog die Primärausgabe von *Alice im Wunderland* heraus, und kurz darauf erschien Alice zusammen mit dem verrückten Hutmacher und dem weißen Kaninchen.

Oskar beobachtete Anne und Alice, die sich argwöhnisch ansahen.

»Wie genau sollen die denn helfen?«, fragte er.

»Sie können helfen, weil sie vorerst noch Primärfiguren sind«, sagte Bea, der langsam klar wurde, was Tilly vorhatte. »Das sind die mächtigsten Versionen dieser Figuren, die es gibt.«

»Und sie sind natürlich auf unserer Seite«, fügte Tilly

hinzu. »Sie bestehen aus reiner Fantasie – wenn uns irgendwer helfen kann, die Primärausgaben freizugeben, dann sie.«

»Was freizugeben?«, fragte Alice.

»Okay, kommt bitte näher«, sagte Tilly.

Anne, Alice und die anderen Bewohner des Wunderlandes versammelten sich um sie, und Tilly erklärte, wo sie waren und worum es ging. »Und deshalb brauchen wir eure Hilfe«, schloss sie. »Wir benötigen eure Magie, um alle Bücher hier unten freizugeben, damit ihr nicht länger gefangen seid. Wir brauchen so viel Fantasie wie nur möglich.«

»Aber was genau sollen wir tun?«, fragte Alice. »Das klingt nach einem sonderbaren Vorhaben, und es klingt irgendwie sehr anstrengend.«

»Das erkläre ich euch, sobald wir mehr Leute beisammenhaben«, antwortete Tilly. »Vor allem muss ich noch eine bestimmte Person um Hilfe bitten, glaube ich. Und nun holt so viele Figuren aus den Büchern, wie ihr könnt. Aber leise, bitte.«

Alice und Anne sausten davon und fingen an, ein Buch nach dem anderen aus den Regalen zu ziehen und den Neuankömmlingen zu erzählen, um was es ging.

Und schon bald wurde es immer voller zwischen den Regalen der Primärbibliothek: Prinzessinnen und Piraten, Zauberer und sprechende Tiere standen dort, und unzählige andere Fantasiegestalten. Tilly entdeckte einige ihrer

Lieblingsfiguren, die sich unterhielten, und viele, viele andere, denen sie noch nie begegnet war.

Allerdings wurde es langsam so laut, dass sie kaum noch zu überhören waren. Tilly gab Anne und Alice ein Zeichen, worauf sie sich mit Bea bereit machten, alle anderen in dem Gewimmel zu informieren. Die Luft war von einem deutlich sichtbaren Funkeln und Glitzern erfüllt, das selbst die dunkelsten Ecken zwischen den Regalreihen erhellte. Tilly und Oskar gingen voran, zurück zu dem Raum, in dem die Underwoods und ihre scheußliche Buchpress-Vorrichtung sich befanden und wo auch Will hoffentlich noch war.

Plötzlich ging die Tür vor ihnen auf, und ein wütender Melville kam herausmarschiert. »Habe euch nicht gesagt…« Er verstummte und bekam weiche Knie, als er sah, was sich da vor ihm abspielte. »Wer… Was…« Er stolperte rückwärts auf seine Schwester zu.

»Wir haben hier leider noch etwas zu erledigen«, erklärte Tilly, die Hände in die Hüften gestemmt. »Und ich habe ein paar Freunde mitgebracht, die uns dabei helfen.«

Sie signalisierte den Figuren, zu bleiben, wo sie waren, und ging zu Melville und Decima, neben denen zum Glück immer noch Will stand.

Melville versuchte, seine Angst zu verbergen, und schubste Will nach vorn, damit er sich hinter ihm verstecken konnte. Wills Hände wären mit einer klebrigen, zähen Flüssigkeit verschmiert, um sie zu fesseln.

»Keine weiteren Tricks mehr!«, rief Melville. »Wie ihr seht, kann Mr Shakespeare nicht wiederholen, was er oben versucht hat. Er ist sozusagen gesichert, genau wie die Bücher hier. Ich weiß nicht, wie ihr so viele Leute zusammenbringen konntet«, sagte er mit zittriger Stimme, »aber verlasst euch drauf, dass wir hier immer noch die Oberhand haben. Was ist das überhaupt für ein Pöbel? Sind sie etwa bewaffnet?«

»Wissen Sie das etwa nicht?«, fragte Oskar schadenfroh, als er begriff, dass Melville noch nicht klar geworden war, mit wem er es zu tun hatte.

»Wie meinst du das, Junge?«, fragte Decima.

»Sehen Sie doch mal näher hin«, schlug Bea mit einem kaum merklichen Lächeln vor.

Decima schob Melville beiseite und machte ein entsetztes Gesicht, als sie genug der Figuren erkannte, um zu verstehen, was Tilly getan hatte.

»Aber das ist unmöglich«, sagte sie. »Die Bücher sind doch alle gesichert. Nie und nimmer kann man das so schnell rückgängig machen.«

»Es gibt *immer* einen Weg, werden Sie feststellen«, antwortete Tilly. »Vor allem wenn es um Geschichten geht. Ein Freund gab mir einmal den Rat, ein bisschen Raum für das Unmögliche zu schaffen.«

»Ach, das klingt großartig«, sagte Will. »Kann ich das für mein nächstes Stück borgen?«

»Klappe!«, zischte Melville. Er wandte sich wieder an

Tilly. »Na wenn schon. Du hast uns demonstriert, dass du die Regeln brechen kannst – das wussten wir bereits. Willst du uns jetzt etwa fiktionale Figuren auf den Hals hetzen? Obwohl wir die Macht besitzen, mit einem Fingerschnippen ihre Geschichten ein für alle Mal zu zerstören? Das hast du wohl nicht ganz richtig durchdacht.«

»Das habe ich, verlassen Sie sich drauf«, erwiderte Tilly und zog die Ausgabe von *Ein Sommernachtstraum* hervor, die Orlando ihr geschenkt hatte. Sie hoffte inständig, dass ihr letzter Coup gelingen würde.

»*Schlimm treffen wir bei Mondenlicht, du stolze Tita-nia*!«, rief sie, und plötzlich erschien flirrend die Feenkö-nigin vor ihren Augen. In der realen Welt sah sie noch viel schöner und noch viel furchterregender aus als im Wald.

51

EINE VERSCHWENDUNG
VON UNSTERBLICHKEIT

Titania war größer als alle anderen und schien von innen zu leuchten. Ihre Haare umschwebten sie, genau wie ihr blau-goldenes Gewand, ohne den Gesetzen der Schwerkraft zu gehorchen. Sie glich einer magischen Wolke, und die Luft um sie herum glitzerte und funkelte.

»Wie… wie machst du das?«, fragte Decima und starrte entsetzt auf Titania. »Du kannst doch nicht… das dürfte nicht… So geht das nicht!«

»Mylady«, sagte Tilly und machte einen Knicks vor Titania. »Sie haben mir einen Gefallen versprochen, und nun brauche ich Ihre Hilfe. Diese Leute hier versuchen, Geschichten zu zerstören, um ihre Magie zu benutzen und dadurch Macht zu bekommen. Ich bitte Sie, mir zu helfen, all diese Geschichten zu befreien.«

»Was genau soll ich tun, Kind?«, fragte Titania.

Tilly stellte sich auf die Zehenspitzen und flüsterte ihr etwas ins Ohr.

Titania lächelte, nickte und streckte die Hand aus. Als Tilly sie berührte, durchzuckte etwas ihre Finger, aber sie ließ nicht los und konzentrierte sich auf das Stück, das sie in der anderen Hand hielt. Als Tilly und die Feenkönigin sich anfassten und ihre Magie vereinten, füllte sich die Luft mit dem Duft nach Karamell und dem kupferartigen Geruch nach etwas, das sich nicht beschreiben ließ.

Magie, nahm Tilly an.

»Woher weiß sie überhaupt, wer Sie sind?«, fragte Decima erschrocken. »Das ist eigentlich unmöglich... was für eine Art Zauberkraft setzt ihr hier ein?«

Doch Tilly konzentrierte sich weiter, sie hatte keine Zeit, Decima zu erklären, wie die Sache mit ihrer Halbfiktionalität funktionierte.

»Aufhören, sofort!«, rief Melville und geriet in Panik. »Decima, was tun die da?«

Decima konnte nichts weiter tun, als Tilly und Titania hilflos anzustarren, während die beiden reine Geschichtenmagie um sich herum versprühten. Als Tilly ein bewunderndes »Aah« von ihrer Mutter und ein anerkennendes »Alter Schwede!« von Oskar hörte, wusste sie, dass es funktionierte.

»Konzentrier dich, Matilda«, sagte Titania. »Er fängt gerade erst an zu sprießen.«

Tilly sah, dass ein Wald zwischen den Seiten des Stückes heraus und um sie herum zu wachsen begann. Tilly und Titania zogen Shakespeares verzauberten Wald aus *Ein*

Sommernachtstraum in die Primärbibliothek, und seine Ranken, Triebe und Blätter verteilten sich überall. Blumen keimten am Fuß der Bücherregale, wanden sich um ihre Seitenteile aufwärts bis zur Decke. Und wuchsen immer weiter, bis sie die ganze Bibliothek in Besitz genommen hatten.

Unter ihren Füßen spross weiches Gras, und Kletterpflanzen krochen über ihren Köpfen entlang, sodass man kaum noch die Betondecke sehen konnte. Alles erschien leichter und heller, obwohl noch immer der Geruch nach Feuer und Zucker und Magie die Luft erfüllte, vermischt mit dem satten Duft nach frischem Grün.

Melville und Decima wirkten ziemlich klein und unbedeutend inmitten all der Schönheit des Waldes – und eingezwängt zwischen einer Armee fiktionaler Figuren.

Titania ließ Tillys Hand los und sah sich zufrieden um.

»Betrachtest du meine Schuld nun als getilgt?«, fragte sie Tilly.

»Oh ja«, antwortete Tilly. »Vielen Dank.«

Die Feenkönigin schenkte Melville und Decima noch einen herablassenden Blick, bevor sie sich in nichts auflöste und das Grün hinter sich zurückließ. Es gab nicht eine Ecke in der Primärbibliothek, die davon unberührt geblieben war.

»Was hast du vor, Matilda?«, fragte Decima, nachdem sie sich wieder gefasst hatte. »Das erscheint vielleicht beeindruckend, aber erkennst du deinen Fehler? Du hast uns mehr von unserem benötigten Rohstoff vor die Füße gelegt, als wir jemals werden nutzen können.« Sie lachte kalt. »Dieser Wald kann gefällt und zu Buchmagie gepresst werden. Genau wie diese Figuren. Einige von ihnen müssen natürlich wieder in ihre Ausgaben zurück, sonst fällt noch jemandem auf, dass sie fehlen, trotzdem hast du uns gerade Buchmagie im Überfluss geliefert.«

»Das Entscheidende ist Ihnen entgangen«, erwiderte Tilly. »Dasselbe, das Ihnen schon immer entgangen ist. Sie haben nicht die geringste Ahnung, was Magie eigentlich ist. Jedenfalls nicht dieses schwarze Zeug, das Sie gewaltsam aus den Büchern gewinnen – das ist bloß ein schwacher Abklatsch von echter Buchmagie. Wahre Magie – die Magie aus Geschichten und Fantasie – ist das, was all diese Figuren hergebracht hat, genauso wie den Wald. Und es wird das sein, was Sie aufhalten wird.«

Tilly gab den versammelten Buchfiguren ein Zeichen, woraufhin sie sich umwandten und die Hände an den jeweils nächsten Baumstamm legten.

Das Feuer in der Bibliothek von Alexandria, das sich so rasend schnell verbreitet hatte und von einer Schriftrolle auf die nächste übergesprungen war, hatte Tilly auf die Idee gebracht. Sie hatte jede Figur um ein bisschen ihrer Buchmagie gebeten, die nun direkt aus ihnen herausströmte und durch den Wald weitergeleitet wurde, bis die Bücher in den Regalen zu leuchten begannen, während die Magie sich auf ihren Seiten verteilte.

»Was machst du da?«, fragte Decima.

»Ich gebe die Primärausgaben frei«, erklärte Tilly. »*Wir* geben sie frei. In Kürze wird keines dieser Bücher mehr eine Primärausgabe sein. Dann sind es nur noch normale Geschichten, aber *magisch*, so wie alle Geschichten es sind.«

»Wie kannst du es wagen!?«, rief Decima. »Du dumme kleine Göre. Du hast keine Ahnung, was du da tust. Glaubst du etwa, die anderen Buchwandler werden begeistert sein, wenn sie hören, welchen Schaden du angerichtet hast? Glaubst du etwa, die Underlibrary wird sich darüber freuen? Wie du von deinem hohen Ross gestürzt bist, um uns dafür zu strafen, die Primärausgaben zu nutzen, indem du sie nun auf einen Streich zerstörst?«

»Aber Sie wollen Geschichten zerstören und nicht Ausgaben«, erwiderte Tilly. »Das ist viel schlimmer. Denn es sind die Geschichten, auf die es ankommt. Vielleicht hatten die Unterbibliotheken schon zu lange das Sagen. Vielleicht braucht das Buchwandeln einen Neuanfang, mit der Möglichkeit, dass Geschichten unabhängig von den Primärausgaben existieren.«

»Die Primärausgaben beschützen sie, du törichtes Kind«, sagte Melville.

»Nicht besonders gut, wenn sie von Leuten wie Ihnen gestohlen und kaputt gemacht werden können. Ab jetzt stehen sie unter der Obhut der Leser, so wie es sein sollte.«

»Und ihr glaubt, das würde uns aufhalten?«, fragte Decima und riss den Blick von der Magie los, die sich ununterbrochen weiter in der Primärbibliothek ausbreitete.

»So ist es«, antwortete Oskar. »Sie haben keine Primärausgaben mehr, also haben Sie auch keine Macht mehr.«

»Ihr vergesst, was ihr uns gezeigt habt«, erwiderte Decima, die mit jedem Wort mehr außer sich geriet. Ihre Haare hatten sich schon aus dem strengen Pferdeschwanz gelöst, und ihr Lippenstift war ganz verschmiert. »Das wir nämlich fiktionale Figuren selbst als Magiequelle nutzen können. Außerdem haben wir immer noch Shakespeare, und die anderen Archivare können wir auch finden. Das Ganze ist nur ... ein kleiner Rückschlag. Eine kurze Unterbrechung. Wir verfügen über die Loyalität der Bibliothekare, und wir ...«

»Oder glaubt ihr etwa, die stellen sich auf die Seite zweier Kinder, die gerade die komplette britische Primärbibliothek zerstört haben?«, rief Melville. »Ihr werdet uns niemals aufhalten. Wir haben schon viel zu viel erreicht, um die Entwicklung jetzt zum Stillstand zu bringen.«

Langsam überkam Tilly Verzweiflung. Sie war sich sicher gewesen, dass die Underwoods ihre Niederlage einräumen würden, sobald sie keinen Magienachschub mehr bekämen, und dass die Primärbibliothek von ihrer Herrschaft befreit sein würde, aber das alles schien die beiden nur umso mehr anzuspornen.

Inzwischen beachteten die Geschwister sie gar nicht mehr. Sie hatten sich den zahlreichen fiktionalen Figuren zugewandt, die immer noch ihre Magie in den Wald leiteten, und sahen sie mit einem gierigen Ausdruck in den Augen an.

Da hörte Tilly jemanden leise husten und merkte, dass Will versuchte, ihre Aufmerksamkeit auf sich zu lenken. Sie stupste Oskar unauffällig an, damit er auch hinsah.

»Manchmal«, erklärte Will, »bedarf es eines kleinen Unrechts, um etwas Großes richtig zu machen.« Er deutete mit dem Kopf auf die *Ein Sommernachtstraum*-Ausgabe in Tillys Hand.

Tilly sah ihn verwirrt an, bis sie begriff, was er vorschlug. »Aber... das wird sie ruinieren.«

»Es ist ja nur die eine Ausgabe«, sagte Will. »Und ich bin der Schöpfer der Geschichte; ich erteile dir meine Erlaubnis. Ich glaube, Titania und Oberon sind imstande, sich einer solchen Herausforderung zu stellen.«

»Hört auf zu flüstern«, befahl Melville, der ihre leise Unterhaltung bemerkt hatte. »Haltet einfach die Klappe, bis dieser Schlamassel, den ihr angerichtet habt, wieder in Ordnung gebracht ist, und dann sehen wir, was wir mit euch machen.« Seufzend sah er zu, wie sich die Primäreditionen in normale Bücher verwandelten, jedes von ihnen glitzernd aufleuchtete, während es mit reiner Buchmagie gefüllt und freigegeben wurde. »Was für eine Verschwendung von Unsterblichkeit.«

»Eigentlich denke ich, es wird Zeit, dass *wir* entscheiden, was wir mit *Ihnen* machen«, sagte Oskar.

»Was?« Decima lachte.

»Jetzt«, flüsterte Tilly Oskar zu. Beide schossen nach vorn, jeder von ihnen schnappte sich einen der Underwoods, und Tilly las noch einmal die Zeile laut vor, die sie schlagartig wieder in *Ein Sommernachtstraum* beförderte.

»Titania«, sagte Tilly und neigte ehrfurchtsvoll den Kopf, während die Underwoods lang gestreckt im Gras lagen und vor Schreck über das unerwartete Buchwandeln nach Luft schnappten. »Verzeihung, wenn ich Ihre Gastfreundschaft noch einmal in Anspruch nehme, aber wir haben gehofft, Sie könnten sich vielleicht eine Weile um diese beiden hier kümmern. Ich verspreche auch, dass dies der letzte Gefallen sein wird, um den ich Sie bitte.«

»Noch mehr Menschen?«, schnaubte Titania.

»Ja«, antwortete Tilly. »Und Sie können mit ihnen machen, was Ihnen beliebt. Vielleicht könnten Sie zur Abwechslung diese zwei mit Ihren Listen ärgern statt sich untereinander? Passen Sie nur auf, dass sie nichts kaputtmachen.«

Als die Elfen auftauchten, krochen die Underwoods hastig durch das Gras davon.

»So schnell werdet ihr uns nicht los!«, kreischte Decima. Ihr Kleid war zerrissen und ihre Haare voller Zweige. »Wir haben schon einmal den Weg zurück in die Underlibrary gefunden. Habt ihr nicht mehr zu bieten? IST DAS ALLES?!«

»Sie machen denselben Fehler, den Sie immer machen!«,

370

rief Tilly zurück, während Oskar zur letzten Seite des Stückes blätterte.»In dieser Geschichte ging es niemals um Sie.«

52

REINE GESCHICHTE

Zurück in der Underlibrary wurden sie von Beas und Wills erschrockenen Gesichtern empfangen.

»Und das war's jetzt?«, fragte Oskar, der kaum glauben konnte, dass sie die Underwoods so leicht los sein sollten. »Wir lassen sie einfach dort? Wir hätten sie schon vor Ewigkeiten in irgendein Buch befördern sollen.«

»Es war mein Ernst, was ich da drin gesagt habe«, sagte Tilly. »Obwohl mir das gerade erst richtig klar geworden ist. Wir waren die ganze Zeit so auf die beiden fixiert, aber ich glaube, in unserer Geschichte ging es immer um das hier: Geschichten zu befreien und zu verstehen, was Buchmagie wirklich ist.«

Oskar hob die Hand, um Tilly abzuklatschen, doch sie hielten abrupt inne, als sie Beas panischen Blick sahen. »Alles läuft schief«, sagte sie. »Der Wald – es funktioniert nicht mehr!«

Tilly und Oskar sahen sich um. Die Buchmagie floss immer noch durch die Bäume, aber die Primärfiguren begannen nach und nach zu flimmern und verschwanden dann.

Sie rannten zu Anne, die gerade Buchmagie in eine dicke Eiche schickte.

»Haben wir es geschafft?«, fragte sie matt, und Tilly und Oskar mussten entsetzt mit ansehen, wie ihre Konturen anfingen, sich in der reinen Buchmagie um sie herum aufzulösen.

»Halt, aufhören, Anne!«, rief Tilly schockiert.

Anne zog ihren Arm von dem Ast weg, den sie berührte, doch kaum hatte sie das gemacht, floss die Magie wieder zu ihr zurück.

»Mum, was ist los?«, fragte Tilly.

»Es ist einfach zu viel«, antwortete Bea. »Die Buchmagie wird zu schnell verbraucht – die Figuren lösen sich auf.«

»Aber es kann ihnen nichts Schlimmes anhaben, oder?«, fragte Oskar. »Sie sind immer noch in ihren Büchern?«

»Nicht, solange sie noch Primärfiguren sind«, antwortete Bea und hielt ihnen die Ausgabe von *Anne auf Green Gables* hin, die jetzt hauptsächlich aus leeren Seiten bestand. Keine Spur von Anne darin, die gerade flimmernd und verblassend vor ihnen stand. »Es ist eine Art Zwickmühle«, sagte Bea. »Man braucht die Macht der Primärfiguren, um die Primärausgaben in normale Bücher zu verwandeln. Aber wenn diese Figuren zu viel Magie verlieren und sich in Luft auflösen, bevor dieser Prozess beendet ist, na ja, dann verschwinden einige ihrer Geschichten mit ihnen.«

»Aber was sollen wir jetzt tun?«, fragte Tilly und versuchte, die Panik zu unterdrücken, die in ihr hochstieg. »Ich kann doch nicht dafür verantwortlich sein, diese Bücher sämtlichen Lesern auf der Welt wegzunehmen. Anne, du musst aufhören, *bitte*.«

»Ich muss dir helfen«, antwortete Anne leise und zuckte mit den Schultern. »Du bist meine Leserin.«

»Das ist es nicht wert«, entgegnete Tilly verzweifelt. »Du bedeutest zu vielen Menschen einfach zu viel. Ich bin schließlich nicht deine einzige Leserin. Wir finden einen anderen Weg. Vielleicht kann ich mithelfen. Immerhin bin ich halb fiktional, und die Geschichtenwelt will mich offensichtlich zurückhaben.«

Sie presste die Hände an einen Baum, aber jemand hielt sie sanft zurück. »Ich habe einen Vorschlag«, sagte Will und rieb sich die Handgelenke an den Stellen, wo er die Buchmagieverbindung gelöst hatte. Er kniete sich vor Tilly hin. »Matilda, meine Liebe«, sagte er voller Zuneigung. »So klein und doch so wild entschlossen. Du hast mir das größte Geschenk gemacht, das ein Schriftsteller sich je wünschen könnte: die Gewissheit, dass meine Worte eine Heimat in den Herzen und Gedanken der Menschen gefunden haben, lange nachdem ich schon tot war. Warum sollte ich verweilen, wenn meine Texte schon ein ewiges Zuhause haben? Schließlich sind wir der Stoff, aus dem die Träume sind, und unsere kurzen Leben werden durch Schlaf gekrönt. Es ist an der Zeit für mich, schlafen zu gehen und zu träumen. Erlaube mir, dir ein Geschenk zu

374

machen, das dem ebenbürtig ist, das du mir gemacht hast. Schick diese Figuren zurück, woher sie gekommen sind, rette sie.«

Und damit erhob er sich und ging auf die Regale zu, während die Figuren eine nach der anderen wieder in ihren Büchern verschwanden. Als Bea in *Anne auf Green Gables* nachsah, war Anne auf jeder Seite wieder quicklebendig vorhanden, auf die sie gehörte.

Tilly nickte Will zu, und er neigte sich zu einer letzten tiefen Verbeugung, bevor er die Hände an die große Eiche presste, an der Anne eben noch gestanden hatte. »Such frohe Nacht und frohe Tage, Kind«, sagte er.

»Und gute Enden für gute Bücher.«

Dann schloss er die Augen, und reine Buchmagie begann aus seinen Händen in den Baum zu strömen. Kurz darauf kam sie aus jedem seiner Körperteile. Seine Fantasie floss direkt von ihm in die Bücher und sorgte dafür, dass jedes einzelne von ihnen wieder freigegeben wurde. Sie verbreitete sich im ganzen Wald, in jedem Winkel der Bibliothek, verteilte sich in Windeseile überall, wie elektrischer Strom. Und während die Bände in den Regalen einer nach dem anderen anfingen zu leuchten, begann Will zu vergehen, bis er schließlich selbst zu reiner Geschichte wurde. Und ein Schauer schimmernder Buchmagie stob durch die Regalreihen und erfüllte die Luft mit glitzernder Magie und dem unverkennbaren Duft nach gerösteten Marshmallows.

Epilog
EINE WOCHE SPÄTER

Grandma, Grandad, Bea, Tilly und Oskar saßen rund um den Küchentisch bei Pages & Co. und aßen selbst gebackene Pizza.

Die Ausgabe von *Ein Sommernachtstraum*, in der die Underwoods gefangen waren, hatte man mit einem fein säuberlichen goldenen Kreuz aus Buchmagie über dem ersten Wort gesichert. Anschließend hatte man sie Amelia Whisper anvertraut, die als Direktorin der British Underlibrary wieder eingesetzt worden war. Welche Rolle die Underlibrary in Zukunft spielen würde, war noch nicht entschieden.

»Und wie geht es jetzt weiter?«, fragte Tilly und schob sich ein Stück Pizza in den Mund.

»Wer weiß?«, antwortete Grandma. »Alles hat sich verändert, und eine Menge Entscheidungen sind zu treffen. Vieles muss geklärt und alle möglichen Leute müssen überprüft werden.«

»Orlando und Jorge ist doch nichts passiert, oder?«, fragte Tilly.

»Sie sind putzmunter«, versicherte Bea ihr. »Die amerikanische Unterbibliothek schuldete Amelia noch einen Gefallen. Sie haben dafür gesorgt, dass die beiden wieder wohlbehalten nach Hause gekommen sind. Irgendwann fliegen wir zusammen nach Amerika und besuchen sie dort. Dann können wir uns Washington anschauen und sie können uns selbst erzählen, wie es ihnen ergangen ist.«

»Wir haben doch das Richtige getan, oder?«, fragte Tilly. »Die Primäreditionen freizugeben?«

»Tilly, du und Oskar, ihr habt das getan, was ihr für richtig hieltet«, antwortete Grandad. »Etwas anderes würden wir nie von euch erwarten. Ich schäme mich fast ein bisschen, dass ich zwanzig Jahre meines Berufslebens Bibliotheksdirektor gewesen bin und dass ich buchwandle, seit ich zwölf war, und mich in der ganzen Zeit nie gefragt habe, was Buchmagie eigentlich wirklich ist. Wir haben uns immer gewünscht, dass du mutig, wild und wunderbar bist, genau wie deine Mum, und ihr beide habt uns mehr als bewiesen, dass ihr das seid.«

»Dann kann jetzt jeder einfach buchwandeln, wohin er möchte?«, fragte Oskar.

»Ja«, antwortete Grandad. »Es steht den Leuten völlig frei, ihren eigenen Kurs einzuschlagen.«

»Ihre eigenen Abenteuer zu suchen«, sagte Grandma.

»Ihren eigenen Weg zu finden«, fügte Bea hinzu.

»Und die Helden ihrer eigenen Geschichten zu sein«, schloss Tilly die Aufzählung ab.

»Darauf trinken wir«, sagte Oskar, und alle fünf hoben ihr Glas mit Himbeerlimonade und stießen an.

Später am Abend saß Tilly in ihrem Lieblingssessel im ersten Stock von Pages & Co. Das Mondlicht schien durch die Fenster und beleuchtete all die Bücher in den Regalen. Jedes davon ein eigenes Abenteuer, eine eigene Geschichte, die den Leser auf ihre ganz besondere Art willkommen heißen würde.

Tilly setzte sich in den Schneidersitz und blickte auf das Notizbuch in ihrem Schoß. Es war das Weihnachtsgeschenk von Oskars Großmutter in Paris.

Tilly schlug es auf, nahm den Füllfederhalter zur Hand, den sie versehentlich aus 221B Baker Street mitgenommen hatte, und holte einmal tief Luft.

Matilda und das Geheimnis der Buchwandler

schrieb sie auf die erste Seite.

von
Matilda Pages

Dann trank sie einen Schluck von ihrer heißen Schokolade, las den Titel noch einmal und schrieb lächelnd weiter.

ENDE

Aus Matilda Pages' Verzeichnis

...Trotz anfänglicher Versuche, sie zurückzuholen, bleibt Matilda Pages in der realen Welt. Sie wird weiter beobachtet, und zukünftige Maßnahmen sollen ergriffen werden, um ihre Rückkehr baldmöglichst sicherzustellen.

Dank

Ich danke meiner Familie, meiner erweiterten Familie und meinen Freunden für ihre Liebe und Unterstützung. Besonders meiner Mum, meinem Dad und meiner Schwester Hester. Wie immer danke ich dir, Adam Collier.

Dank an Paola Escobar für ihre wunderbaren Illustrationen.

Dank an meine Agentin Claire Wilson und an alle bei RWC. Ich danke dem wundervollen Team von HarperCollins Children's, besonders Nick Lane und Louisa Sheridan. Ein großes Dankeschön auch an Lizzie Clifford, Sarah Hughes und Rachel Denwood. Dank an all meine ausländischen Verleger und Verlegerinnen, insbesondere Cheryl Eissing, Lindsay T. Boggs und Tessa Meischeid bei Philomel.

Ganz herzlichen Dank allen Buchhändler*innen, Bibliothekar*innen und Blogger*innen, die meine Bücher bisher unterstützt haben. Ein besonderer Dank gilt den Buchhändler*innen und den Schulen, die mich so freundlich aufgenommen haben, als ich letzten Herbst auf Lesereise in den USA war. Vor allem danke ich Tattered Cover in Denver, deren Gebäude ich als Vorbild für Shakespeare's Sisters genommen habe, und McIntyre's Books in North Carolina, durch deren Verpackungsraum ich mich habe inspirieren lassen.

Danke, Laura Gottesmann von der Library of Congress, für die Beantwortung meiner Fragen zum Signaturensystem – und sorry, dass ich ein bisschen tricksen musste, damit der Hauptlesesaal als Schauplatz dienen konnte.

Und mein allergrößter Dank gilt all den Lesern und Leserinnen, die den Weg zu Tillys Geschichte gefunden haben.

Quellennachweis:

[1] Lewis Carroll, Alice im Wunderland. Aus dem Englischen von Christian Enzensberger. © der deutschsprachigen Ausgabe Insel Verlag Frankfurt am Main 1963. Alle Rechte bei und vorbehalten durch Insel Verlag Berlin, S. 95.

[2] Lewis Carroll, Alice im Wunderland. Aus dem Englischen von Christian Enzensberger. © der deutschsprachigen Ausgabe Insel Verlag Frankfurt am Main 1963. Alle Rechte bei und vorbehalten durch Insel Verlag Berlin, S. 172.

Autorin

Anna James hat eine Leidenschaft für Bücher: Nachdem sie als Schulbibliothekarin tätig war, arbeitete sie als Literaturjournalistin bei The Bookseller und schrieb für zahlreiche weitere Magazine und Zeitungen. Sie veranstaltet literarische Events, ist Mitbegründerin des YA Salons in London und hat mit A Case for Books ihren eigenen Instagram-, Twitter- und YouTube-Kanal. Sie lebt in London, in einer Wohnung voller Bücher.

Illustratorin

Paola Escobar wuchs in Kolumbien auf und zeichnet seit ihrer frühesten Kindheit. Dabei ließ sie sich immer von ihrer Umgebung, den Menschen und Geschichten ihrer Vorfahren inspirieren. Heute lebt sie zusammen mit ihrem Mann in Bogotá und illustriert Kinderbücher für viele internationale Verlage.

Übersetzerin

Birgit Salzmann studierte Deutsche Sprache und Literatur, Anglistik und Romanistik und übersetzt seit vielen Jahren englischsprachige Literatur ins Deutsche.
Sie lebt mit ihrer Familie in Marburg und ist bei einer Reise ins Land der Geschichten jederzeit sofort dabei.

Schon zu Ende?
Dann zurück an den Anfang!

Anna James
Pages & Co. – Matilda und das Geheimnis der Buchwandler
ab 10 Jahren | 368 Seiten
ISBN 978-3-96129-118-2